Instrumentación y Orquestación
Clásica y Contemporánea

Volumen 3

Instrumentos de Cuerda

Agustín Charles Soler

RIVERA EDITORES

Fotocopiar está
legalmente prohibido

© Copyright 2012 by Agustín Charles Soler

© Edición autorizada para todos los paises a:
RIVERA MOTA, S.L.
C/. Paz, 19 - 46003 Valencia (España)
email: info@riveraeditores.com
www.riveraeditores.es

I.S.B.N.: - 978-84-92825-63-9

Depósito Legal: V-2513-2012

Imprime: gràfiques **vimar**
Alqueria de Raga, 11 • Tel. 96 158 43 30 • Picanya • València

A mi esposa

Contenido

Prefacio

El trato que se ha dispensado habitualmente a la cuerda en los tratados de orquestación, desde H. Berlioz hasta la actualidad, ha cambiado en muy poco, lo que se debe a que de entre todos los instrumentos de la orquesta, son los que menos alteraciones han experimentado. Tampoco hay que olvidar que también son los primeros en participar en estas formaciones, y es a partir de ellos que evolucionan. Con estos antecedentes parece difícil que un nuevo libro pueda aportar un enfoque distinto. Nuestro propósito será pues, el de actualizar todas las referencias de tipo técnico y de uso instrumental, al tiempo que anotar las novedades y acotaciones que la familia de cuerda frotada y pulsada han ido incorporando desde principios del siglo XX hasta la actualidad.

Como ya hemos mencionado en los libros precedentes, queremos dejar claro que no es nuestro objetivo realizar un tratado definitivo, sino el de abrir nuevos caminos para que otros los amplíen, todo ello sin dejar de lado las publicaciones efectuadas hasta el día de hoy, puesto que de uno u otro modo han sido, y siguen siendo, de referencia ineludible. Seguimos pues con el propósito de aportar un grano de arena al difícil arte de la realización orquestal e instrumental, contribuyendo con nuevos datos, formulaciones y alguna que otra corrección, a ampliar la técnica descrita en los tratados tradicionales. Es por esta razón que creemos que el trato dispensado a cada instrumento no tiene porqué tener relación con el del conjunto, por lo que nos parece imprescindible separar ambos conceptos. Por otra parte, tampoco hay que olvidar que la documentación que hoy en día se puede obtener es tal, que permite ampliar con facilidad todo lo que aquí mencionamos. En cualquier caso, en el presente trabajo realizamos una presentación ordenada que debe proporcionar al lector, compositor y arreglista, la experiencia y eficacia necesarias para desarrollar su labor.

Es en la realización orquestal y camerística donde confluye la técnica de la instrumentación, lo que unido a la acústica resultante de la combinación de los distintos timbres determina finalmente su validez, aparte del hecho mismo de que esto también depende de la situación —altura, dinámica, tensión, distensión, etc. La infinidad de variables hace difícil, para no decir imposible, delimitar con exactitud su eficacia, aunque un buen profesional tiene que aprender a apreciar y distinguir el contexto adecuado de su desarrollo, lo que por otra parte se halla inevitablemente supeditado a su experiencia y conocimientos.

Éste es el tercer y último volumen de la colección dedicada a la instrumentación, y su exposición se ordena de acuerdo a la importancia que posee cada miembro en el grupo, así como a su disposición en la orquesta tradicional. Se describe a toda la familia de cuerda frotada y pulsada con una información actualizada de terminología, tesituras y posibilidades de ejecución, tanto tradicionales como actuales, organizadas de acuerdo a las mismas pautas de los libros precedentes.

Recordamos a continuación la configuración de la colección completa, que se ordena de acuerdo al siguiente criterio:

- Volumen 1.- Instrumentos de viento (madera y metal). La voz.

- Volumen 2.-Instrumentos de percusión y teclado

- Volumen 3.- Instrumentos de cuerda (pulsada y frotada)

A los libros dedicados a la exposición instrumental hay que añadir otros dos que completan el desarrollo técnico y práctico de la orquestación:

- Volumen 4.- Orquestación: Técnica y evolución de la orquesta y del tratamiento orquestal.

- Libro de trabajos

En los tres primeros se encuentra un estudio pormenorizado de la técnica de cada instrumento, no solo atendiendo a su tratamiento orquestal, sino a lo que concierne a la música de cámara y solista; mientras que en los que siguen se desarrolla todo lo que tiene que ver con su combinación, con especial referencia a la orquesta. El libro de trabajos posee como objetivo principal poner en práctica la conjunción instrumental. El propósito es el de permitir un acercamiento serio al arte de la orquestación a cualquier persona preparada y con conocimientos de música, proporcionando una labor formativa que puede abordarse de manera autodidacta,.

Como se ha mencionado anteriormente, la exposición instrumental de este trabajo se halla ordenada en familias y agrupaciones, de acuerdo al orden de su disposición en el orgánico orquestal y a la importancia que cada miembro ostenta en el conjunto. Para unificar criterios, en la parte inicial y relativa a cada grupo se realiza una descripción de los aspectos que les son comunes —ya sean tímbricos, de articulación, o de cualquier otra índole—, evitando repeticiones innecesarias en las partes individuales, lo que a nuestro juicio ayuda a entender de mejor modo los procedimientos habituales de la familia completa.

Agradecimientos

Aunque este libro ha sido realizado por quien lo subscribe, lo ha sido también gracias a la ayuda desinteresada de diversas personas y profesionales de la música. A todos ellos les agradezco enormemente su esfuerzo: Marc Charles, violín; Alano Melchor Kovacs, viola; David Apellániz, violonchelo; Jonathan Camps, contrabajo; Peter Krivda, viola da gamba; Antonio Clares, viola de amor; Gloria María Martínez, arpa; Àlex Garrobé, guitarra; Xavier Coll, guitarras y laúd; Jorge Casanova, mandolina y bandurria. Del mismo modo a Esteban Hernández, por su amistad, paciente lectura y comentarios de redacción.

También debo un agradecimiento especial a Enrique Rivera y Rivera Editores por el apoyo que desde sus inicios he recibido para la publicación de este trabajo. Del mismo modo le agradezco a mi esposa la infinita paciencia que ha tenido conmigo a lo largo del período de su elaboración, aguantando mi mal humor, impaciencia, además de otros tantos e indescriptibles estados de ánimo.

Agustín Charles Soler

Instrumentos de cuerda

INTRODUCCIÓN

La familia de los instrumentos de cuerda, especialmente la de la cuerda frotada, es la primera en participar como conjunto completo en la orquesta sinfónica actual. Es por esta misma razón por lo que también será la primera en estabilizar su construcción, que se desarrolla a partir de los instrumentos principales de los hoy considerados grandes constructores del siglo XVI a XVIII. Tras ellos pocas son las evoluciones de este grupo, especialmente en lo que se refiere a forma, tipología y sonido. Cambian los materiales, especialmente aquellos que son de obligada renovación, como las cerdas de los arcos de los instrumentos de cuerda frotada, o las cuerdas, que con el paso del tiempo se elaboran con materiales más resistentes, lo que proporciona una mejor y más estable afinación. En lo que se refiere al sonido, sin embargo, es donde menos cambios se producen, aunque sufren pequeñas variaciones, las habituales de la evolución tímbrica, que se tiende a modificar debido a la irrupción de nuevos estilos, modas, etc.

Es precisamente lo que concierne a la evolución tímbrica del grupo completo de cuerdas, la razón que nos lleva a incluir en este trabajo —tal y como lo hicimos en los precedentes—, a los instrumentos antecesores o continuadores de los hoy considerados principales, puesto que no podemos obviar su uso: en los primeros, por la recuperación del repertorio de la música antigua; y en los segundos, por la evolución del sonido con técnicas que demandan timbres más allá de los convencionales. Instrumentos como las *violas da gamba* o las *violas da braccio*, la familia de cuerda frotada eléctrica; el laúd, la mandolina, guitarra y bajo eléctrico; aunque no son de uso habitual, los encontramos cada día con mayor frecuencia en la práctica instrumental, especialmente en la música de cámara. Consideraríamos inacabado un libro de orquestación como el que aquí nos proponemos si dejáramos de lado sus aportaciones tímbricas, las cuales a menudo van más allá de su técnica, abordando, e incluso influyendo, en la de otras familias. Así, efectos de distorsión, ruido, modos y modelos de digitación y pulsación, etc., que pertenecían en sus comienzos a determinados grupos de instrumentos, son hoy de uso cotidiano en el resto de la familia de cuerda frotada y pulsada.

Para describir con detalle todas las cuestiones relacionadas con la técnica, efectos, tesitura, etc., hemos dividido el apartado dedicado a los instrumentos de cuerda en dos grandes grupos: cuerda frotada y cuerda pulsada; añadiendo en cada uno de los capítulos una parte genérica en la que se muestran sus características comunes. Tras esta exposición conjunta se realiza una descripción detallada e individualizada, atendiendo a las siguientes pautas:

   a) Construcción y descripción del instrumento
   b) Tesitura
   c) Articulación particular
   d) Uso orquestal, solista y en la música de cámara

Como se ha mencionado en los libros precedentes de esta colección, éste es un trabajo dedicado al aprendizaje y consulta de la instrumentación y orquestación para compositores, arreglistas, u otros lectores que quieran profundizar en el uso de los instrumentos orquestales, por lo que hemos convenido en la exposición que creemos más clara y eficaz. Con esto también queremos aclarar que no es nuestro propósito ser exhaustivos en todo lo que concierne al desarrollo histórico de cada instrumento, donde seremos notoriamente sintéticos en favor de una mayor precisión en los objetivos que tienen que ver con la práctica orquestal. Por otra parte, también tenemos que recordar que muchos de los estudiados aquí poseen posibilidades más allá de las descritas, y en la actualidad ya se ha demostrado que son infinitas y sujetas a continuos cambios. Aquí mostramos, sin embargo, las que forman parte del modelo principal de realización orquestal, camerística y a solo. Del mismo modo añadimos nuevas técnicas que al paso del tiempo han devenido un estándar que ha ampliado su uso y aplicación. Las no mencionadas es porque las consideramos particulares, por lo que emplazamos al lector que quiera ampliar esta información a que acuda a la bibliografía reseñada al final del libro. Tampoco dudamos del hecho de que este trabajo sea revisable desde el mismo momento de su publicación, puesto que la técnica de la orquestación sigue viva y en permanente evolución, lo que ningún manual, por mucho que pretenda, puede detener.

INSTRUMENTOS DE CUERDA FROTADA

1.- CUESTIONES GENERALES

Hablar de instrumentos con una amplia y constante trayectoria en el seno de la orquesta es, sin duda, hablar de los instrumentos de la familia de cuerda frotada. La orquesta sinfónica actual se sostiene, desde sus comienzos, sobre la base de esta familia, por otra parte la más numerosa del grupo. La razón principal de que así sea no está clara. Si bien es cierto que es la mayor familia con registro estable a lo largo de la tesitura completa, desde el contrabajo hasta el violín, su construcción no ha variado, a excepción del empleo de nuevos materiales que permiten mayor estabilidad tímbrica y mejoran la afinación. Esto contrasta con la mayor parte del resto de instrumentos orquestales, especialmente los de viento, que han variado considerablemente desde sus inicios. En cualquier caso, ha sido la inercia del paso del tiempo, y el hecho de que se les viera como los preferidos de los ambientes aristocráticos —modelos que nacen a partir de la *viola da gamba*—, y por tanto, como el ideal a imitar y evolucionar, acorde con la progresión histórica y social de la cultura occidental, lo que les ha privilegiado frente a los demás. Resolver sobre las cuestiones relacionadas con su timbre o su versatilidad, a menudo señalada como más "humana", para explicar su mayor uso, es difícil de defender científicamente. De uno u otro modo, todos los instrumentos poseen una cualidad a favor o en contra semejante. No podemos más que afirmar que ha sido un comportamiento social, asociado a un gusto por un determinado timbre, lo que ha propiciado su homogeneidad frente al resto, y esto sí que es algo que hoy ya nadie se cuestiona.

Pocos instrumentos, fuera de la familia de la cuerda frotada, han tenido desde sus orígenes un timbre tan homogéneo entre sus distintos miembros. Esto les permite además, abarcar cualquier parte del registro con una tensión semejante a la que produce en los seres humanos la emisión de los sonidos extremos con la voz y las cuerdas vocales, aunque su mecanismo sea totalmente distinto. Actualmente no es el único grupo con estas cualidades, gracias a la evolución de las técnicas de construcción, si bien la mayoría se encuentran fuera de la orquesta tradicional, que marca sus límites en las grandes formaciones de finales del siglo XIX y principios del XX. Sin esta homogeneidad tampoco puede entenderse la evolución que ha realizado el conjunto a lo largo de la historia, algo que por otra parte es el fin que persigue, combinando sus timbres y equilibrando el peso del conjunto aún empleando instrumentos distintos. Esto mismo hace que la familia del violín sea la primera del grupo en lograr una estandarización a partir de los instrumentos desarrollados por los principales constructores del siglo XVI y XVII[1]. Todos los realizados con posterioridad han mantenido estos mismos objetivos, y buena parte son réplicas de los originales, a excepción de los eléctricos, aunque incluso estos se basan en la antigua familia acústica.

---

[1] Los primeros y más reconocidos son los que pertenecen a las familias de los Amati, Stradivari y Guarneri. Otros constructores son los franceses Jacques Bocquay, Antonie Despons, Guersan, Claud Pierret, Villaume, Veron; los italianos Giovanni Paolo Maggini, las familias Ruggeri, Grancino, Cappa; además de otros muchos, imposibles de mencionar en su totalidad sin alargarnos excesivamente.

Los instrumentos más apreciados en la actualidad son los de los constructores italianos y franceses de los siglos mencionados. Queda claro pues, que en el ámbito de la orquesta moderna, cuando hablamos de la cuerda frotada, nos referimos únicamente a la familia del violín. Otros predecesores, como la familia de las violas —*viola da braccio* y *viola da gamba*—, se emplean cada día con mayor frecuencia, especialmente desde la segunda mitad del siglo XX, aunque lo hacen mayoritariamente para interpretar el repertorio de la música anterior al siglo XVIII. También se encuentran antecedentes del violín en el siglo XVI, con forma y cualidades semejantes, mezcla de la *viola da braccio* (viola aguda) y el violín posterior. Se trata de una evolución de las primeras y de la también llamada "vihuela bastarda" —en este caso con únicamente cuatro cuerdas respecto a las seis ó más de la viola antigua. Del mismo modo podríamos hablar de los instrumentos más graves, violonchelo y contrabajo, aunque en este último su evolución es más compleja.

La familia del violín ha sido, por tanto, la más influyente, y sobre ella se edifica la orquesta moderna. Esto se debe a varios factores. El primero y más importante es el de su enorme tesitura, la más amplia de toda la gama de instrumentos orquestales —a excepción del piano. El segundo es la homogeneidad del timbre a lo largo de toda la serie completa —violín, viola, violonchelo y contrabajo. La tercera es su capacidad dinámica, que va desde el pianissimo más inaudible hasta el mayor fortísimo, lo que en el grupo posee un peso acústico considerable. La cuarta es su versatilidad y los cambios de color que pueden realizar gracias al empleo combinado de arco y cuerdas, lo que de uno u otro modo se halla relacionado con la expresividad, tempo y timbre. Y la última es la de su capacidad de emisión continua sin límite alguno. Todas estas cualidades la han convertido en la familia líder indiscutible de la orquesta actual, por lo que no es de extrañar que el sonido del conjunto se halle intrínsecamente relacionado con los instrumentos de cuerda frotada.

Para la viola antigua se emplean muchas denominaciones distintas, aunque la más utilizada en la actualidad es la de *viola da gamba*[2], aludiendo a la parte del cuerpo en la que se apoya para su ejecución, puesto que la mayoría se colocan en sentido vertical, y no horizontal, de modo semejante a la posición del violonchelo y en contraposición a la del violín[3]. Ahora bien, esta manera de designarla no es siempre la correcta, y es conveniente diferenciar entre las violas que se colocan entre las piernas, con la denominación *viola da gamba*, y las que lo hacen sobre el brazo —hombro, barbilla—, que se anotan como *viola da braccio*. De ambas existe una familia de varios instrumentos. Tampoco hay que olvidar que su disposición no es, en uno y otro caso, determinante, puesto que en los grabados que poseemos de su uso en la antigüedad se observa cómo la práctica totalidad podían ser ejecutadas entre las piernas. La familia de la *viola da gamba* —la más difundida—, se compone de entre tres y cuatro tipos, también con proporciones distintas: soprano, contralto, tenor y bajo. A diferencia del violín, poseen un juego de seis o siete cuerdas, y su forma puede variar dependiendo del

---

[2] Bajo *viola da gamba* se denomina hoy la antigua *viola d'arco*, así como la castellana *vihuela de arco* y *vihuela de pierna* y *violón*, si bien en la península se empleaba normalmente la denominación *vihuela de arco*. No debe confundirse con la *viola da braccio*, ya que se trata de una familia cercana a la del violín actual. En algunos casos también se las denomina *lira* (*lira da braccio* y *lira da gamba* respectivamente). Todas poseen una familia de instrumentos completa.

[3] A este respecto, no se debe confundir la técnica del *violín Barroco* con la de la *viola da gamba*, ya que el primero se utilizaba tal y como hoy se interpreta el violín, es decir horizontalmente y apoyado en la barbilla, con un arco similar al de la *viola da gamba*; mientras que la segunda lo hacía como el violonchelo, entre las piernas del ejecutante (vertical).

constructor, tanto en lo que se refiere al cuerpo como a su voluta. Es precisamente ésta última la que normalmente suele ser distinta, con reproducciones de cabezas de animales o personas (ejemplo 1.1), frente a las de caracola de toda la familia del violín.

Así pues, las diferencias más substanciales entre ambas familias son las que conciernen a su forma y afinación, puesto que como ya se ha mencionado anteriormente, previo a su estandarización se encuentran instrumentos con un número de cuerdas variable —entre 4 y 7—, además de otras tantas que sirven de resonancia.

Familia de la viola da braccio o gamba   Familia del violín

Ejemplo 1.1

Como se aprecia en el anterior ejemplo, las diferencias principales de las distintas familias se pueden resumir en lo siguiente:

La voluta, cuya decoración en la *viola da gamba* es de forma variable —mayoritariamente con bustos de animales—, mientras que en el violín posee forma de caracola.

La caja de resonancia de la familia del violín posee una forma abombada, mientras que en la *viola da gamba* la parte superior es menos redondeada, del tipo de hombros caídos.

Los agujeros practicados en la caja de resonancia, que en la *viola da gamba* son en forma de C u otras múltiples variaciones, en el violín son siempre en forma de *f*.

Estas características son las que proporcionan a ambas familias su peculiar timbre, lo que unido al arco que utilizan y el modo en que se ejecuta les diferencia con claridad:

Arco de viola da gamba[4]

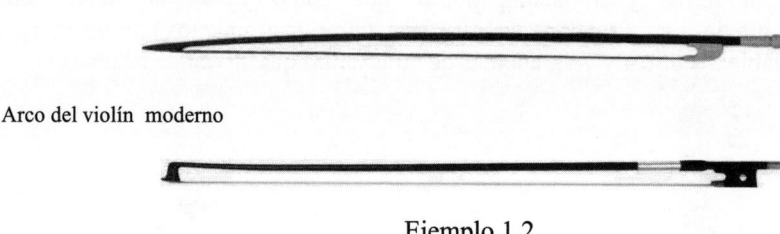

Arco del violín moderno

Ejemplo 1.2

1.1.- La familia del violín. Construcción.

Como ya se ha mencionado anteriormente, aunque la familia del violín se fundamenta en la de la *viola da gamba*, actualmente se construye en base al modelo principal desarrollado por los constructores italianos de los siglos XVI a XVIII[5]. Todos los instrumentos poseen características similares, aunque su denominación sea distinta. De entre ellos, el que a menudo más difiere, sobre todo en lo que respecta a la forma de su cuerpo— es el contrabajo, que varía según su procedencia. En el apartado dedicado a cada miembro se realiza una descripción de sus variantes principales.

A pesar de que su forma es en general idéntica, lo que cambia entre uno y otro es su proporción, lo que afecta a su timbre y registro, además de a la versatilidad y agilidad de movimientos del ejecutante. Así, los instrumentos que conforman el grupo principal son los siguientes: violín, viola, violonchelo y contrabajo, y a ellos dedicaremos la parte principal de este apartado. Otros intermedios, como la viola de amor o demás antiguos, serán tratados según su nivel de importancia en el seno de la formación orquestal, y siempre de acuerdo a su uso.

El instrumento principal se compone pues de las siguientes partes —en lo que se refiere a su forma exterior:

---

[4] El violín barroco utilizaba también un arco de estas características, de tipo y forma similares. Éste, con algunas variaciones, se emplea en la actualidad para la interpretación de la música de este período.

[5] Es en la *Pratica di Musica de Zacconi* (Venecia, 1592) cuando aparece por primera vez una exposición del instrumento con la forma y tesitura actuales.

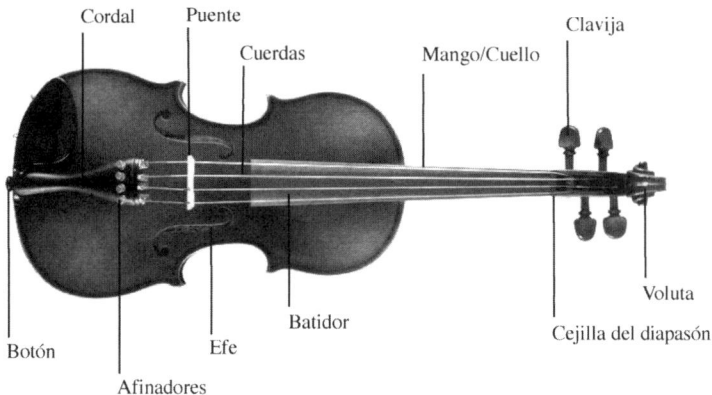

Partes del instrumento.
Ejemplo 1.3

Violín y viola se sostienen del mismo modo: apoyados sobre el hombro, y presionado levemente con el mentón la caja de resonancia, para lo cual se emplea frecuentemente la denominada *mentonera* o *barbada*[6]. La mano izquierda aguanta el mango o cuello con el dedo pulgar apoyado en uno de los costados, para con el resto realizar la presión necesaria sobre las cuerdas. Violonchelo y contrabajo se apoyan en el suelo y se colocan entre las dos piernas del intérprete. La posición de la mano izquierda mantiene características semejantes a las de los instrumentos agudos, es decir, el pulgar se coloca en el mango o cuello mientras se presionan las cuerdas con los otros dedos. En los instrumentos voluminosos el mismo dedo pulgar también se utiliza para realizar las posiciones que requieren de una mayor apertura de la mano[7].

Los materiales para su construcción han variado poco al paso del tiempo, y actualmente se emplean los siguientes: pícea para la tapa, y arce para el fondo y la voluta. El batidor es normalmente de ébano, madera muy resistente. Del mismo tipo se componen los afinadores, aunque también se utiliza palisandro. Para el puente se usa madera de arce. Las cuerdas son lo que más ha cambiado al paso del tiempo: mientras que hasta el siglo XIX se empleaban de tripa, paulatinamente serían sustituidas por distintos materiales: aluminio, plata, oro, u otras aleaciones. Actualmente todas son metálicas, puesto que proporcionan mayor dinámica y permanecen más estables, tanto en lo que se refiere a su resistencia como a su afinación. La calidad del metal puede variar, aunque la tendencia cada día mayor es la de utilizar aleaciones mixtas con metales preciosos —oro, plata, etc. Las de tripa, que todavía se emplean, especialmente en el ámbito de la interpretación de la música antigua, poseen un sonido más aterciopelado, si bien también de menor volumen sonoro. Actualmente se pueden encontrar tanto juegos de tripa como de metal, e incluso de combinaciones mixtas, lo que depende de cada fabricante.

---

[6] La mentonera o barbada es el artilugio que se coloca junto al cordal, y es desmontable. Existe una enorme variedad de formas y materiales que cada intérprete adapta a sus necesidades. Según el tipo, sin embargo, puede acarrear alguno que otro problema de sonido, puesto que algunas se colocan con tornillos, lo que limita las vibraciones de la caja de resonancia.

[7] La apertura de la mano que emplea el dedo pulgar se la denomina *capotasto* (véase el apartado dedicado a las digitaciones, pág. 26).

1.2.- El arco

En la familia de cuerda frotada, el arco juega un papel de primer orden, puesto que es el artilugio con el que se friegan las cuerdas, lo que produce el consiguiente sonido. La conjunción de ambos —instrumento y arco— debe ser equilibrada. El tipo y tamaño se hallan relacionados directamente con su volumen, así como con los cambios de color que proporcionan. A pesar de que es lo que más ha evolucionado, siguen siendo los de procedencia antigua los más solicitados. Desde el primer tipo empleado en la viola da gamba, que poseía una forma curvada, hasta el actual del violín, de forma oval y compensada —al cual la tensión le confiere el característico aspecto de línea recta—, existe una distancia temporal que se conforma de formas y materiales que varían de un constructor a otro.

Hoy se construyen en madera de Pernambuco, ébano, madera de Brasil, carbono, etc., siendo éste último una de las postreras incorporaciones. Las cerdas son normalmente de crin de caballo, aunque actualmente también se emplean sintéticas. Su forma y tamaño varía según el instrumento: más pequeño para los menores y más grande en los mayores. No son sin embargo proporcionales: el arco del contrabajo es más corto con respecto a su envergadura —entre 70 y 72 cm., frente a los 72 cm. aproximados del violonchelo. Las características permanecen inalterables entre unos y otros.

Se compone de las siguientes partes:

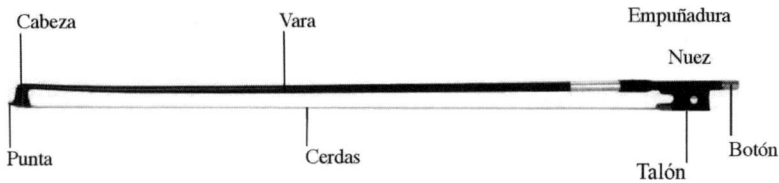

Cabeza   Vara   Empuñadura

Nuez

Punta   Cerdas   Botón

Talón

Arco de la familia del violín.
Ejemplo 1.4

Para la técnica del violín Barroco también se utilizan otros arcos, derivados de los de la *viola da braccio* o *gamba* (véase el apartado dedicado a la *viola da gamba*, pág. 164). No son los habituales, y sólo se usan para la interpretación de la música histórica, lo que no es óbice para ser empleados en cualquier otro tipo de música.

La forma normal de ejecución con el arco es la de frotar con las cerdas en las cuerdas. Para que éstas tengan una fricción adecuada se les aplica una resina que les proporciona la adherencia necesaria para producir el sonido. Éste frotamiento se realiza de distintos modos, que van desde el paso suave hasta el golpe, con una gama variable de posiciones que describimos en los apartados siguientes. En la actualidad se han incorporado nuevos modos, desde golpear con las cerdas y con la vara, e incluso con el botón, hasta fregar con cerdas y vara con las distintas partes: punta, medio y talón (cerca de la nuez) —más adelante se realiza una descripción detallada de los golpes de arco, así como de su notación. La forma de sostenerlo varía según el tamaño del instrumento. En el violín, viola y violonchelo el dedo pulgar se apoya en el interior de la empuñadura, mientras que con el resto de la mano se coge la parte exterior del arco. En el contrabajo se toma de dos modos principales: el sistema francés, que agarra el arco por la parte exterior, y el alemán, que lo hace por la parte inferior. Aparte de los países de origen —Alemania y Francia—, a menudo los ejecutantes emplean la combinación de ambos.

Como se ha mencionado anteriormente, existen muchos modos de ejecución con el arco, si bien la mayoría derivan de las posiciones de arco abajo, arco arriba, arco a la punta y arco al talón, por lo que cuando se requiere de un alto nivel de precisión deben anotarse. El punto medio es, sin embargo, el habitual. Su disposición, es decir, la dirección o la zona de frotamiento, es en muchos casos anotada por el compositor, y cuando no es así, la escribe el intérprete durante la preparación de la ejecución. En la orquesta esto se halla asignado a los cabeza de grupo: concertino para los violines primeros, primer violín segundo, primer viola, primer violonchelo, y primer contrabajo; ya que al tratarse de una agrupación numerosa es conveniente que todos ejecuten del mismo modo y en la misma dirección, puesto que el fin último es obtener un mejor sonido de conjunto, lo que repercute directamente en la afinación. Su uso se relaciona normalmente con el fraseo y combinaciones dinámicas múltiples. Aunque no es necesario escribirlas en toda la partitura —nos referimos sólo a lo que concierne el trabajo del autor—, aconsejamos su conocimiento técnico para que su contexto de articulación sea el adecuado. En su anotación se emplean tanto denominación como pictogramas, si bien son estos últimos los más utilizados, puesto que además ya poseen su estandarización.

Arco normal. Es el modo de articulación habitual. Normalmente aprovecha la distribución homogénea del arco según su dinámica y tempo, ya sea sobre una sola nota o en un grupo de alturas bajo una misma ligadura. En una dinámica piano, pero veloz, emplea un 50% o menos del arco, mientras que en un movimiento lento utiliza la práctica totalidad de su recorrido, lo que se incrementa cuando la dinámica es forte.

Arco arriba. Indica la dirección del arco, normalmente desde la punta hasta el talón, ya sea en una sola nota o en un grupo sobre una única ligadura. Su uso se halla a menudo relacionado con la dinámica y el tiempo del compás —normalmente las partes débiles—, aunque no tiene porque seguir una regla concreta. Se indica con el signo V. No se anota, ya que es el intérprete quien decide la mejor opción según el fragmento. En los casos en los que el compositor lo escribe, posee más la finalidad de indicar el carácter y acentuación, que no una dirección real y definitiva. No debemos olvidar que en el trabajo de estudio es habitual que el ejecutante anote su disposición de cara a la interpretación de la obra, lo que es imprescindible cuando se trata de piezas para orquesta o agrupaciones de envergadura.

Arco abajo. Es la dirección del arco contraria a la anterior, que va desde el talón hasta la punta. Del mismo modo, su uso se halla relacionado con la dinámica y el tiempo del compás —normalmente las partes fuertes. Se indica con el signo ⊓ ó ⊔ . Lo mencionado con respecto a la indicación y empleo del arco mencionados anteriormente sirve también aquí.

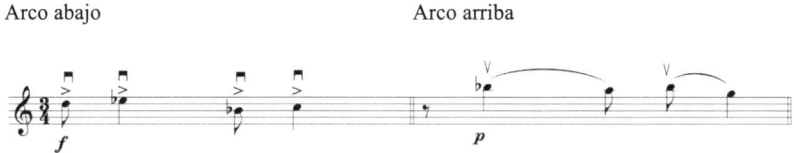

Ejemplo 1.5

Existe así una asociación de arco arriba y abajo —del mismo modo que "en la punta" o "en el talón"—, a *piano* y *forte* respectivamente, lo que podemos observar en la mayor parte del repertorio clásico. Se fundamenta en el modo en que se ejecuta, y tiene una explicación lógica: la mano se apoya en el talón, por lo que es sobre éste dónde se puede ejercer mayor presión, y en consecuencia, lograr mayor dinámica. En la actualidad, sin embargo, la técnica de un intérprete profesional de cuerda le permite realizar cualquier tipo de dinámica sin dificultad en cualquiera de las partes del arco, y sin importar su dirección, aunque no por ello hay que dejar de lado la naturaleza de su uso tradicional.

Tampoco se debe indicar de manera gratuita, porque puede llevar a una interpretación incorrecta o a dificultades innecesarias que acaben perjudicando a la propia obra. Sólo si se conoce la técnica del instrumento con solvencia se puede obtener un buen resultado con indicaciones que requieran un nivel de precisión fuera de lo normal. Por otra parte, aunque el compositor no anote todos los movimientos del arco, es frecuente que en el estudio previo de la partitura cada cabeza de familia los delimite para su grupo, de lo contrario el resultado de la interpretación sería desigual.

1.3.- Distribución y disposición del grupo de cuerda.

La disposición de los instrumentos de cuerda frotada se ha mantenido invariable al paso del tiempo. Ya sea porque son la base de la orquesta actual, o por la importancia que se les ha dado en la textura y peso armónico, su posición en la partitura ha sido siempre la misma: en la parte baja, como base sobre la cual se edifica toda la columna armónica. Naturalmente, esto ha cambiado al paso del tiempo, tendiendo a una equiparación con el resto de instrumentos orquestales, principalmente los de viento-madera y viento-metal, si bien la familia de cuerda sigue siendo la principal en la orquesta de formación tradicional.

Al tratarse de una agrupación homogénea, su disposición se realiza de la forma más sencilla, del agudo al grave —de arriba a abajo respectivamente: violines, violas, violonchelos y contrabajos. Esto no cambia nunca, a excepción de la música de cámara, aunque es aconsejable mantener esta misma distribución para facilitar la lectura.

En la orquesta el número de componentes varía según la formación. Esto se halla normalmente supeditado a la cantidad de instrumentos de madera —o viceversa—, si bien esto no es una limitación. Los grupos habituales, según el formato orquestal, son los siguientes:

	Orquesta a 1	Orquesta a 2	Orquesta a 3	Orquesta a 4
Violines I	12	14	16	16/18
Violines II	10	12	14	14/16
Violas	8	10	12	12/14
Violonchelos	6	8	10	10/12
Contrabajos	4/5	6	6/8	8/10

Ejemplo 1.6

La división en agrupaciones, de acuerdo al número de instrumentos mencionado, son las que tradicionalmente se han empleado en la escritura orquestal, ejecutando cada grupo completo el mismo papel (Vi. I, Vi. II, etc.). Con el paso del tiempo han tendido a fraccionarse con más o menos partes, llegando en algunos casos al individuo único. Esta partición, habitualmente anotada con la denominación italiana *divisi*, o su abreviación ***div.***, puede utilizarse indistintamente a lo largo de la pieza, simultaneada con partes en unísono. Esto no varía su distribución en la partitura, que se mantiene en la zona baja.

En la música de cámara su disposición se realiza normalmente del mismo modo, es decir, con la cuerda en la parte baja de la partitura, dispuesta del grave al agudo, o de acuerdo a una distribución determinada a propósito de la pieza. Aún así, en la medida de lo posible es conveniente mantener la misma posición en relación al resto del conjunto.

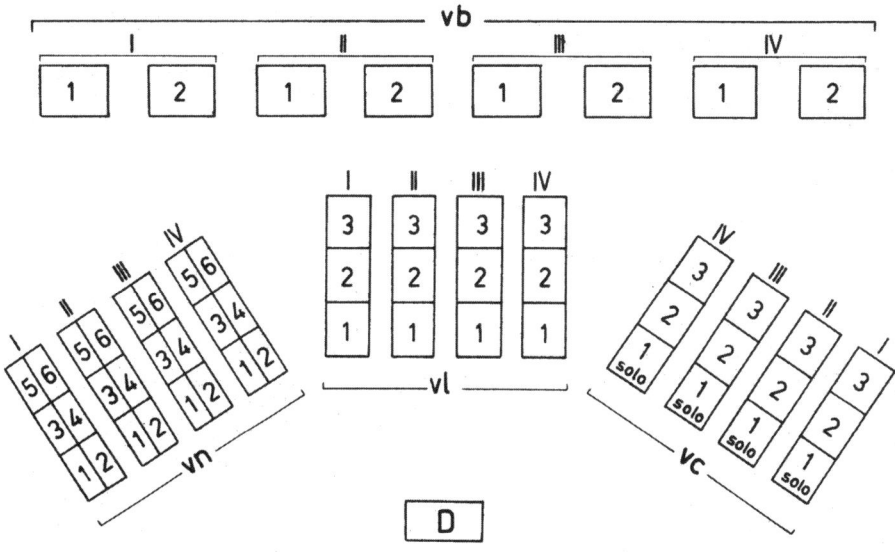

H. M. Gorecki: Choros I. Disposición de los instrumentos de cuerda: Vn (violines), Vl (violas), Vc (violonchelos), Vb (contrabajos).
Ejemplo 1.7

La disposición de la agrupación orquestal sigue las pautas delimitadas por la tradición. Antiguamente no poseían un director tal y como lo conocemos hoy, y en muchos casos era el compositor quien, además de instrumentista —violín, piano, clave, etc.— dirigía desde su ubicación habitual, o desde el lugar que hoy ocupa el director. La orquesta se disponía del siguiente modo: los violines primeros y segundos en la parte izquierda, las violas en el centro, y los violonchelos y contrabajos a la derecha —siempre desde la perspectiva del público.

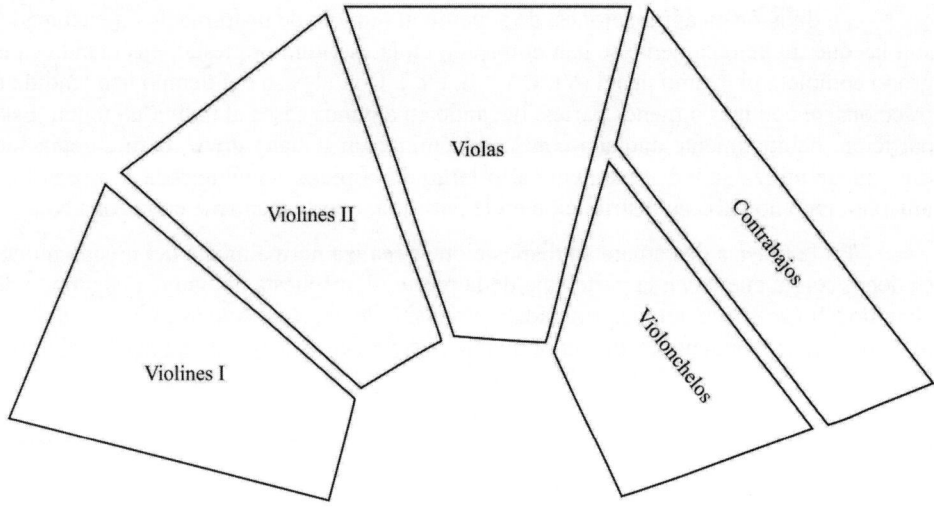

Disposición de la cuerda en el escenario.
Ejemplo 1.8

Al paso del tiempo será esta la disposición estándar. La intervención del director de orquesta, que poco a poco se irá imponiendo —al principio golpeando con un bastón el suelo del escenario, y finalmente con la batuta que hoy conocemos—, dará paso a la formación actual, que mantiene la misma configuración. No faltan, sin embargo, quienes prefieren combinaciones distintas. Una de las posiciones alternativas más empleadas es la siguiente:

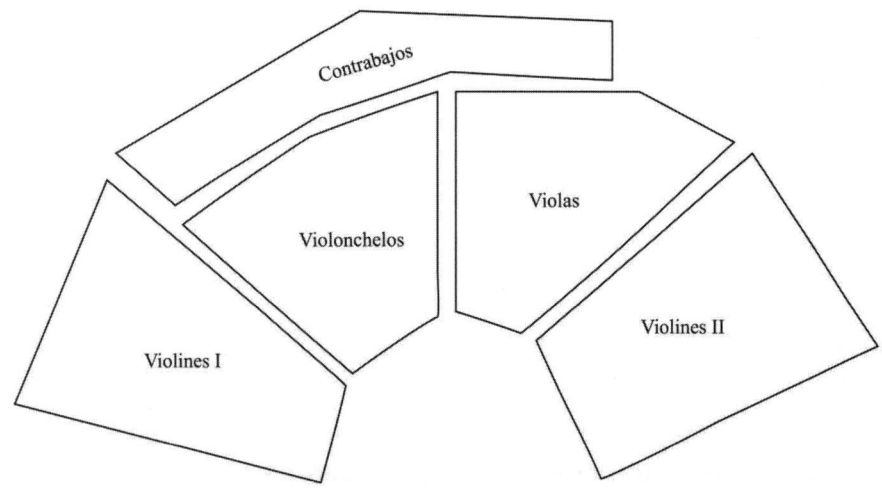

Disposición alternativa de la cuerda en el escenario.
Ejemplo 1.9

No hay que olvidar, sin embargo, que las disposiciones posibles son infinitas, si bien no es aconsejable inventar en este sentido, a menos de que se requiera una distribución especial que tenga la debida justificación, tanto en lo que se refiere al modo de utilizar los instrumentos, como en el resultado que se quiere obtener.

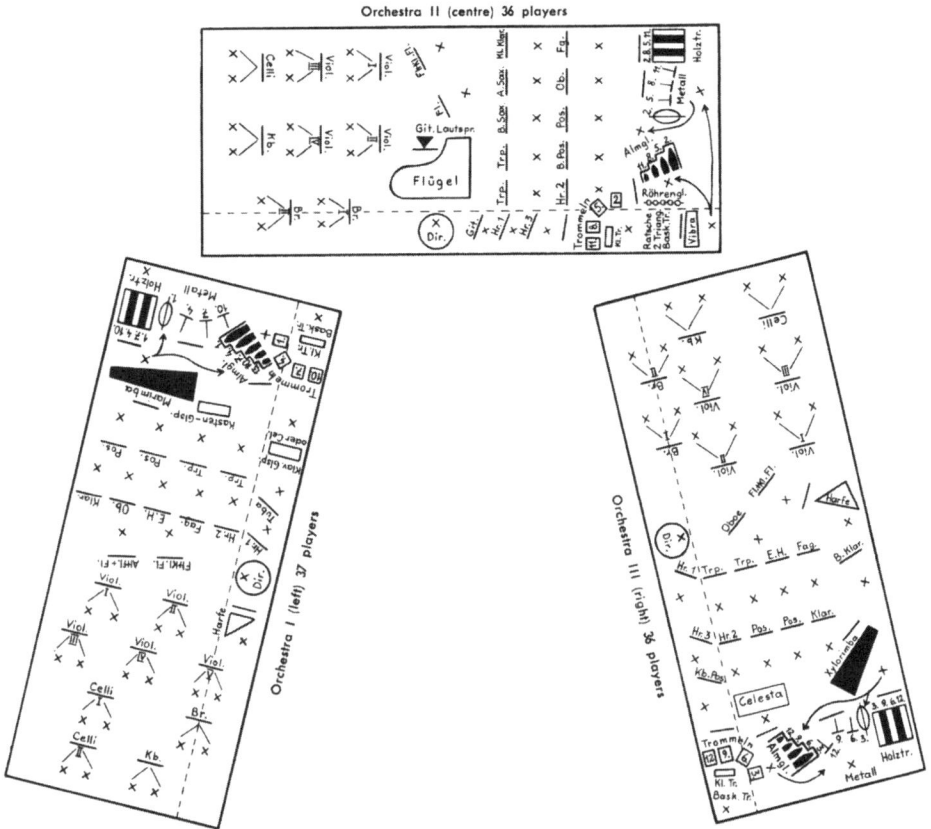

K. Stockhausen: Gruppen.
Ejemplo 1.10

Para la música de cámara, las distintas disposiciones del conjunto, tal y como se ha mencionado con anterioridad, son infinitas, lo que depende del propósito que se pretenda alcanzar. Así se emplea en la mayor parte piezas a partir de la segunda mitad del siglo XX, algo que también se puede observar en algunas obras orquestales en las que se demanda la separación en grupos, ya sea de cuerda o mixtos con otras familias —ejemplo 1.10.

En estos casos, el inconveniente principal es que la sala de conciertos admita la ubicación de estas agrupaciones, dado que la mayoría de auditorios poseen un escenario único, con lo que para los cambios necesarios para ubicarlas hay que contar con la buena voluntad de los administradores de dichos centros, e incluso con esta complicidad, será arduo conseguirlo si el auditorio no posee los requerimientos convenientes. Esto es más sencillo cuando se emplea una formación orquestal limitada que pueda ser distribuída en el escenario. A todo esto hay que añadir el hecho de que no hay dos auditorios iguales, por lo que la dificultad de realizar distribuciones especiales se complica enormemente.

1.4.- Escribir para instrumentos de cuerda frotada

La peculiaridad de la familia, así como las posibilidades de ejecución que ofrecen con la combinación del instrumento y el arco, hacen de ellos los más versátiles de la orquesta. A su propia riqueza tímbrica, se añade la de la combinación de los distintos grupos y del conjunto completo, lo que permite un sinfín de mezclas y colores, razón por la que su capacidad tímbrica es quizá la mayor de la agrupación orquestal —siempre dentro de la gama de instrumentos iguales, claro. Lo comentado supone, sin embargo, una dificultad añadida, puesto que la mejor agrupación de cuerda es la que, entre todos sus componentes, posee una competencia y afinación lo más acorde posible. Aún así, es imposible mantener una precisión absoluta.

Esto hace que la gama de efectos, posiciones, digitaciones, golpes de arco, articulaciones, etc., sea considerable. La larga tradición de la familia ha hecho que al paso del tiempo muchas de ellas se hayan añadido paulatinamente, por lo que en la actualidad se demanda una precisión de anotación equivalente a la de su calidad interpretativa, o lo que es lo mismo, adecuada al contexto de la obra que se va a ejecutar. Cada período posee modelos propios, aunque ha sido el siglo XX el que más a aportado en el campo de los efectos no convencionales. A continuación se realiza una descripción de las técnicas básicas, las empleadas en toda ejecución sin delimitación de época, dejando para más adelante las que son propias de la contemporaneidad o de modelos particulares.

Posiciones y digitación

Aunque la agrupación de la familia del violín posee tamaños que pueden llegar a ser muy distintos entre sí, lo que concierne a posiciones y digitaciones se desarrolla de manera similar en todos ellos, con la única salvedad del volumen de cada instrumento. En lo que concierne a su escritura, las posiciones hacen referencia a la distribución de las alturas —notas— de acuerdo a la disposición de la mano izquierda a lo largo del batidor, puesto que con la mano derecha se coge el arco o se ejecuta pinzando las cuerdas (pizzicato). Es evidente que la distancia que abarca la mano izquierda en el violín poco tiene que ver con la que posee el contrabajo, lo que influye en su versatilidad. Aún así, la anotación de las posiciones es idéntica, con una asignación de dedos de la mano izquierda también igual, cuya anotación y uso compete exclusivamente al instrumentista.

El dedo pulgar normalmente no se anota, ya que sirve para coger el instrumento con la posición de horquilla entre éste, la palma de la mano, y los dedos que pulsan las cuerdas. Esto es así en toda la familia. No obstante, en los instrumentos graves —violonchelo y contrabajo—, también se emplean posiciones con el dedo pulgar, señaladas a menudo con la denominación italiana *capotasto*, aunque no siempre se escribe, puesto que su uso viene determinado por el intérprete, según el fragmento y la dificultad de combinación de los dedos. Aquí la versatilidad de algunas posiciones puede verse afectada, sobre todo cuando se precisa de movimientos rápidos y ligeros. El resto de digitaciones se anotan de acuerdo al siguiente gráfico:

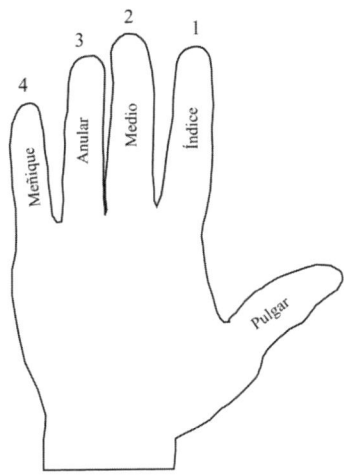

Digitaciones mano izquierda.
Ejemplo 1.11

Para las posiciones abiertas se emplea el número 0 —también denominada con *cuerda al aire* o *cuerda abierta*—, lo que no hay que confundir con el signo o, que indica sonido armónico.

Las posiciones del instrumento parten del comienzo del batidor y se desplazan diatónicamente a lo largo de su recorrido —siempre de acuerdo a la práctica de la música tonal. Hay que tener en cuenta que el repertorio más amplio, y al cual los intérpretes están más familiarizados, pertenece a esta nomenclatura. En la actualidad, sin embargo, la lógica demanda que las posiciones se distribuyan de acuerdo a las distancias de la apertura de los dedos de la mano, es decir, con una separación normal de tono entero, o lo que es lo mismo, con distancias iguales para cada uno de los dedos, dejando al margen el hecho de que sean notas diatónicas o no. Así, en los de menor tamaño —violín y viola—, las posiciones se realizan según esta distribución, con las variaciones propias del cromatismo intermedio, que también se emplea, y que se denomina "media posición" o "posición intermedia". Esto no es posible, sin embargo, en los mayores —violonchelo y contrabajo—, cuya distancia física de nota a nota es considerablemente mayor. En el siguiente ejemplo se observa lo mencionado, al tiempo que se muestra la nomenclatura utilizada habitualmente para las posiciones de cada miembro de la familia.

Violín

Viola

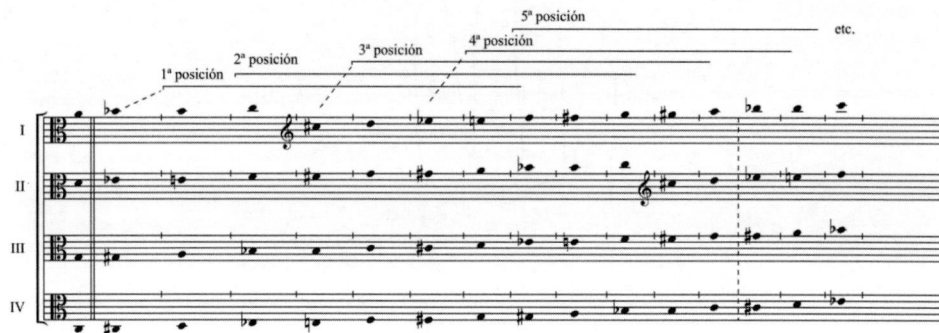

Ejemplo 1.12

Como se ha mencionado anteriormente, las posiciones intermedias son empleadas habitualmente en los instrumentos de mayor tamaño —violonchelo y contrabajo—, y a diferencia del violín y viola, su nomenclatura se mueve entre una distancia de semitono y tono, puesto que su tamaño no permite mantener la misma distribución de los instrumentos más pequeños.

Violonchelo

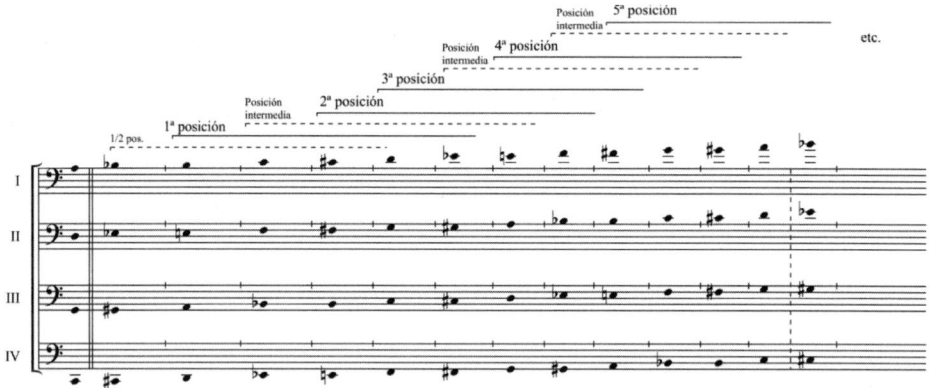

Contrabajo

Ejemplo 1.13

Conforme se asciende hacia el agudo las disposiciones del violonchelo y el contrabajo permiten mayor ámbito, de modo que a partir de la séptima posición es posible mantener una distancia de cuarta o quinta con la mano fija, aunque esto es algo que depende de cada intérprete. Estas posiciones nos sirven para observar con precisión las posibilidades de articulación, así como los saltos entre distintas cuerdas, si bien no deben anotarse. Las digitaciones que provienen de dichas posiciones, y que se determinan de acuerdo a la nomenclatura mencionada en el ejemplo 1.11, se escriben sólo en los casos en los que se tiene la certeza de que son las ideales. Lo aconsejable, sin embargo, es dejar al intérprete que decida la más adecuada, ya que lo que puede ser bueno para uno puede no serlo para otro. No hay que olvidar, sin embargo, que el mejor modo es el que utiliza los cambios de una cuerda a otra de modo simultáneo y progresivo, evitando los saltos o las posiciones cruzadas, puesto que requieren de un tiempo de preparación. A ello se añade el hecho de que algunos pueden ser peligrosos, ya que el intérprete no posee una referencia concreta de las alturas —como sí la hay, por ejemplo, en los trastes de la guitarra—, por lo que son más inseguros conforme son mayores, donde sin duda influye el tamaño del instrumento. Dejamos para el apartado específico todo lo que se refiere a sus particularidades.

Cuerdas divididas, *"divisi"*

El empleo del grupo de cuerdas dividido en partes es habitual en la orquesta moderna, especialmente en la música de reciente creación. Aunque este uso ya se encuentra en las primeras obras escritas para dicha formación, especialmente entre los instrumentos de registro intermedio —violines segundos y violas principalmente—, no es hasta la primera mitad del siglo XX cuando se vuelve habitual. Para su escritura se utiliza la denominación italiana *divisi*. Antiguamente no todos los compositores lo anotaban, dejando su elección al intérprete, lo que normalmente dependía de la dificultad del fragmento o de su efectividad. No obstante, no faltan ejemplos de piezas en las que determinados pasajes pueden ser realizados tanto en cuerdas dobles como en *divisi*, especialmente en la música del período clásico. La diferencia más notable entre uno y otro, es que el primero permite mayor versatilidad, a la vez que asegura una mejor afinación por la lógica disminución de la complejidad de su realización. Aún así, no hay que olvidar que el *divisi* es excepcional en la mayor parte de las obras de los períodos Barroco y Clásico, donde se prefiere el unísono de cada una de las partes. Esto es debe a que confiere mayor peso dinámico- tímbrico a las melodías y al acompañamiento.

Las formaciones orquestales de los siglos XVII a XIX no poseen un número fijo de instrumentos de cuerda, algo que cambia notablemente entre orquestas ubicadas en distintos lugares de la geografía europea[8]. Aparte se encuentra el hecho de que, en no pocos casos, ante la falta de algún miembro se le substituye directamente por otro, que puede ser incluso de otra familia. Su progresiva evolución hace que esto se vaya corrigiendo poco a poco, proporcionando a los compositores una orquesta más precisa

---

[8] Existen discrepancias enormes, como por ejemplo el contraste que existe entre la orquesta de la Munich Kapelle (1755), con 31 instrumentistas de cuerda (20 violines, 5 violas, 2 cellos, 4 contrabajos) y la Ópera Comique de Paris (1758) con 11 instrumentos (7 violines, 1 viola, 2 violonchelos y 1 contrabajo), aparte, claro está, de los instrumentos de viento.

con la que obtener un timbre y objetivo musical adecuado. Ahora bien, no es hasta J. Haydn que se empieza a estabilizar en la que hoy conocemos como tal, y es a partir de este momento cuando la agrupación de cuerda se equilibra en número de integrantes.

Tampoco es aconsejable utilizar el *divisi* indistintamente, puesto que con ello se debilita el frágil equilibrio dinámico-tímbrico del conjunto, lo que si no se hace correctamente, se puede convertir en un problema. Por otra parte, su uso se asocia normalmente a las agrupaciones con mayor número de instrumentos, o lo que es lo mismo, los que en la orquesta sinfónica ocupan el registro agudo del conjunto de cuerda —violines principalmente. Aún así, durante el siglo XVIII se emplea con frecuencia en los grupos intermedios —violas o violines segundos—, ya que al tener una parte de segundo nivel de importancia, les permite ampliar la armonía sin que revierta negativamente en el equilibrio orquestal.

W. A. Mozart: Sinfonía en Fa, KV. 43, segundo movimiento.
Ejemplo 1.14

Menos habitual es encontrarlo en los instrumentos graves, donde el número de componentes es normalmente menor, puesto que se hallan a cargo del bajo armónico, por lo que no son los más indicados para realizarlo. Además de esto, la relativa cercanía de los armónicos resultantes de los sonidos graves puede enturbiar la trama armónica del conjunto. De igual modo, pero por razones contrarias, tampoco se emplea con regularidad en los violines primeros, puesto que suele ser el grupo encargado de la melodía principal, aunque aquí es más frecuente.

La tendencia al empleo del *divisi* se incrementa paulatinamente a partir del Clasicismo: al principio con el objeto de ampliar la armonía y las partes de acompañamiento, y posteriormente, para obtener mayor densidad vertical, aunque se mantiene la excepcionalidad de su uso, puesto que los compositores prefieren mantener el unísono de las partes. Su ampliación dará un salto cuantitativo a lo largo del siglo XIX, lo que tiene relación directa con el incremento del número de instrumentos de viento de la orquesta post-beethoviana. H. Berlioz y R. Wagner son los principales artífices de esta nueva tendencia, especialmente el segundo, quien en sus óperas amplía las partes de la cuerda para conseguir una textura armónica vertical de una amplitud tímbrica y dinámica desconocidas hasta ese momento. Esto, unido a la ampliación de las familias de viento madera y viento-metal , acabará configurando la orquesta actual.

Compositores posteriores, como R. Strauss, G. Mahler, C. Debussy, M. Ravel, A. Schönberg, además de otros, lo ampliarán aún más gracias al progresivo crecimiento de la formación orquestal, permitiendo realizar un mayor número de partes en *divisi* sin que el equilibrio del conjunto se resienta por ello. No hay que olvidar, sin embargo, que en buena parte de la primera música escrita para dicha formación ya ampliada, es decir, con *divisi* y mayor uso de instrumentos de viento, será el modelo wagneriano el de referencia, y es desde éste que se desarrolla parte del comportamiento orquestal del Romanticismo tardío —finales del siglo XIX—, así como las nuevas tendencias de principios del siglo XX —Impresionismo, Expresionismo, etc. (ejemplo 1.15).

La ampliación definitiva del *divisi* al instrumento único no aparece hasta mediados del siglo XX, con las eclosión de nuevos modelos de creación, muchos de ellos influenciados por la música electrónica. Autores que realizan aportaciones significativas en este período son muchos, si bien G. Ligeti, I. Xenakis, K. Penderecki, W. Lutoslawski, entre otros, son los más destacados. Aunque otros compositores, como I. Stravinsky y A. Schönberg, ya habían llegado a principios semejantes 50 años antes, no poseen el mismo propósito: mientras que estos últimos lo desarrollan alrededor del modelo tonal y sus derivaciones, los primeros lo hacen a partir de concepciones tímbricas que persiguen un sonido diferencial alejado de la tradición clásico-romántica. El objetivo es el de obtener nuevos timbres, intrínsecamente vinculados a la nueva música con medios electrónicos. Así, el *divisi* que alcanza al individuo único supone una transformación radical de los modelos orquestales anteriores, ya que el conjunto se desvincula de la conformación armónica de la música precedente, substituida ahora por un mayor énfasis en la textura generada por la configuración de la agrupación completa (ejemplo 1.16).

32

R. Strauss: Sinfonía Alpina Op. 64. Inicio.
Ejemplo 1.15

Si tenemos en cuenta además, que la orquesta se construye en su verticalidad de acuerdo a los principios tímbricos y acústicos de la armonía, su desintegración también supone un cambio de objetivos a la hora de su combinación, lo que en algunos casos refuerza el modelo de homogeneidad clásico, y en otros lo debilita al punto de perder el carácter y propiedades que le dan sentido como grupo. De uno u otro modo, el uso del *divisi* hasta el individuo único equivale a emplear la formación orquestal como un gran conjunto de cámara, lo que traducido al número de voces distintas y simultáneas posibles, hace difícil predecir un resultado que no sea el de un sonido-conglomerado con características variables de rugosidad o textura. A excepción de cuando se utilizan parámetros cercanos o derivados del espectro armónico, carece del principio organizativo que le confiere su cohesión tímbrica, modelo fundamentado al fin y al cabo en la base armónica precedente.

G. Ligeti: Ramifications.
Ejemplo 1.16

No es menos cierto, sin embargo, que algunos modelos creativos actuales, que enfatizan en el uso del *divisi* con características de derivación armónica, mediante técnicas de octavación o redoblaje entre distintas familias, lo acercan a los objetivos de la orquestación tradicional, algo que por otra parte, es una característica más de las opciones existentes en la música de hoy.

En la actualidad el *divisi* se emplea de modo habitual, y mantiene un orden relacionado con el mayor o menor número de partes —agudo a grave respectivamente—, lo que también se halla relacionado con los instrumentos que participan. Por consiguiente, no existe más límite que el de la imaginación, aunque no por ello debe dejarse de lado la técnica que ha forjado a la orquesta, mediante la paciente, pero continua, destilación del paso del tiempo.

Dobles, triples y cuádruples cuerdas

La realización de dobles, triples o cuádruples cuerdas se rige, en primer lugar, por las posibilidades reales de ejecución, lo que conlleva un estudio minucioso de su técnica: mientras que determinadas combinaciones de acordes pueden efectuarse sin problemas en un violín, pueden resultar imposibles en la posición equivalente de un instrumento mayor como el violonchelo o contrabajo, lo que normalmente tiene que ver, como se ha mencionado con anterioridad, con la apertura de los dedos de la mano.

A lo largo de la historia, y para facilitar su uso, los compositores han preferido combinaciones con cuerdas abiertas, ya que permiten mayor versatilidad. Esta práctica, habitual en la música tonal hasta mediados del siglo XX, no es, sin embargo, igualmente posible en la música actual: en la música tonal, por ejemplo, se elegía una tonalidad[9] que lo permitía de acuerdo al estilo, intención y juego dinámico de la pieza. Esto no quiere decir que no se pueda utilizar de igual modo en la música de hoy, aunque para determinadas piezas no tonales puede convertirse en un inconveniente insalvable. La única posibilidad que permite acordes complejos en cualquier afinación es la *scordatura*, si bien este procedimiento también acaba limitando la interpretación del resto de la obra, puesto que los sonidos posibles acaban por ser invariables, ya que no se pueden modificar en el transcurso de la interpretación[10]. Por otra parte, los cambios no deben realizarse de manera indiscriminada: una cosa es un acorde de varias notas preparado con tiempo suficiente, y otra muy distinta una sucesión que precisa de posiciones diferentes.

La técnica de la cuerda frotada se basa en parte, en la presión que ejercen los dedos de la mano izquierda sobre el batidor para producir las alturas o notas, lo que no se halla delimitado por barreras o trastes que supongan una afinación definitiva. La dificultad se incrementa cuando son varias las presiones simultáneas que se ejercen con distintos dedos de la misma mano. Es por esta razón que las sucesiones de acordes deben realizarse con cuidado, siendo una técnica poco aconsejable como método de ejecución habitual. Fragmentos que aparentan ser simples pueden acabar encerrando una complejidad extrema.

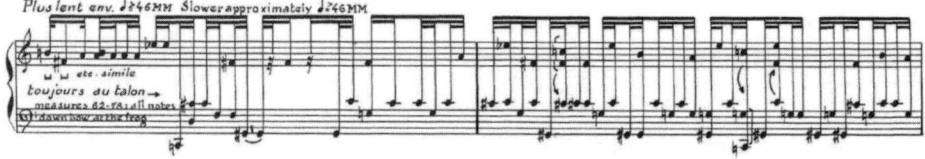

---

[9] Las tonalidades más empleadas eran las relacionadas con la afinación de las cuerdas del instrumento: Do, Sol, Re, La y Mi, tanto mayor como menor.

[10] No faltan ejemplos de cambio de afinación durante la ejecución, si bien el ajuste resultante, ante la imposibilidad de comprobar si es el adecuado, puede llegar a ser impredecible, razón por la que no lo aconsejamos.

I. Xenakis: Kottos.
Ejemplo 1.17

Si bien es cierto que el empleo de las cuerdas múltiples es en sí mismo una interferencia acústica que oculta las imprecisiones de la afinación, de ahí que a menudo se le asocie a una dinámica en *forte*, no es menos cierto que el intérprete intenta alcanzar siempre la mayor precisión, lo que puede resultar frustrante si acaba por ser inabordable. En los capítulos dedicados a cada instrumento realizamos la descripción de las limitaciones que conlleva su digitación, puesto que como se ha mencionado anteriormente, pueden diferir en razón de su tamaño.

No hay que olvidar que las dobles, triples y cuádruples cuerdas se emplean en la orquesta desde sus comienzos, si bien no es hasta el Clasicismo que se encuentran de modo habitual, con la llegada de los *sforzandi* y los movimientos *forte subito*, unidos a las exposiciones acordales que normalmente inician la obra o enfatizan las cadencias. Su objeto principal es el de resaltar la dinámica. Como en el caso de las dobles cuerdas, su distribución se realiza preferentemente desde los instrumentos agudos a los graves, utilizando mayor número de cuerdas en los primeros y menor en los segundos, donde se aplica preferentemente el *divisi*, puesto que es más seguro.

E. Carter: Cuarteto núm. 3, inicio.
Ejemplo 1.18

Ahora bien, mientras las dobles cuerdas pueden mantenerse con el arco de modo similar a la cuerda única, las triples y cuádruples no pueden hacerlo con la misma uniformidad, y mucho menos sin una presión de arco excesiva, lo que por otra parte obliga a que la cuerda o cuerdas centrales tengan mayor peso dinámico. Esto no es posible en todos los instrumentos, especialmente en los graves. Puede aplicarse en muy pocos casos, y siempre en el registro más agudo, puesto que es el único lugar donde las cuerdas permiten mayor flexibilidad. Es muy difícil —a veces imposible— realizarlo en las combinaciones cuádruples. En estos casos se deben elegir cuidadosamente las notas a mantener, puesto que la presión que puede ejercer el ejecutante en más de dos cuerdas es muy insegura, razón por la que habitualmente se combina con cuerdas abiertas.

En las cuerdas múltiples, normalmente son las notas agudas las que se mantienen, aunque esto no tiene porque ser siempre así[11]. Antiguamente no se anotaba su dirección, puesto que se sobreentendía que éste era el modo correcto. En la actualidad se utilizan dos modelos principales para anotarlo. El tradicional, con la indicación de la dirección del arco, que según va hacia arriba son las notas graves las elegidas, o hacia abajo, las agudas (ejemplo 1.19a). Esta notación puede no ser suficientemente clara, puesto que la técnica del instrumento permite realizar el acorde en cualquiera de las dos direcciones, si bien la considerada natural sigue siendo la mencionada. Otra manera es indicar el sentido en que debe arpegiarse, escribiendo con un valor mayor las notas a sostener (ejemplo 1.19b).

Ejemplo 1.19

Anotar la dirección del arco o de la altura a destacar no es obligatorio, y así ha sido en la mayor parte de la música tradicional. No hay que olvidar que la música tonal ya posee un comportamiento discursivo que determina por sí mismo la orientación y desarrollo de este tipo de articulaciones. Esto mismo es difícil de mantener en la música actual que no se basa en la tonalidad. Así, toda indicación que pueda ayudar a la interpretación servirá para obtener el resultado más cercano a la idea y concepción del autor, con todos los matices que esto supone. De este modo, se pueden determinar una serie de condiciones que vale la pena tener en cuenta para las cuerdas múltiples:

- Sólo es posible mantener un máximo de dos cuerdas simultáneas.

- Cuando se requiere un número mayor a dos cuerdas su realización será forzosamente en arpegiado, por lo que se debe tener en cuenta la dirección del arco, ya que determinará las notas a mantener —las graves cuando es arco hacia arriba, y las agudas cuando es arco hacia abajo.

- La combinación acordal es más ágil si se mantienen combinaciones de cuerdas abiertas.

- Las disposiciones ideales y más versátiles son las que mantienen la posición natural de la mano en el batidor.

---

[11] En las *violas da gamba* es lo contrario, normalmente se mantienen las notas graves.

- Evitar posiciones en forma de orquilla y/o excesivamente abiertas. En estos casos es necesario preparar el acorde, para lo que se requiere un tiempo mínimo de silencio.

- El cambio de acorde entre distintas posiciones puede ser muy difícil —a veces imposible—, según el tempo y el tipo. Los que mantienen posiciones fijas, así como los que poseen cuerdas abiertas, son los más ágiles, mientras que los que combinan disposiciones en orquilla son más complejos.

Armónicos

El empleo de armónicos en los instrumentos de cuerda frotada es habitual, si bien no forma parte de su primera técnica. A menudo los sonidos obtenidos de este modo son utilizados para evitar grandes saltos o facilitar pasajes. No se trata pues de una técnica especial ni compleja, si bien no debe emplearse de manera indiscriminada, ya que para su realización se precisa a menudo de la acción de dos o más dedos con distinta presión. El armónico se obtiene al situar uno o varios dedos rozando la cuerda, ejerciendo una leve presión en los nodos correspondientes a las vibraciones de las alturas deseadas —sonidos armónicos naturales o artificiales. A veces, un exceso o defecto de presión puede hacerlos inaudibles, así como provocar la emisión de sonidos multifónicos que nada tienen que ver con los armónicos.

Se emplean de dos tipos principales: naturales y artificiales. La diferencia entre ambos consiste en que los primeros se realizan sobre las cuerdas abiertas, y los segundos con una digitación que se vale de la acción de dos dedos, uno de ellos con la altura principal y otro con media presión —éste último a la distancia adecuada. Las posibilidades de emisión dependen de la abertura de la mano y del instrumento en que se ejecutan.

Armónicos naturales. Como se ha mencionado anteriormente, los armónicos naturales se realizan sobre las cuerdas abiertas, por lo que su número y afinación se hallan delimitados a su longitud. Dejamos para el apartado específico de cada instrumento lo que concierne a su afinación y uso a lo largo de todo su recorrido.

Dependiendo de si el instrumento es más o menos agudo, más limitado será su ámbito, puesto que los sonidos extremos pueden resultan imperceptibles y difíciles de abordar con seguridad. Así, el número óptimo oscila entre los cinco o seis que se pueden realizar con la primera cuerda del violín, hasta los once del violonchelo. El resto son difíciles de emitir y su afinación es insegura. También hay que tener en cuenta que no todos suenan bien afinados, ya que no se rigen por la escala temperada —en lo que se refiere al sonido armónico resultante, claro está—, por lo que los armónicos siete y once a menudo son defectuosos. No obstante, y según el contexto, esta leve desafinación puede pasar prácticamente desapercibida. Los posibles en cada miembro del grupo de cuerda los mencionamos a continuación. Se trata, en cualquier caso, de las series de armónicos fundamentales sobre las cuerdas abiertas. En los instrumentos mayores —violonchelo y contrabajo— pueden ser incluso más amplias, llegando al armónico 14, si bien esto supone colocar las posiciones dentro de la zona de frotamiento del arco, por lo que son más incómodas, puesto que la resina se pega a los dedos y no permite seguir ejecutando con comodidad.

Violín

Viola

Violonchelo

Contrabajo (cuatro y cinco cuerdas)

Ejemplo 1.20

En el contrabajo de cinco cuerdas no es habitual realizar armónicos en la quinta cuerda, al igual que en las III y IV, puesto que su grosor impide un sonido claro y bien afinado, lo que por otra parte podemos obtener más fácilmente en las cuerdas primera y segunda. Se podría concluir pues en que, en la medida de que el instrumento es mayor, las cuerdas en las que se obtienen los mejores sonidos armónicos son siempre las más agudas.

Se anota de dos modos que parten del mismo principio: la posición del dedo en el nodo de vibración de la cuerda. El más empleado es el del círculo sobre la nota resultante, aunque en ocasiones puede ser confuso, puesto que la misma altura se puede obtener en distintas cuerdas. En estos casos, cuando la posición puede no quedar clara, también se anota la cuerda sobre la que se debe realizar (ejemplo 1.21a). Hay casos en los que el autor prefiere dejarlo a elección del intérprete, si bien esto no le exime de conocer su disposición, más aún si tenemos en cuenta que la emisión del armónico puede ser imposible si no se tiene en cuenta lo mencionado.

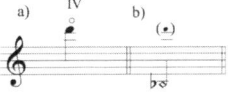

Ejemplo 1.21

Otra manera es la que anota con cabeza de rombo la posición de la cuerda correspondiente (ejemplo 1.21b). En este caso es conveniente escribir la altura resultante. También hay autores que para mayor claridad acompañan a dicha notación la cuerda a la que va destinada. Muchos de los compositores del entorno francés de principios del siglo XX empleaban esta notación. Aunque en algunos casos su interpretación puede parecer confusa, se fundamenta en un método muy simple: el dedo debe situarse siempre sobre la cuerda que se halla justamente por debajo de la altura demandada, de acuerdo a las posiciones de armónicos naturales. Teniendo en cuenta que son normalmente de tercera (mayor o menor), cuarta, quinta, sexta u octava, no puede ser otra la elegida, aún en el caso en que no se indique la cuerda a la que va destinada.

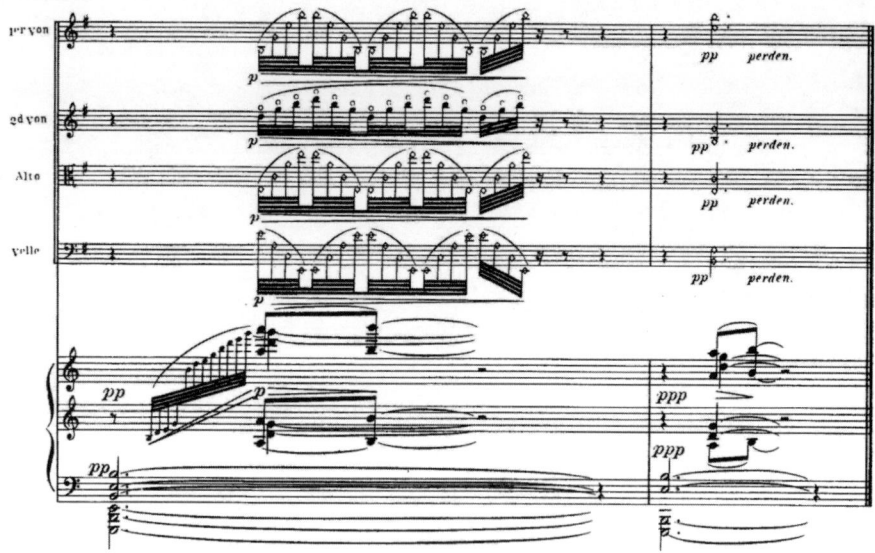

M. Ravel: Tres poemas de Stéphane Mallarmé. Núm. 1, Soupir.
Ejemplo 1.22

También se pueden utilizar posiciones más alejadas o fuera de las habituales, aunque no son las más frecuentes. De hecho, a lo largo de todo el recorrido de la cuerda se producen armónicos naturales que en muchos casos suenan en alturas extremas, por lo que son muy inseguros, o bien lo hacen en posiciones difíciles de concretar en la cuerda, puesto que una variación mínima puede invalidarlos. Aparte está el hecho de que algunas simplemente no poseen un sonido concreto, o se encuentra tan alejado en la tabla de armónicos que es prácticamente inaudible, resultando nulo. Ahora bien, para una escritura fiable es aconsejable conocer con detalle todas las posiciones y sonidos resultantes a lo largo de cada cuerda, ya que de este modo puede abordarse con mayor claridad su escritura y posiciones, así como las combinaciones posibles de articulación y fraseo con relación a la escritura normal. En el apartado individual de cada instrumento se muestran las disposiciones de armónicos completas.

No debemos olvidar, sin embargo, que aunque en apariencia todas son posibles, no suenan del mismo modo. Para ello existe una regla de oro que debe regir todo trabajo en lo que concierne a la materia de armónicos: como más alejada se encuentra la posición del sonido fundamental, menor será su dinámica y más insegura su afinación. Téngase en cuenta, además, que con la posición de armónicos lo que se hace es dividir en mitades la cuerda, de acuerdo a los nodos de su afinación con respecto a la nota fundamental, por lo que su disposición siempre será simétrica, es decir: encontraremos exactamente el mismo sonido en cualquiera de las dos mitades de la cuerda, con una distribución equidistante. Pero tampoco podemos olvidar que no todos los que se producen fuera del batidor son igualmente posibles: los que se encuentran en la zona cercana al puente o en el lugar de paso habitual del arco, tienen el inconveniente de que en su empleo el intérprete se ve obligado a limpiarse las manos para proseguir, ya que la resina del arco se le adhiere a la yema de los dedos y no permite articular con comodidad. Los sonidos que se encuentran cercanos al batidor, y por tanto, más alejados de la zona de paso del arco, pueden ser utilizados sin problemas. Es bueno recordar que se producen más cómodamente en la zona cercana al batidor, por otra parte la posición normal, por lo que en la medida de lo posible no es aconsejable alejarse de dicha posición.

Armónicos artificiales. Los armónicos artificiales son los más empleados en la música actual, puesto que son posibles en cualquier altura, lo que permite una gran versatilidad de uso a lo largo de prácticamente todo el batidor —con los matices y límites que mencionamos a continuación. Ahora bien, a diferencia de los naturales, los artificiales tienen el inconveniente de que necesitan la acción de dos dedos simultáneos, uno presionando la altura fundamental, y otro rozando la cuerda en la altura sobre la que aflorarán los armónicos. Esto hace que a menudo sean más inseguros, por lo que en pasajes rápidos y de gran dificultad pueden llegar a ser imperceptibles.

En los instrumentos agudos los más habituales son los de cuarta, ya que es una posición cómoda para el intérprete. En los más graves y voluminosos —violonchelo y contrabajo—, no son posibles en las primeras posiciones, puesto que la capacidad de apertura de la mano los hace inviables. Así pues, los armónicos artificiales se pueden realizar en cualquier posición que alcance la mano, lo que dependerá del instrumento y el físico del intérprete: en el extremo agudo es posible para muy pocos, por lo que a menos de que se tenga la certeza de contar con un ejecutante con condiciones especiales, no es aconsejable utilizarlos.

Sobre una altura única se pueden realizar los siguientes armónicos artificiales:

Ejemplo 1.23

Estas son todas las posiciones que puede abarcar la mano, desde la más abierta —máximo de octava—, posible en el registro grave del violín, medio en la viola, y agudo en el violonchelo; hasta la más pequeña, viable en todos los instrumentos, si bien conforme es más aguda se vuelve imperceptible en los menos voluminosos —sin olvidar el hecho de que puede llegar a ser imposible ubicar los dos dedos. Aún así, debemos recordar que los armónicos habituales son los primeros de la serie natural: octava, quinta, cuarta, tercera mayor y tercera menor —también sexta menor y mayor. Esto se debe a que son los más seguros y sonoros. El resto no se emplean más que en la música nueva, especialmente en aquélla que no requiere una fidelidad de afinación absoluta en su resultado final, puesto que son mucho más inseguros y de afinación variable.

Queda claro pues que su uso depende del volumen del instrumento, así como de la posición en la cuerda: mientras que en el violín todos los mencionados son posibles, en la viola los de quinta y sexta se vuelven más complejos, al igual que en el violoncello, que para realizarlos debe escoger la posición más aguda de cualquiera de las cuerdas. En el contrabajo los de cuarta y quinta no son posibles hasta la mitad, porque su tamaño no lo permite —los de quinta y sexta son imposibles para la mayoría de intérpretes, incluso en esta posición.

En el apartado dedicado a cada instrumento realizamos una descripción detallada de todos los factibles, de acuerdo a su ámbito y posibilidades de ejecución.

Trinos y trémolos entre dos notas

Qué se entiende por trino o trémolo entre dos notas forma parte de la discusión no resuelta entre músicos de distintas familias. En cualquier caso, para clarificar nuestra exposición determinaremos aquí que entendemos como trino la combinación de dos notas que no superan la distancia de segunda mayor, mientras que el trémolo parte de la tercera menor. Otra cuestión es el trémolo de movimiento de arco que se ejerce sobre una o varias notas, obteniendo un sonido continuo fruto de la rápida acción del movimiento arriba-abajo.

El empleo de trinos y trémolos entre dos notas es habitual y no reviste dificultad alguna cuando se realizan en una misma cuerda, siempre que se guarden las distancias prudenciales que permitan a cualquier intérprete realizarlos adecuadamente. Los de segunda menor y mayor son posibles a lo largo de toda su tesitura, sin restricción alguna. Los trémolos mayores también son factibles en cualquier posición, aunque con matices: los que dependen de la digitación sobre una misma cuerda, siempre que el intérprete alcance dichas posiciones, no poseen ninguna dificultad. Aún así, la relación de estas dos notas no debe superar la distancia de cuarta justa si se pretende un trémolo claro y preciso —la apertura que posee de forma natural la mano en el batidor. Cuando se utiliza la combinación de varias cuerdas crece la dificultad, ya que aquí se requiere un cambio constante de la posición del arco, lo que no siempre es cómodo y suele ser irregular.

La velocidad de uno y otro puede ser libre —que es la habitual—, o medida, y su duración debe ser razonable para evitar la fatiga: mientras que el trino sobre una sola cuerda es menos problemático, el trémolo —o trino— entre dos cuerdas cansa más fácilmente al ejecutante, puesto que requiere de la combinación del movimiento del arco entre ambas.

Ejemplo 1.24

Los dos modos se pueden realizar a lo largo de todo el registro, limitado únicamente por el ámbito del instrumento y la posición de los dedos en el batidor.

1.5.- Articulaciones habituales

Todas las articulaciones habituales poseen un denominador común con el resto de instrumentos de la orquesta: el *legato*, *non legato*, *staccato*, forman parte de su técnica. No obstante, en la familia de cuerda frotada también entra en juego el arco, lo que añade otras que en muchos casos son particulares de este grupo. Aparte está el hecho de que frecuentemente se les denomina con una gran multitud de idiomas, lo que se halla relacionado con la escuela de aprendizaje de cada ejecutante. Tampoco hay que olvidar que, en lo que concierne al uso y escritura, se deben tener en cuenta los cambios de modo normal u ordinario a la nueva articulación elegida, ya que en ambos casos hay que indicarlo —incluido el retorno a normal. Sólo se puede omitir en los contextos musicales donde resulta suficientemente claro.

Legato

En los instrumentos de cuerda existe una asociación del empleo de las ligaduras con el uso del arco, por lo que a veces puede no quedar claro si se demanda un cambio de dirección o una frase musical en *legato*. No hay acuerdo entre los instrumentistas en esta cuestión, aunque obviamente, el uso del arco y el fraseo no tienen porqué tener una relación directa, más aún con la técnica actual, que permite cambiar su trayectoria sin que suponga la interrupción de la frase. Ahora bien, también es cierto que en el ámbito de la música tradicional éste se halla asociado a la respiración, y por tanto, al cambio de arco. De hecho, así se encuentra en la mayor parte de las obras que llegan hasta la primera mitad del siglo XX. Aunque mucha de la música actual a veces prescinde de esta cuestión, no por ello debe obviarse, más aún cuando la mayoría de intérpretes se forman a partir de preceptos tradicionales, lo que bien aprovechado puede ser de gran ayuda.

Su escritura es la habitual del resto de instrumentos, con una ligadura que va de la primera a la última nota. Según la combinación de la frase y sub-frases, puede que su realización no sea posible con un solo arco. Esto puede llegar a confundir al intérprete, razón por la que algunos autores prefieren escribir un doble ligado: el principal, que corresponde al fraseo general, y otro secundario, que indica el cambio de la dirección del arco.

Ejemplo 1.25

La anotación con doble ligado no es obligatoria, sino accesoria, lo que a menudo va a elección del intérprete.

Non legato

El *non legato* es empleado como modelo de sonido articulado, y es el habitual en el período de estudio del instrumentista, realizado con sonidos precisos y separados que sirven para obtener mayor precisión en la afinación de la altura y en el tempo. Se emplea poco, puesto que es inhabitual que el compositor no demande articulación alguna, razón por lo que se trata de un modo particular. No se indica, aunque a menudo se anota con la denominación *non legato* para confirmar su uso. De este tipo derivan otros dos, utilizados a menudo en la nomenclatura de su técnica, el *détaché* y el *louré*, que no son más que distintos modos de aplicar el mismo concepto.

Détaché (fr.). Se trata básicamente de un *non legato*. Su uso se realiza con el paso del arco sobre la cuerda —*alla corda (it.)*— cambiando de dirección en cada nota, manteniendo igual valor y evitando el *legato*; es decir, separándolas entre sí, aunque alejadas del concepto de nota corta que es el *staccato*. Se obtiene con la acción del movimiento rápido del arco.

P. Hindemith: Metamorfosis sinfónicas, Núm. 1 (se ha omitido al resto de la orquesta).
Ejemplo 1.26

A veces también se emplea junto a la denominación *liscio* (it.), cuyo propósito es el de evitar la percepción de la articulación del movimiento arco arriba y abajo. También se acompaña de otras apreciaciones, como arco a la punta —*arco alla punta* (it.), *arco à la pointe* (fr.), *an der Spitze* (al.), *at the point* (ing.)—; en el talón —*arco al tallone* (it.), *arco au talon* (fr.), *am Frosch* (al.), *at the frog* (ing.). En estos casos, el cambio de arco en ambas direcciones se mantiene exactamente igual.

G. Mahler: Sinfonía núm.3, primer movimiento (se ha omitido al resto de la orquesta).

Ejemplo 1.27

En la medida en que el efecto se exagera crece la posibilidad de que en el movimiento del arco aparezcan sonidos múltiples (silbidos, armónicos, multifónicos, etc.), que incluso pueden llegar a ser incontrolables. A esta exageración extrema del efecto se le suele denominar *gran détaché* (fr.) o *sciolto* (it.) —también *gran staccato* (it.)—, lo que a menudo se utiliza con el arco al talón, realizando el frotamiento completo a partir de esta posición.

A. Bruckner: Sinfonía núm. 8, primer movimiento (se ha omitido el resto de la orquesta).

Ejemplo 1.28

En sentido opuesto se encuentra el efecto con sonidos sostenidos, pero no ligados, dentro de un mismo arco. A veces también se emplea con la denominación *separato* (it.), que consiste en una distribución equilibrada del arco dentro de la frase musical.

G. Mahler: Sinfonía núm. 4, tercer movimiento (se ha omitido al resto de la orquesta).
Ejemplo 1.29

Louré (fr.), **Portato** (it). El *louré* también pertenece a la familia del *détaché*, pero a diferencia de aquél, que articula en las distintas direcciones del arco, éste lo hace con una sola trayectoria, nota a nota. El concepto es el mismo: articular separadamente manteniendo su valor máximo. Se emplea a menudo para enfatizar fragmentos con una articulación más pesada, y también más expresiva. Igualmente se indica la dirección del arco, si bien esto es algo que cada formación puede cambiar si lo considera necesario.

A. Bruckner: Sinfonía núm. 4, cuarto movimiento (se ha omitido al resto de la orquesta).
Ejemplo 1.30

Staccato

El *staccato*, como en el resto de instrumentos de la orquesta, es la articulación contraria al *legato*. En la familia de la cuerda, sin embargo, se utiliza frecuentemente en las partes de acompañamiento que requieren un movimiento rápido y ligero. Con las distintas combinaciones del arco se pueden lograr matices imposibles de alcanzar en el resto del grupo orquestal.

Con esta articulación el valor de la nota se reduce fácilmente a la mitad. Es una práctica habitual, por lo que no es aconsejable escribir el valor real, puesto que se disminuirá igualmente. La técnica del instrumento ha adoptado este modo desde sus comienzos, y resultaría baldío intentar cambiar una tradición con siglos de práctica. Se emplean distintos tipos de *staccato*, y todos poseen una relación directa con el uso del arco.

Staccato (it) **normal.** Es el empleado habitualmente. Se anota con un punto sobre —o debajo— de la nota que lo posee. Se realiza con un movimiento del arco en una dirección, o simultaneando varios cambios de sentido, pero siempre sobre la cuerda, sin saltar. No se emplea la denominación a menos de que se requiera destacar el efecto, escribiendo a menudo su superlativo—*staccatissimo*.

B. Bartók: Divertimento, primer movimiento.

Ejemplo 1.31

Staccato legato. Es la articulación en *staccato* que se realiza dentro de un *legato*, lo que normalmente se asocia a la dirección única del arco en la frase musical correspondiente. Se anota con un punto sobre cada nota, además de una ligadura entre la primera y última del grupo, cuya dirección a veces también se escribe, aunque no es obligatorio. Tampoco se añade denominación alguna.

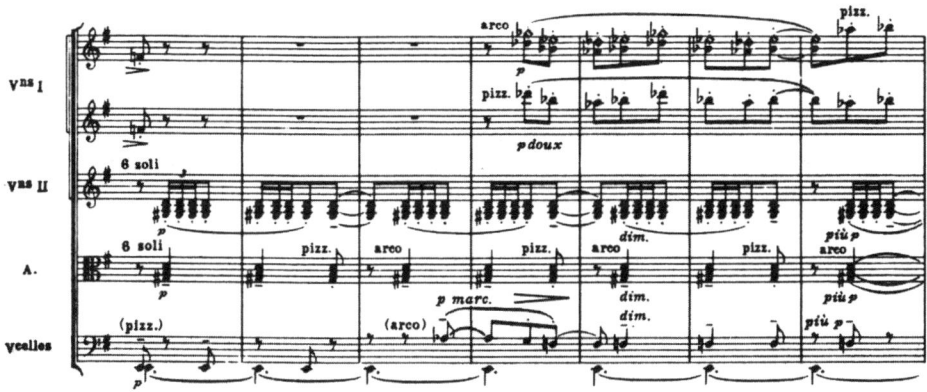

C. Debussy: Iberia, núm. 1, Par les rues et par les chemins (se ha omitido al resto de la orquesta).

Ejemplo 1.32

Spiccato (it). Normalmente no se anota, ya que forma parte de la técnica habitual de la familia de instrumentos de cuerda frotada. Se escribe como el resto de *staccati*, es decir, con un punto, y se emplea en fragmentos rápidos que implican un movimiento de rebote del arco sobre la cuerda. Según su parte, el salto será más corto o rápido. A veces también se emplea con la denominación *balzatto* (it.) o *saltellato* (it.). Se utiliza mayoritariamente en fragmentos de cierta longitud en los que resulta idóneo, a menudo con una la ligadura sobre las notas con punto que indica cambio de arco. En este caso también recibe la denominación *pichettato* (it.). Se emplea normalmente con el arco hacia arriba, aunque también puede realizarse hacia abajo. En este último caso es más complejo, puesto que es más fácil hacerlo rebotar cuando se usa la parte contraria a la zona de sujeción, es decir, la cercana a la punta.

G. Mahler: Sinfonía núm. 3, tercer movimiento ((se ha omitido al resto de la orquesta).
Ejemplo 1.33

Cuando se demanda un sonido más corto en *staccatissimo* se emplea el signo ▼, frecuente en la música del siglo XVIII. En este caso el *staccato* será extremo (ejemplo 1.34).

En combinación con el *spiccato*, se encuentra el *spiccato saltando*, otra modalidad que precisa de una combinación de arco corto articulado y gran presión. Se encuentra entre el *staccato* y el *tenuto*, y es un tipo de *spiccato* más largo, en contraposición con el anterior. Se anota con un punto sobre línea (ejemplo 1.35).

I. Stravinsky: El pájaro de fuego, versión de 1945. Núm. 1b. Preludio y danza.

Ejemplo 1.34

M. Ravel: Daphnis et Chloé (se ha omitido al resto de la orquesta).

Ejemplo 1.35

Martelé (fr.), **Martellato** (it.). Este tipo de staccato emplea a menudo el mismo signo del *spiccato staccatissimo*: ▼, si bien con un significado muy distinto, ya que se acerca más al del *spiccato saltando* que no al utilizado habitualmente en la música del período clásico[12].

M. Ravel: Daphnis et Chloé, Introduction et danse religieuse (se ha omitido al resto de la orquesta).
Ejemplo 1.36

Aunque las articulaciones mencionadas hasta aquí son las más empleadas, en la escritura estándar existe una gran multitud de combinaciones, muchas veces relacionadas con escuelas de intérpretes, razón por la que no es posible determinarlas a todas de modo definitivo. Las que siguen se encuentran en buena parte de la literatura musical clásica y contemporánea, y son comunes al resto de instrumentos orquestales. Las hemos clasificado desde el sonido más corto al más largo[13]:

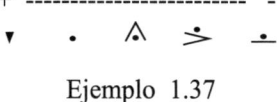

Ejemplo 1.37

1.6.- Golpes de arco

El uso del arco forma parte indisociable de la práctica de los instrumentos de cuerda frotada, por lo que todas las articulaciones mencionadas hasta aquí pertenecen a este ámbito. Ahora bien, los golpes de arco son parte de la técnica extendida, la que se desarrolla a partir de golpear en las cuerdas, lo que produce un sonido característico y diferenciado del frotamiento. No obstante, el hilo que separa a ambas —paso de arco, golpe de arco— puede ser a veces muy fino, por lo que no es de extrañar que las encontremos mezcladas en muchos tratados de orquestación sin un orden que arroje claridad de uso. Está claro que en esto intervienen las distintas escuelas de la familia, que consideran determinadas articulaciones como parte de una u otra forma de utilizar

---

[12] Este es un claro ejemplo de que distintas anotaciones de un mismo efecto pueden llegar a tener incluso un significado distinto, a veces opuesto. Por regla general es adecuado evitar el uso del mismo signo con una acepción distinta, especialmente cuando posee una estandarización establecida por la tradición.

[13] Como se trata de una regla general, algunas de estas clasificaciones pueden variar según la escuela interpretativa.

el arco. Es por esta razón por lo que técnicas como el *spiccato* o el *martellato*, se encuentran a menudo dentro de las de golpe de arco.

Visto que esto nos pueden llevar a cierta confusión, hemos resuelto en determinar como provenientes de los golpes de arco los que se alejan del frotado, es decir, los que en su componente tímbrico aparece el sonido-ruido propio de la acción de golpear. Nos referimos, por tanto, a los que derivan del golpe de arco más allá de la articulación propia que sigue la línea legato-tenuto-staccato, puesto que entendemos que todas parten de las distintas disposiciones que el peso del arco ejerce sobre las cuerdas. Existen en un número indeterminado, y las variantes pueden llegar a ser infinitas, razón por la que en este apartado nos limitaremos a presentar las más empleadas en la técnica tradicional.

Gettato (it.), **Jeté** (fr.), **Ricochet** (fr. y ing.). Se trata del golpe de arco más habitual: consiste en dejar rebotar las cerdas sobre la cuerda, en un número que oscila entre los dos o más saltos. Normalmente se anota de forma precisa, con todas las notas y valores del efecto, aunque el resultado final puede no corresponder exactamente al de su escritura, ya que no es posible controlarlos con total precisión. No obstante, su indeterminación hace que dicha inexactitud quede en segundo plano.

N. Rimsky-Korsakov: Capricho español Op. 34 núm. 4, Escena y canto gitano.
Ejemplo 1.38

Se puede escribir con precisión (ejemplo 1.38) o de manera más aleatoria (ejemplo 1.39), aunque el resultado que se obtiene es similar. A pesar de que en muchos casos no se escribe el efecto con texto —especialmente en la música tradicional—, en la actualidad es aconsejable añadir su denominación, puesto que así queda claro el objetivo que se persigue. Se utiliza frecuentemente combinado con una posición especial del arco (ejemplo 1.39).

J. Harvey: Songs offerings, Núm. 2
Ejemplo 1.39

Battuto (it.).   Este efecto es similar al *gettato*, pero exige un mayor control de los golpes del arco sobre las cuerdas, puesto que se trata de un ataque más conciso y duro. Se anota de modo similar, añadiendo su denominación. Como en aquél, a menudo se halla asociado a distintas formas de golpear —*col legno* (con la madera del arco), *crine-col legno* (con las cerdas y la madera del arco), etc.

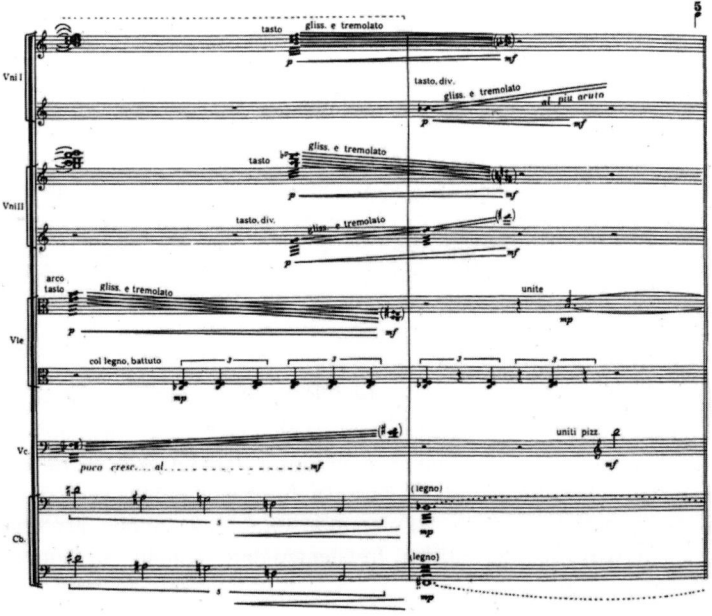

G. Petrassi: Ottavo Concerto, tercer movimiento (se ha omitido al resto de la orquesta).
Ejemplo 1.40

Arpegiado, Arpeggiato (it.). La articulación en arpegiado se realiza tanto en ligado como en saltado —véase, por ejemplo, la introducción de la ópera *Parsifal* de R. Wagner —, aunque habitualmente se utiliza con un movimiento que se encuentra entre el *spiccato* y el *gettato*. Consiste en golpes de arco rápidos frotando las distintas cuerdas, simultaneando arco arriba y abajo. Se emplea normalmente en todas las cuerdas del instrumento, puesto que es muy difícil controlar el desplazamiento con unas pocas.

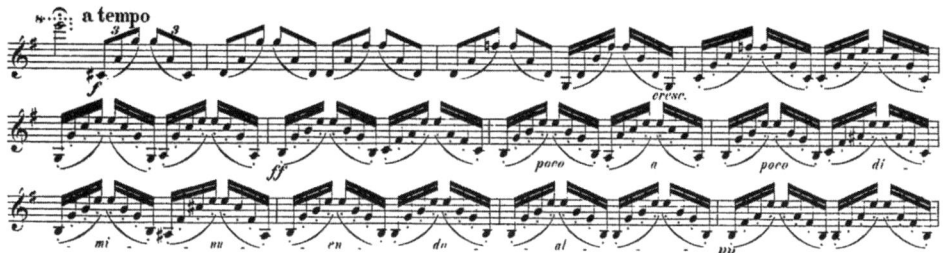

F. Mendelsshon: Concierto para violín en Mi menor Op. 64, Cadenza del primer movimiento.
Ejemplo 1.41

Se encuentra frecuentemente en la música de cámara y a solo, pero no tanto en agrupaciones orquestales, puesto que el movimiento conjunto del grupo lo hace impreciso. Aún así, puede resultar de gran efecto cuando se tiene en cuenta éste extremo. Para su realización es necesario que las posiciones sean las adecuadas, puesto que el movimiento rápido de la acción del arco requiere de una disposición fija, con un desplazamiento mínimo.

1.7.- Posiciones del arco sobre el instrumento

Aparte de las articulaciones citadas en los párrafos anteriores, que corresponden básicamente al uso del arco, debemos añadir todo lo que concierne a su posición a lo largo del batidor, lo que genera sonidos que pueden llegar a ser muy distintos entre sí. Aunque se emplean puntualmente en la música tradicional, en la actualidad son recursos habituales entre los compositores, lo que ha generado infinidad de nuevos modos que tienen como límite único la imaginación. En este apartado presentamos los utilizados más asiduamente, dejando para más adelante todo lo que concierne a su empleo avanzado.

Sul tasto (it.), **Sur la touche** (fr.), **Am Griffbrett** (al.). Es la posición en que se sitúa el arco cerca o sobre el batidor. Así se consigue un sonido más suave y aterciopelado. Ésta posición se asocia normalmente a dinámicas en *piano* o *pianissimo*, si bien no es únicamente ésta su utilidad, ya que también supone un cambio de timbre. No puede ser utilizado, sin embargo, en las notas del extremo agudo de cada cuerda: cuando se alcanzan las alturas que se encuentran en dicho registro se imposibilita el paso del arco. Se anota con su denominación, o su abreviación (S.T.).

M. Ravel: Daphnis et Chloé (se ha omitido al resto de la orquesta).

Ejemplo 1.42

Se emplea habitualmente para equilibrar la dinámica de los fragmentos en *piano*, especialmente en la música clásica tradicional, y en muchos casos ni siquiera se anota. Sólo se escribe su denominación cuando se requiere de manera ineludible.

Sul ponticello (it.), **Au chevalet** (fr.) **Am Steg** (al.). Es la posición contraria a *sul tasto*: el arco se sitúa cerca del puente —de ahí su denominación—, lo que permite enfatizar los armónicos extremos de las notas agudas. La disposición idónea se halla dentro del área que permite la emisión de los sonidos con claridad, es decir, sin el ruido característico que emerge cuando se coloca directamente sobre el puente. Se emplea con su denominación o su abreviación (Sul Pont, S.P.)

G. Puccini: Suor Angelica (se ha omitido al resto de la orquesta).

Ejemplo 1.43

Como se ha mencionado, en la música tradicional se emplea para facilitar la emisión de los sonidos que se encuentran en la región aguda, puesto que así su audición es más clara. En la música actual se aplica a cualquier sonido, lo que produce un timbre metálico que amplifica su carácter misterioso, aunque tiende a desafinarse según se acerca al puente.

Cuando lo que se pretende es un sonido más incisivo, propio de situar el arco sobre el puente, se emplean otras denominaciones. La más utilizada es la de *molto sul ponticello (it.)* — abreviación MSP—, que es la posición más extrema del arco. Aquí el sonido es a menudo imperceptible, aflorando los armónicos sobreagudos, lo que se traduce en un sonido-ruido de características similares a los *whistle tones* de la flauta. Se anota con su denominación. Hay muchos casos —especialmente en la música nueva— en los que el compositor demanda un cambio progresivo de la posición del arco de una zona a otra —desde *sul tasto* a *molto sul pont*—, resultando con ello una modulación de sonidos armónicos que se traduce en un filtro de agudos que varía según su posición, de características similares a los cambios de frecuencia empleados en la música electrónica.

K. Saariaho: Lichtbogen.
Ejemplo 1.44

1.8.- Usos especiales del arco

Del mismo modo que en los instrumentos de cuerda frotada se puede ejecutar en cualquier zona a lo largo de la cuerda —siempre dentro de la técnica estándar—, también se puede friccionar en cualquiera de sus partes, ya sea a lo largo de las cerdas, o con giros de entre 0 y 90 grados del arco con respecto a su posición normal. Esto permite infinidad de posibilidades y sonidos, y de ellas parten las que se emplean habitualmente en su técnica. Así, mientras que las posiciones normales son la de arco arriba (V) y arco abajo (⊓), las denominaciones que a menudo acompañan a estas articulaciones no se hallan definitivamente estandarizadas.

Alla punta (it.). Se emplea habitualmente en fragmentos de dinámica *piano*, a menudo asociados a posiciones de *sul tasto* o *sul ponticello*. Se realiza con el extremo del arco, en una posición que oscila entre el 10 y 25% del recorrido cercano a la punta. Se indica con su denominación (ejemplo 1.45).

Arco a la punta   Arco al talón

Ejemplo 1.45

Al igual que las otras posiciones de los instrumentos de cuerda, que el ejecutante utiliza habitualmente para enfatizar dinámicas o timbres que son más cómodos en esta zona, se indica únicamente en los casos en que su uso no es el normal, o bien se demanda el efecto de forma expresa.

Al tallone (it.). Es el contrario del anterior, es decir, cuando se emplea la parte del arco cercana a la zona de agarre, entre un 10 y un 25% de su recorrido cercano al talón. Aunque no se emplea tanto como el anterior, se asocia a fragmentos de dinámica *forte* (ejemplo 1.45).

Flautando, Flautato (it.), **Flageolets** (fr.). Se realiza con el movimiento rápido del arco en ambas direcciones y a lo largo de todo su recorrido. Su sonido es aterciopelado y menos claro, puesto que se precisa de una presión leve que le permita deslizarse suavemente por la cuerda. Normalmente se emplea en dos o más notas continuas, donde la segunda o siguientes se efectúan de forma breve y con el mismo arco. También se realiza sobre una única nota.

G. Petrassi: Invenzione Concertata (se ha omitido al resto de instrumentos).
Ejemplo 1.46

Actualmente también se utiliza como un efecto tímbrico aplicado a notas largas, o a grupos de alturas que se encuentran dentro de un arco expresivo, realizadas siempre con una ligera fricción. Esto produce un sonido inestable, similar a una breve eclosión de armónicos como consecuencia del roce, lo que lo acerca al sonido de la flauta, de ahí su denominación.

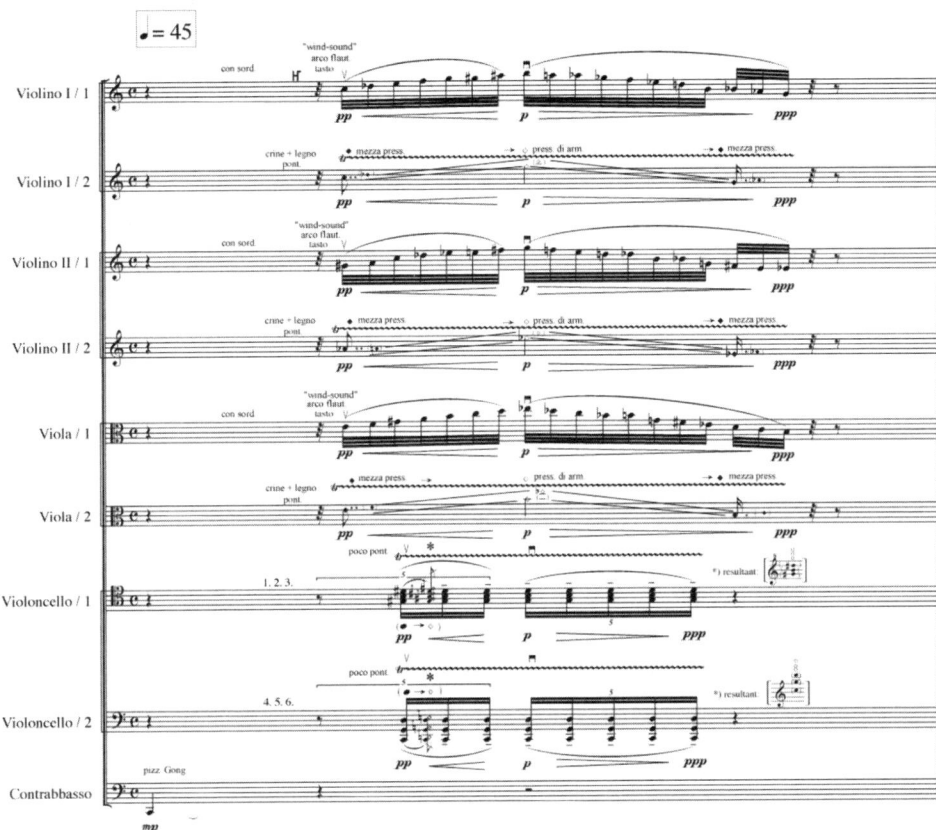

M. Sotelo: Como llora el viento (se ha omitido al resto de la orquesta).
Ejemplo 1.47

Col legno (it.), **Avec le bois** (fr.), **Mit Holz** (al.). Como su nombre indica[14], se trata de utilizar el arco en posición inversa, con la madera. Ésta es una técnica que no suele ser del agrado de los intérpretes, puesto que puede dañar el barniz, además de que no tiene la versatilidad de las cerdas. Su timbre es singular, y se emplea de distintos modos: desde el que se realiza con la fricción de la madera del arco, de modo similar al roce de las cerdas, denominado *col legno tratto (it.)* —*col legno gestrichen (al.)*— (ejemplo 1.48); al que se golpean las cuerdas, también con la madera, que utilizan las denominaciones *col legno gettato*, o *col legno battuto (it.),*— *col legno geschlagen (al.)*— (ejemplo 1.49).

---

[14] La palabra italiana *legno* significa madera.

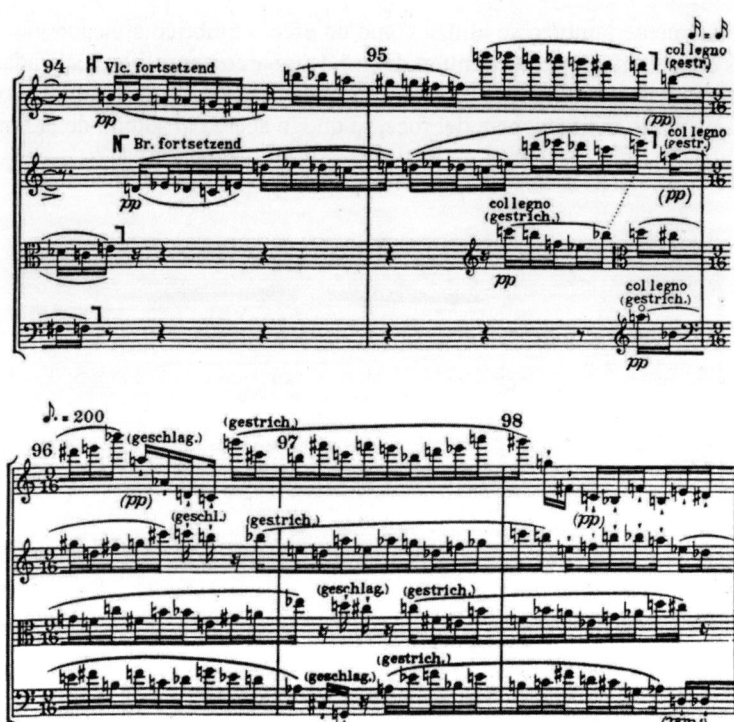

A. Berg: Suite Lírica, tercer movimiento.
Ejemplo 1.48

En el caso del *col legno tratto*, el efecto es dinámicamente limitado, puesto que el arco resbala sobre las cuerdas y no permite una buena emisión del sonido. El efecto aumenta cuando se utiliza en una agrupación de cuerdas numerosa, aunque siempre posee el mismo inconveniente. Cuando se emplean los golpes de arco (*gettato*, *battuto*), su sonido es más audible, y en consecuencia, más eficaz.

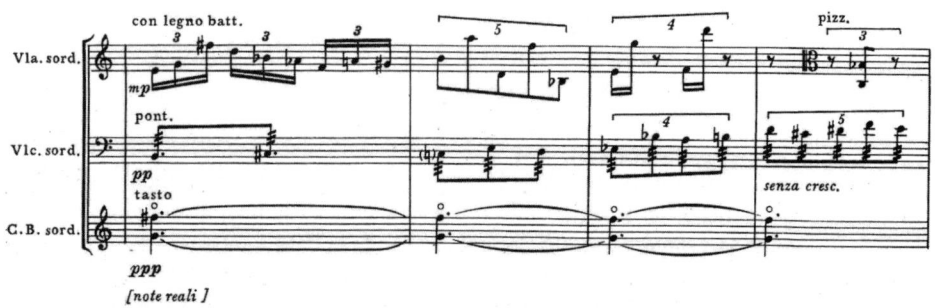

G. Petrassi: Estri.
Ejemplo 1.49

En algunos casos, y con el objeto de obtener mayor sonido, se utiliza la posición de cerdas-col legno —*crine-col legno* (it) , o *½ col legno*—, igualmente con un golpe de arco —*gettato* o *battuto*— con madera y cerdas. El efecto, aunque se trata de un timbre completamente distinto, mezcla de cerdas y madera, posee mayor volumen dinámico.

G. Benjamin: At first light, tercer movimiento (se ha omitido al resto de instrumentos).
Ejemplo 1.50

1.9.- Pizzicato

El uso del *pizzicato* es habitual en los instrumentos de cuerda frotada, y es una técnica que se desarrolla desde sus primeras piezas. Esto les acerca a la familia de cuerda pulsada, si bien su versatilidad poco tiene que ver con aquellos, lo que se debe principalmente a que la tensión de las cuerdas no es equivalente entre ambas familias, motivo por el cual se emplea esporádicamente. Su uso se encuentra con mayor frecuencia a partir de la segunda mitad del siglo XIX, gracias a que añade un contraste tímbrico notable, al tiempo que posee una singular belleza. Se puede utilizar indefinidamente, aunque un período de tiempo excesivo puede fatigar al intérprete, sobre todo si se trata de fragmentos veloces. Por otra parte, y a consecuencia de que no es su técnica principal, su emisión es más imprecisa, lo que forma parte de su encanto. Existen varios tipos de *pizzicati*.

Normal. Se emplea pinzando la cuerda con la yema de los dedos de la mano derecha, la que sostiene el arco. No se utiliza la uña, salvo que se demande, aunque no por ello se obtiene mayor sonido, además de que puede llegar a ser peligroso para los dedos del intérprete, dada la tensión de las cuerdas. El volumen dinámico es mayor conforme el instrumento es más grande, donde la caja de resonancia actúa como difusor, lo que amplifica su emisión. Conforme es más agudo se reduce, al punto de que en los instrumentos pequeños —violín especialmente— puede resultar inaudible.

Se utiliza frecuentemente sin dejar el arco, especialmente en los fragmentos cortos. En los más largos el instrumentista puede retirarlo —colocándolo sobre las piernas o en el atril— para ejecutar con mayor precisión y comodidad. En lo que concierne a la mano izquierda la técnica es idéntica a la normal, posicionando las alturas en el batidor mientras se pinzan las cuerdas con la mano derecha .

Su aplicación se halla delimitada a pasajes de acompañamiento o complementarios (ejemplo 1.51), aunque no faltan ejemplos que contradicen esta regla. No hay que olvidar, sin embargo, que el volumen dinámico del *pizzicato* es claramente inferior al del arco, por lo que su uso no es aconsejable para pasajes en *fortissimo* o partes solistas donde se requiera una dinámica notable. También es recomendable tener en cuenta el tiempo mínimo de silencio necesario para el cambio de arco a *pizzicato*, o viceversa. Aunque se puede realizar con relativa rapidez, un período excesivamente corto puede convertirlo en inejecutable, lo que depende siempre de la posición.

G. Rossini: El barbero de Sevilla. Sinfonía (se ha omitido al resto de la orquesta).
Ejemplo 1.51

El límite de su uso, en lo que se refiere a su audición, y según el instrumento, se encuentra entre los siguientes extremos:

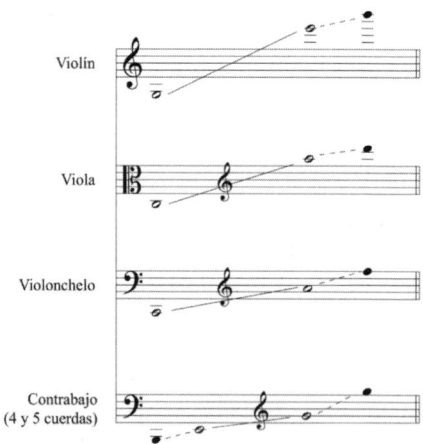

Ejemplo 1.52

La indicación en notas blancas es la ideal, ya que a partir de estas, y conforme se va hacia el agudo, el sonido se vuelve más seco, y por tanto, menos sonoro, hasta el punto de tornarse prácticamente inaudible. Se indica con la denominación o su abreviación *pizz.* También debe anotarse el retorno a la posición de arco normal, ya que de lo contrario el ejecutante continuará en *pizzicato*.

Pizzicato con la mano izquierda. Se emplea esporádicamente, y no es posible en cualquier posición, ya que es la misma mano la que debe situar uno de los dedos en la altura deseada, para con otro dedo realizar el efecto. Donde más se utiliza es en las cuerdas abiertas, puesto que no precisa de colocar dedo alguno. Cuando no es así —fuera de las cuerdas abiertas—, el *pizzicato* se ejecuta con el dedo meñique, que es el que normalmente guarda mayor distancia con respeto a la situación de la altura, aunque esto no es una condición indispensable.

Se indica con un signo en forma de cruz por encima o debajo de la nota afectada, aunque algunos compositores prefieren anotarlo con texto. En algunos casos se simultanea con el arco de la mano derecha, si bien no siempre es posible. Para ello es imprescindible tener en cuenta su posición y las posibilidades efectivas de realización.

B. Britten: Suite para violonchelo núm1 Op. 72. Bordone.

Ejemplo 1.53

Se utiliza únicamente en la música para solo o cámara, puesto que su dificultad lo inhabilita para formaciones orquestales.

Pizzicato Bartók (Slip/Snap *(ing.))*. El efecto alude al autor húngaro Béla Bartók, que lo emplea por primera vez en sus obras, denominación que se utiliza hoy como estándar. Se realiza pinzando las cuerdas con dos dedos y estirándola —también es posible con un solo dedo en las cuerdas extremas (I y IV)—, dejando que golpee en el batidor, lo que produce un sonido-interferencia, suma de *pizzicato*, sonido y golpe en el mango. Se usa siempre en dinámica *forte*, ya que de lo contrario no sería audible y no pasaría de ser un *pizzicato* convencional. El lugar donde es más efectivo es en el registro grave. Deja de serlo conforme se pasa del medio al agudo, donde la tensión y espacio de las cuerdas hace imposible el característico ataque en el batidor. Para su anotación se emplean indistintamente dos signos: ⌀ ⌀.

B- Bartók: Cuarteto de cuerda núm. 4, cuarto movimiento.

Ejemplo 1.54

Normalmente va acompañado de la denominación *pizzicato*, para diferenciarlo claramente del arco normal, si bien muchos autores no lo anotan —ejemplo 1.54—, dando por entendido que el mismo signo ya presupone su uso. Del mismo modo tampoco se apunta el paso a arco.

Pizzicato de uña (unghia (it.)**, ongle** (fr.)**, nagel** (al.)**, nail** (ing.)**).** Esta forma de tocar apenas se emplea en los instrumentos de cuerda frotada, puesto que el ejecutante normalmente no posee uñas largas, lo que añadido a la dureza y tensión de la cuerdas hace su uso incómodo —y a veces peligroso. Su dinámica es limitada. Se indica con su denominación o con un pictograma: ⌒.

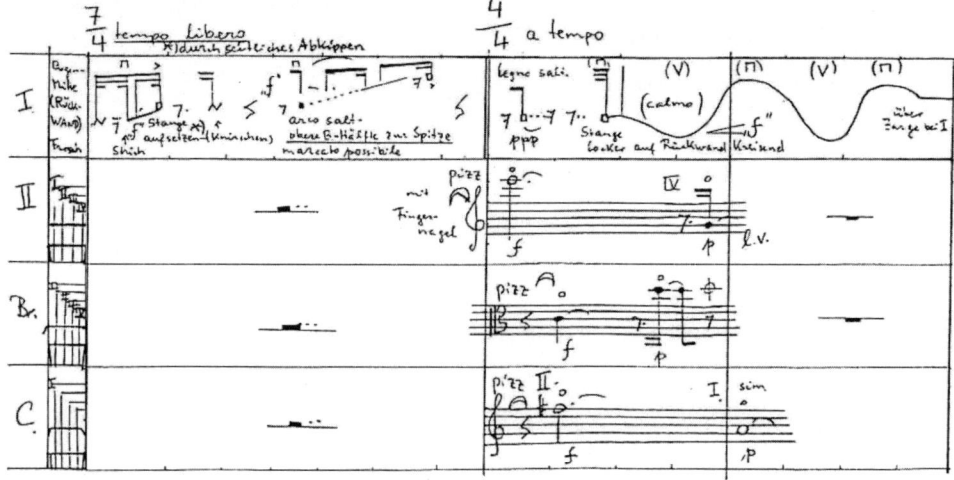

H. Lachenmann: Gran Torso.
Ejemplo 1.55

Acordes en pizzicato (efecto guitarra). Se utilizan como imitación del popular rasgueado de la guitarra, es decir, frotando con la yema de los dedos o las uñas las cuerdas, simultaneando distintas direcciones —arriba-abajo. Su dinámica es limitada, aunque puede ser efectiva cuando se realiza en una agrupación de cuerdas numerosa.

También se puede ejecutar en *pizzicato* sobre una o varias cuerdas. En los casos en los que se requiere una simultaneidad mayor a dos es necesario realizarlas en arpegiado, donde su técnica se asimila a la de la guitarra. Esto hace que muchos autores utilicen esta técnica para aludirla, especialmente en obras que se basan en temáticas de carácter hispano.

C. Debussy: Iberia, núm.3 (se ha omitido al resto de la orquesta).
Ejemplo 1.56

1.10.- Vibrato

En la práctica de todos los instrumentos de arco se emplea el vibrato de forma habitual. Su uso nace, al igual que en el resto de la orquesta, como un modo de imitar la vibración de la voz, lo que en el pasado se consideraba una manera de humanizarlos. El tipo de vibrato, así como su intensidad, depende en gran medida del carácter de la obra a la que va destinada, y en su tipología influye la escuela del ejecutante, por lo que puede variar de uno a otro. Esto no debería afectar de manera substancial a la música, ya que la interpretación también ha ido evolucionando paralela al uso de distintas técnicas sin que su semántica y objetivo final cambie en significación.

En términos generales, el vibrato consiste en una mínima oscilación de la nota, al tiempo que se aumenta o ralentiza su velocidad. No debe ser confundido con el trémolo sobre una sola altura, puesto que esto último se trata de una repetición rápida. En la música tradicional no se anota, ya que se considera de uso normal. El tipo de vibrato, así como el de su oscilación, dependen del formato instrumental al que va destinado: mientras que en la música para orquesta o conjunto voluminoso se emplea moderadamente, en la de instrumento solo su uso es frecuente, y a menudo exagerado. Esta diferencia se debe principalmente a que, cuando se trata del grupo de cuerdas, un vibrato excesivo puede generar demasiados armónicos, provocando en el conjunto una desafinación desproporcionada. Este extremo, que en la música del pasado no se atendía con demasiado rigor, en la actualidad se ejercita asiduamente, puesto que de ello depende una buena interpretación.

Se emplean distintos tipos de vibrato, relacionados cada uno con la música a la que va destinada, aunque como se ha mencionado anteriormente, en la tradicional es de uso común y no se anota. Se escribe únicamente cuando se demanda que tenga características específicas, y a eso nos referimos en lo que sigue.

Vibrato normal. Es el más empleado. Se trata de una pequeña oscilación de la afinación de la nota, realizada con el suave movimiento del mismo dedo que la pulsa en el batidor. Normalmente parte de la nota normal para conseguir su máxima vibración a la mitad de su valor. No se indica de modo alguno, ya que es la articulación por defecto.

Sin vibrato. Cuando no se requiere vibrato debe indicarse, puesto que el instrumento produce un sonido artificial, alejado del natural vibrado. Su uso es frecuente en la música escrita a partir de la segunda mitad del siglo XX. Se indica con la denominación o su abreviación *(s.v.).*

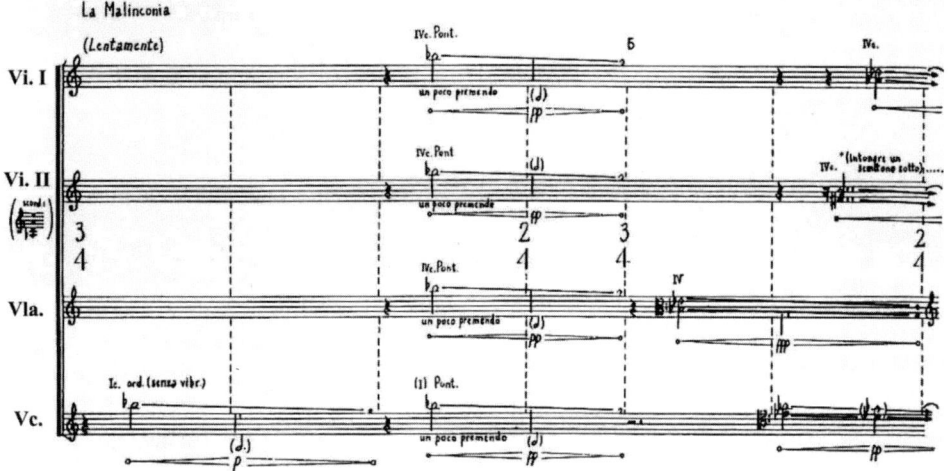

S. Sciarrino: Sei quartetti brevi, núm. 6.
Ejemplo 1.57

Vibrato progresivo. Aunque el vibrato normal el intérprete lo emplea habitualmente de modo progresivo, nada tiene que ver con el que mencionamos aquí. En este caso, el efecto debe ser indicado de manera precisa, y puede afectar tanto a la oscilación de la afinación como a su velocidad de emisión, además de incidir en su dirección —crescendo o decrescendo. Se emplea exclusivamente en la música actual[15], y se anota con un pictograma que indica la velocidad y el ámbito de oscilación, aunque también puede utilizarse su denominación:

---

[15] Esto no excluye que algunas escuelas lo utilicen para la interpretación de alguna obra del pasado, aunque en este caso, al no ser demandada por los propios compositores, no la entendemos como parte de su técnica.

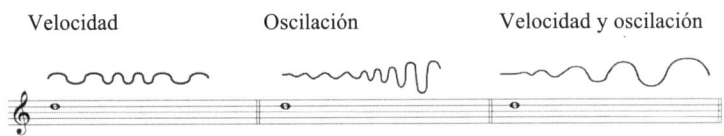

Velocidad   Oscilación   Velocidad y oscilación

Ejemplo 1.58

1.11.- Glissando y portamento

El *glissando* y *portamento* se tratan de cambios de altura que permiten ir de una nota a otra mediante una oscilación que une a ambas. Los dos tipos pueden ser empleados con comodidad en cualquiera de los instrumentos de la familia de la cuerda frotada, con el único límite del ámbito entre la primera y última nota, que debe encontrarse dentro de la misma cuerda. Estos extremos, condicionados por su longitud, son inevitables si no se desea la interrupción producida por el cambio de una cuerda a otra. Se puede realizar de manera lineal y a lo largo de todo el recorrido, algo que ninguna otra familia permite con la misma comodidad —con la única salvedad del trombón de varas. Los modelos principales que más se emplean son los siguientes:

Glissando. Es el más habitual, y se trata de una oscilación entre la nota de partida y la de llegada, de modo continuo y lineal. Se indica con una línea, sobre la que se añade su denominación.

Portamento. Se trata de una oscilación entre dos notas, cuyo movimiento se realiza al final del recorrido del valor de la primera. Se indica con una línea sobre la que se anota su denominación. Se emplea a menudo en la técnica tradicional de la familia, tanto en los pasajes con saltos de afinación difícil, como en los que se pretende un efecto expresivo particular.

Glissando   Portamento

Ejemplo 59

Glissando de armónicos. Existen de dos tipos: el que se realiza sobre los armónicos artificiales, que es similar al *glissando* normal y emplea una doble posición, la de la altura y la del nodo —de tercera, cuarta o quinta—; y el de armónicos naturales, aunque no se trata de un *glissando* real, puesto que al mover el dedo sobre la cuerda lo que afloran son los sonidos de acuerdo a su distancia con respecto a la nota fundamental de la cuerda abierta, lo que arroja un arpegio que realizado rápidamente simula el efecto.

En este último caso, las alturas que se producen son las propias de la escala de armónicos naturales[16] de cada cuerda. Es recomendable indicarlo, ya que facilitará su ejecución. También hay casos en que los compositores lo señalan únicamente con su denominación, junto a una línea entre las notas extremas, advirtiendo de que deben realizarse en armónicos —artificiales o naturales.

I. Stravinsky: El pájaro de fuego (ver. 1910), introducción.
Ejemplo 1.60

1.12.- Scordatura

La *scordatura* es la aplicación de una afinación distinta a la habitual, y se puede utilizar en cualquier miembro de la familia de cuerda frotada. Su uso no es nuevo, y data prácticamente desde la invención de los primeros instrumentos, aunque no es hasta la segunda mitad del siglo XX cuando aparece con mayor asiduidad. El ejemplo clásico y más célebre es el del compositor austríaco Heinrich Ignaz Franz Biber (1644-1704), quien en sus *Misterios* para violín solo —las *Mistery Sonatas* , también denominadas *Rosary Sonatas*— emplea una afinación de las cuerdas distinta para cada pieza[17]. Otros ejemplos más tardíos los encontramos en la Suite para violoncello núm. 5, BWV 1011

---

[16] Véase el apartado dedicado a los armónicos naturales, pág. 37.

[17] Se trata de un total de 16 sonatas para violín y acompañamiento de clave, en las que únicamente primera y última poseen la afinación normal del instrumento. En la sonata número 11 se cruza incluso la la segunda y tercera cuerda:

de J. S. Bach, en *El arte del violín* de P. Baillot (1771-1842) y en la *Sinfonía núm. 4* de G. Mahler, por citar sólo unos pocos ejemplos. Se usa con mayor frecuencia en los instrumentos más agudos, aunque esto no tiene porque ser excluyente. Su objeto es el de proporcionar una afinación que permita realizar notas y acordes que de otro modo no serían posibles. También puede ser utilizado para obtener mayor tensión en las cuerdas, facilitando el dramatismo interpretativo. No se trata, sin embargo, de un modo habitual para el ejecutante, puesto que éste desarrolla su técnica a partir de la afinación principal, por lo que en algunos casos la *scordatura* puede dificultar la interpretación. Es por esta razón por la que antes de decidirse por su empleo deben tenerse en cuenta sus consecuencias. Tampoco permite cambiar las alturas de las cuerdas dentro de una misma pieza, ya que no se puede realizar con facilidad ni seguridad, dado que para retornar al modo normal es necesario escuchar la nueva afinación, lo que no siempre es posible. No faltan, sin embargo, ejemplos de éste uso, aunque esto no disminuye su dificultad[18].

Z. Kodály: Sonata Op. 8, primer movimiento.
Ejemplo 1.61

Ahora bien, un empleo adecuado permite ampliar las posibilidades de ejecución y puede resultar de gran efecto, más aún teniendo en cuenta que la afinación principal de los instrumentos de cuerda se basa en una disposición tonal. En el ejemplo anterior, Z. Kodály utiliza una *scordatura* que le permite realizar un acorde de Si menor séptima con quinta aumentada, mediante la disposición abierta de todas las cuerdas —las III y IV se hallan escritas con la afinación ordinaria Sol-Do, aunque suenan Fa#-Si. No siempre se escriben así, ya que esto obliga a transportar permanentemente. Sólo se usa de este modo cuando los pasajes son relativamente simples y no dan problemas de lectura. El mejor modo es el que se anota en sonido real.

También hay autores que lo han empleado como un efecto o recurso sin consecuencias armónicas, como en el caso de la desafinación progresiva de alguna de las cuerdas al final de la pieza. En este caso no se indica afinación alguna, solamente se añade el texto o una línea, al igual que el glissando.

---

[18] I. Stravinsky, en *El pájaro de fuego* (ejemplo 1.60), demanda un cambio de la afinación de la cuerda de Mi a Re para un único compás, si bien deja el tiempo suficiente para realizar el cambio.

1.13.- Modos avanzados y no convencionales de tocar en el instrumento

Aunque en los instrumentos de cuerda existen, de *motu propio*, una ingente cantidad de técnicas más allá de las de las tradicionales, a lo largo del siglo XX, y muy especialmente a partir de la segunda mitad, aparecen nuevos modos que, o habían sido descartados por improcedentes, o bien no parecían necesarios ni convenientes. Muchos de ellos todavía hoy no son aceptados por algunas escuelas, que siguen viéndolos como innecesarios para un estudio normalizado, por lo que cuando se emplean lo hacen aparte de la técnica normal, y en muchos casos, como una inevitable exigencia para poder interpretar determinadas obras. Esto se contradice con su ampliación y estandarización, puesto que lejos de tratarse de casos puntuales, aparecen de modo habitual en muchas partituras actuales. Es evidente que el peso de la tradición es muy elevado, y con ello las reticencias a adoptar nuevos modelos y aceptarlos como válidos. Aún así, su uso y ampliación es inexorable si no queremos dormitar en un modelo musical tradicional que se desgasta inevitablemente al paso del tiempo.

En los últimos decenios han aparecido, sin embargo, un importante número de intérpretes y grupos de cámara que, con un nivel técnico extraordinario, forjado en el seno de la nueva música, están dando un importante vuelco a la tradición del estudio de la familia. También debemos reconocer que, no obstante, en el conjunto del aprendizaje de los instrumentos de cuerda frotada, estas escuelas son hoy por hoy minoritarias. Así, el apartado que dedicamos a estos modos avanzados de interpretar nos parece imprescindible para cualquier compositor, puesto que es él quien tiene decidir cual es la mejor opción para su obra, evitando prejuicios al respecto.

Tocar detrás del puente. La afinación de las cuerdas en la parte inferior del puente es a menudo indefinida, lo que depende de la longitud del cordal y de la propia cuerda en esta zona, algo que suele variar de un instrumento a otro. Para averiguar dichas alturas hay que trabajar directamente con el intérprete. No obstante, esto sólo será válido para el juego de cuerdas que emplee en el momento preciso de su desarrollo. Una mínima variación supone la invalidación de dicha afinación[19]. El sonido que se obtiene en esta zona es muy agudo, y a menudo se le trata como indeterminado. Normalmente se indica solamente la cuerda o cuerdas sobre las que se debe pasar el arco, y raramente se escribe con una altura concreta. Para situar dicha posición se emplea un pictograma que muestra la cuerda sobre la que tocar — ⋔ ⋔ ⋔ ⋔ —, aunque también se puede utilizar su denominación.

---

[19] Esto invalida cualquier intento de estandarización de la afinación de las cuerdas en esta zona, por lo que no aconsejamos su uso en este sentido.

J. M. López López: Le parfum de la lune (se ha omitido al resto de instrumentos).

Ejemplo 1.62

Aparte de tocar tras el puente, también se ejecuta en otras partes, como en el cordal (*Tailpiece* (ing.)) e incluso en el botón y la caja de resonancia. Estos sonidos son indefinidos y pueden variar enormemente entre distintos instrumentos, incluso de la misma familia. Tampoco hay unanimidad en su anotación, por lo que cada compositor adopta un signo o denominación que puede ser dispar. En común tienen el hecho de que su dinámica es muy limitada, en algunos casos prácticamente inaudible, por lo que se suelen emplear en fragmentos de extrema delicadeza, de lo contrario serían inapreciables. Son factibles únicamente en la música de cámara y a solo. En estos casos no hay más remedio que acudir al intérprete para conocer de primera   mano las propiedades de su instrumento.

Presión no convencional del arco. La técnica de la presión del arco se ha ampliado en la actualidad mucho más allá de la tradicional, y normalmente se halla relacionada con la dinámica y el color, según el pasaje y estilo musical. Dicha técnica ha sido influenciada del uso de los sonidos múltiples —o *multifónicos*— de los instrumentos de madera, por lo que aparte de lo que concierne a la dinámica, su objetivo principal es el de obtener los timbres procedentes de los distintos modos de frotación del arco.

Mucha presión. También denominado *sobre-presión*, se trata de un efecto habitual en la música actual para cuerda. El sonido que se obtiene es similar al del ruido blanco de la música electrónica, por lo que su resultado es indefinido, ya que escapa al control del ejecutante. Se puede realizar en cualquier altura, y lo que varía es su frecuencia, aunque mantiene su indefinición. Su uso va asociado a una dinámica siempre en *fortissimo*, si bien el volumen obtenido no sobrepasa al *forte*. Se indica con su denominación o con un pictograma. También se emplea con una variación gradual de la presión.

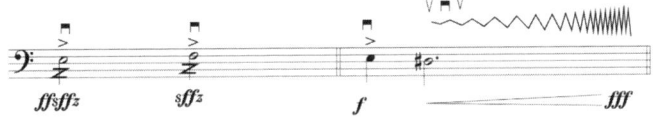

Ejemplo 1.63

Media o poca presión. Es el efecto contrario del anterior. En este caso se escucha la afinación del sonido, pero pueden variar sus armónicos resultantes, ya que no se puede realizar un control estable y permanente. La altura aparece más audible en la medida en que se aumenta la presión. Se trata, de hecho, de una variante del sonido flautado mencionado con anterioridad. Se anota con su denominación, o con una cabeza de nota en forma de rombo o cuadrado blancos —a veces con la mitad sombreada en negro—, similar al signo empleado para la posición de armónicos[20].

Posición no convencional del arco. A la habitual técnica del paso del arco, que se realiza con una inclinación aproximada de 90 grados con respecto a la posición del instrumento, hay que añadir nuevas maneras de situarlo para obtener timbres substancialmente distintos, aunque de dinámica limitada. Uno de los más destacados es el que se logra al utilizar el arco con una inclinación de entre 25 y 45 grados rozando las cuerdas, lo que produce un sonido peculiar. Sólo son posibles en el violonchelo y contrabajo, ya que se precisa de la distancia necesaria para situar el arco. No es viable en el violín ni la viola.

H. Lachenmann: Gran Torso, parte del violonchelo (se ha omitido al resto de instrumentos).
Ejemplo 1.64

Bisbigliando. El *bisbigliando* consiste en articular un mismo sonido con distintas posiciones, creando un efecto de oscilación. Se trata pues, del resultado, tanto de su desafinación, como de las distintas presiones del arco en los cambios de cuerda. Se anota de distintos modos: indicando las cuerdas sobre las que se demanda el efecto, o apuntando dos posiciones distintas para que el intérprete decida las que son más convenientes. Esto último no exime, sin embargo, de conocer bien la disposición que lo permite, puesto que de lo contrario puede ser inejecutable.

Ejemplo 1.65

Presión no convencional de la posición de la mano izquierda. A parte de la presión ejercida por el arco en la cuerda, existen otras que se efectúan con la mano izquierda en las distintas posiciones del batidor. Se trata de una amalgama, que va desde la presión normal a la media presión o roce de las cuerdas —sonidos armónicos. Son difícilmente controlables y suelen ser poco fiables, produciendo sonidos extraños, silbidos, etc. Para

---

[20] No aconsejamos el empleo de signos que ya poseen un significado concreto en la música tradicional, puesto que pueden confundir al intérprete.

su anotación se emplea una cabeza de nota diferente. En el ejemplo siguiente se muestran las más empleadas.

Ejemplo 1.66

Golpear las cuerdas con la yema de los dedos (mano izquierda). Esta técnica, también denominada *tapping* (ing.), se emplea a menudo combinada con el arco de la mano derecha, e incluso con el *pizzicato*. Su volumen es limitado, por lo que únicamente es eficaz en el instrumento a solo o en dinámicas extremadamente *piano*, ya que el sonido se produce al golpear las cuerdas con la yema de los dedos de la mano izquierda. Con este ataque se obtiene la afinación de las alturas. Se indica con su denominación o con una cabeza de nota distinta[21].

Ejemplo 1.67

Como más grande es el instrumento más sonoro es el efecto, puesto que la caja de resonancia lo amplía.

Uso de plectrum y otros utensilios. Aunque es poco habitual, también se puede emplear el *plectrum*[22] u otros utensilios, si bien no poseen la misma eficacia que en los instrumentos de cuerda pulsada, ya que la tensión de las cuerdas no permite un sonido de gran volumen dinámico. Producen un efecto particular, parecido al del *pizzicato* de uña, aunque es más sonoro y menos peligroso para el intérprete. Debemos recordar aquí que la técnica para tocar en la familia es la del arco, por lo que toda manipulación tímbrica que se realice sin aquél se verá afectada por las limitaciones propias de su realización. Se indica con su denominación o con un pictograma (▼).

Tocar cerca de la cejilla, por detrás de la posición normal de la mano izquierda en el cordal. Es poco habitual en los instrumentos de cuerda frotada, y también poco eficaz, puesto que al tener la cuerda una tensión muy alta y una distancia igualmente corta, se limita notablemente su volumen dinámico. Se emplea normalmente en *pizzicato*, y raramente con el arco. El sonido resultante es muy agudo y de altura indefinida, si bien puede ser determinado por la posición de la mano izquierda, ya que la

---

[21] Algunos autores lo anotan con la misma cabeza del sonido armónico (ejemplo 1.66a), pero desaconsejamos dicho uso, ya que se puede confundir con el signo tradicional.

[22] También llamada "púa", denominación castellana utilizada para los instrumentos de cuerda pulsada.

equidistancia del dedo con respecto a la cejilla origina una altura equivalente a la normal, aunque en disposición contraria. Se anota con su denominación.

Golpear en la caja de resonancia. Normalmente se realiza con la mano, dedos o uña. Atacar con otro utensilio podría dañar al instrumento. El sonido varía según el lugar donde se golpea, y es mayor cuanto más cerca se halla del centro, ya que el cuerpo amplifica su dinámica. Se indica con su denominación.

Aunque también es posible utilizar baquetas, eso es algo a lo que los ejecutantes no se prestan con facilidad. Aún así, su uso es viable, si bien sólo es eficaz en los más grandes de la familia (violonchelo, contrabajo). Se emplea con la denominación de la baqueta —siempre blanda o media, y nunca dura—, o un pictograma (⚷).

Instrumento preparado. Aunque la preparación es más propia de los instrumentos de cuerda con teclado —piano, clave, etc.—, en la familia de cuerda frotada también se emplea en casos puntuales. No hay muchos ejemplos, puesto que el uso del arco le resta posibilidades de preparación, a excepción del *pizzicato*, que no precisa de aquél. El modo más habitual es el que utiliza piezas metálicas en forma de *clip*, o artilugios similares que permiten ser adheridos a la cuerda sin dificultad. Estos objetos cambian tanto el timbre como la afinación. En el caso de los instrumentos de mayor tamaño, como en el violonchelo y el contrabajo, es posible moverlos a lo largo de la cuerda, lo que permite obtener sonidos particulares. Otros utensilios, como papel, láminas de madera, fragmentos de plástico, etc., también pueden utilizarse, aunque poseen los mismos inconvenientes. Del mismo modo se puede colocar en el arco algún elemento en la madera que permita rotar, golpear, etc., en las cuerdas.

Para el uso de cualquiera de estos efectos es absolutamente indispensable la interacción con el ejecutante, puesto que no se trata de sonido específicos ni concretos, lo que de uno u otro modo acaba siendo indeterminado y precisa de la práctica *in situ* de cada nueva propuesta.

1.14.- Microtonalidad

La aplicación de la microtonalidad ha sido, en la cuerda frotada, donde más y mejor se ha realizado, puesto que para ello no se precisa de instrumentos especiales ni tampoco de una técnica distinta a la habitual. Aún así, no es un método que se trabaje de manera cotidiana, puesto que forma parte de las nuevas tendencias, principalmente las desarrolladas a partir de la segunda mitad del siglo XX. Tiene ventajas e inconvenientes, y son pocos los intérpretes que la dominan con eficacia.

En la música orquestal es donde resulta menos eficaz, puesto que el conjunto impide una realización idónea más allá de una desafinación mínima hacia arriba o hacia abajo del sonido principal. Atacar el cuarto de tono en conjunto es garantía de disonancia, por lo que debemos ser cautelosos en su uso.

En la música de cámara y a solo la situación es muy distinta, porque no se necesita la afinación precisa del grupo, lo que permite la ambigüedad de su uso. La mayor dificultad se halla en las posiciones agudas, especialmente en los instrumentos más pequeños, donde es difícil —a veces imposible— situar las digitaciones correctamente en una zona de movimiento limitado. Esto mejora en los instrumentos graves, pero dependiendo de su tamaño tiene en contra el hecho de que la posición puede resultar incómoda. Son más eficaces en el registro medio.

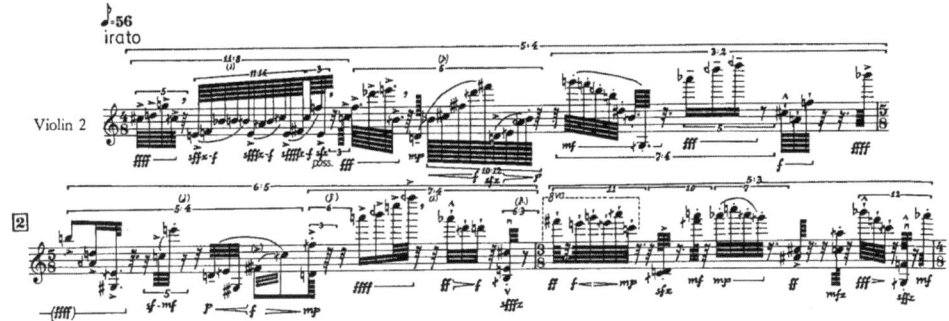

B. Ferneyhough: Cuarteto núm. 3, segundo movimiento.
Ejemplo 1.68

La dificultad del ejemplo anterior no es asequible para la mayoría de intérpretes, y de hecho es prácticamente imposible obtener una afinación perfecta, ya que la velocidad de emisión, junto al constante cambio de posiciones, hacen muy difícil alcanzarla. En estos casos deberemos conformarnos con una aproximación en la que prevalezca la intencionalidad del color armónico resultante.

Hay distintos modos de anotarlos, aunque siguiendo la norma que hemos aplicado en esta colección, los aconsejables son los siguientes[23]:

- Un cuarto de tono alto ǂ   - Un cuarto de tono bajo ♭

- Tres cuartos de tono alto ♯♯   - Tres cuartos de tono bajo ♭♭

Ejemplo 1.69

1.15.- Combinación de articulaciones y efectos

Anteriormente se han mencionado los tipos de articulación y efectos posibles, aunque muchos de ellos pueden realizarse simultáneamente. A continuación exponemos un cuadro de las principales combinaciones, sin que esto suponga un límite a la imaginación y la creatividad.

---

[23] B. Ferneyhough, en el ejemplo 1.68, emplea los mencionados cuartos de tono altos. Para los cuartos de tono bajos utiliza el signo ↲ .

	Normal	Trinos	Trémolos	Col legno	Pizzicato
Non legato/ Tenuto	●	O	●	O	●
Legato	●	●	●	O	O
Staccato	●	O	O	●	●
Sul Ponticello	●	●	●	O	●
Sul Tasto	●	●	●	O	●
Sobre-presión	●	●	●	✕	O
Bisbigliando	●	●	●	●	●
Glissando/ Portamento	●	●	●	●	●
Gettato/ Battuto	●	O	O	●	✕

● Posible   O Posible pero difícil   ✕ Imposible o muy difícil

Ejemplo 1.70

1.16.- La sordina

Aunque el uso de la sordina posee la finalidad primera de limitar la dinámica, a lo largo del siglo XX su función ha cambiado para convertirse en una manera de obtener un timbre distinto al normal. Incluso hoy, y aunque sea en términos generales, sigue siendo utilizada con el mismo fin. No obstante, y más allá de dicha limitación, su uso supone un cambio de color que posee un notable abanico dinámico y tímbrico, aunque restringido en el extremo *forte*.

Existen distintos tipos de sordina, que emplean además materiales diversos: goma (a, b), madera (c), metal (e), y mixtos (d). La dureza de los componentes utilizados repercuten directamente en su timbre, que será más opaco, según sea más blando (goma); o más brillante, si es más duro (madera, metal).

a)   b)   c)   d)   e)

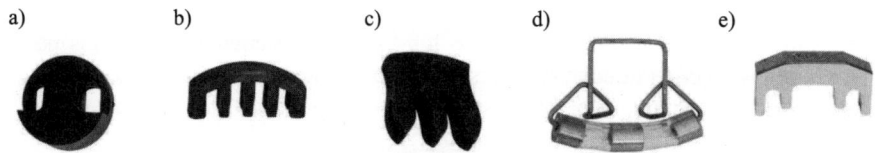

Tipos de sordina.
Ejemplo 1.71

La más empleada es la de goma, puesto que cuando no se usa no es necesario quitarla en su totalidad —normalmente se apoya provisionalmente sobre una o varias cuerdas detrás del puente. Esto la hace más versátil y cómoda para los fragmentos en los que se requieren cambios rápidos de sordina a normal o viceversa.

Se coloca sobre el puente, lo que reduce las vibraciones que pasan a la caja de resonancia. Su empleo se indica normalmente con texto, y también con pictograma (), dependiendo de la complejidad del fragmento. Del mismo modo se utiliza la abreviación *con sord.* No se debe olvidar, sin embargo, que para realizar los cambios es necesario dejar un tiempo prudencial de silencio. El retorno a sin sordina se anota con su denominación[24]

B. Bartók: Concierto para cuerdas percusión y celesta, primer movimiento.
Ejemplo 1.72

1.17.- Escritura aleatoria

Al igual que en el resto de familias orquestales, el empleo de la aleatoriedad, especialmente a partir de la segunda mitad del siglo XX, supone una ampliación notable de la técnica convencional. Esto conlleva una aumento ilimitado de los tipos de notación, muchos de los cuales se desarrollan para obras únicas, lo que no permite sintetizar en un modelo concreto ni definitivo. No debemos olvidar, sin embargo, que la aleatoriedad, entendida como libertad de acción dentro de unos parámetros más o menos delimitados, ya se encuentra en muchas cadencias o fragmentos a solo de conciertos para instrumentos de cuerda.

P. I. Tchaikovsky: Concierto para violín en Re Mayor Op. 35, primer movimiento.
Ejemplo 1.73

Ahora bien, si esto es o no aleatoriedad, es algo discutible, puesto que los parámetros que maneja el intérprete, en lo que respecta a tonalidad, estilo y lectura, se acercan enormemente a las convenciones interpretativas que nos ha legado la tradición.

---

[24] Las denominaciones empleadas son: *con sordina* (Inglés: *With mute,* Italiano: *Con sordino,* Francés: *Avec sourdine,* Alemán: *Mit Dämpfer*) y *sin sordina* (Inglés: *Without mute,* Italiano: *Senza sordino,* Francés: *Sans sourdine,* Alemán: *Ohne Dämpfer*).

Es por esta razón por lo que en este apartado nos referiremos únicamente a las cuestiones relacionadas con la interpretación de conjunto, donde los instrumentos interactúan para obtener un sonido y timbre particulares, difíciles de alcanzar con una escritura convencional. De estos los hay de muy distinto tipo, y la mayoría se hallan relacionados con un compositor en particular, razón por la cual aquí nos limitaremos a exponer únicamente los que ya forman parte de la nueva práctica de la familia del violín, ordenados de acuerdo a su importancia.

Aleatoriedad con distintos parámetros de libertad: absoluta, semi-controlada, controlada

El nivel de libertad varía según los parámetros elegidos. Si en el ejemplo 1.73 mostrábamos un nivel de aleatoriedad mínimo, ya asumido como habitual por la tradición, distintos grados de libertad nos permiten conseguir fines también diferentes. El primero de ellos, el de aleatoriedad controlada, incide únicamente en el tempo y la articulación del conjunto, en el que tanto el ritmo como las alturas se hallan determinadas, por lo que su resultado es el producto del desfase que se produce entre distintos instrumentos, que aún así, en cada ejecución deben leer su parte sin variaciones sustanciales.

W. Lutoslawski: Novelette, Conclusion (se ha omitido al resto de la orquesta).
Ejemplo 1.74

Un grado mayor —libertad semi-controlada— es el que deja al intérprete la elección de las alturas dentro de un marco rítmico y tímbrico, a veces también variable. La selección de una u otra opción puede hacer que el resultado sea totalmente distinto. No obstante, aunque en cada ejecución se obtiene un timbre de conjunto diverso, las diferentes posibilidades combinatorias de cada ejecutante, junto a su repetición, lo acaban equiparando.

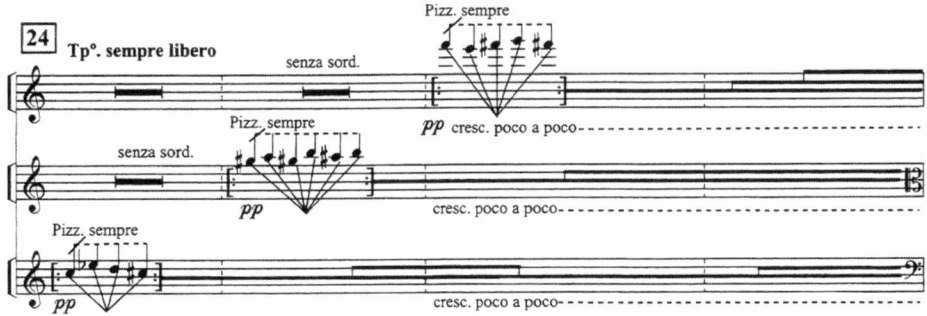

J. Guinjoan: Trio per archi (violín, viola y violonchelo).
Ejemplo 1.75

En los casos de libertad absoluta, son las decisiones del propio intérprete las que acaban construyendo la obra definitiva, por lo que aquí su responsabilidad es muy alta. Este ha sido siempre el más problemático, puesto que no todos los ejecutantes se mueven con la misma eficacia en la improvisación como para obtener un resultado mínimamente convincente, lo que si no se toma con seriedad puede acabar en una caricatura alejada de la intención del autor. Aquí el compositor puede señalar, desde fragmentos concretos que deben tocarse sin orden alguno, hasta dar únicamente breves nociones del método e intencionalidad de la interpretación. A menudo se realiza con un gráfico y una explicación de su significado. No hay reglas determinadas ni definitivas, lo que es precisamente el objetivo que se persigue, por lo que se puede obtener una pieza totalmente distinta de una audición a otra. No faltan casos en los que incluso se deja a elección del ejecutante el instrumento a utilizar.

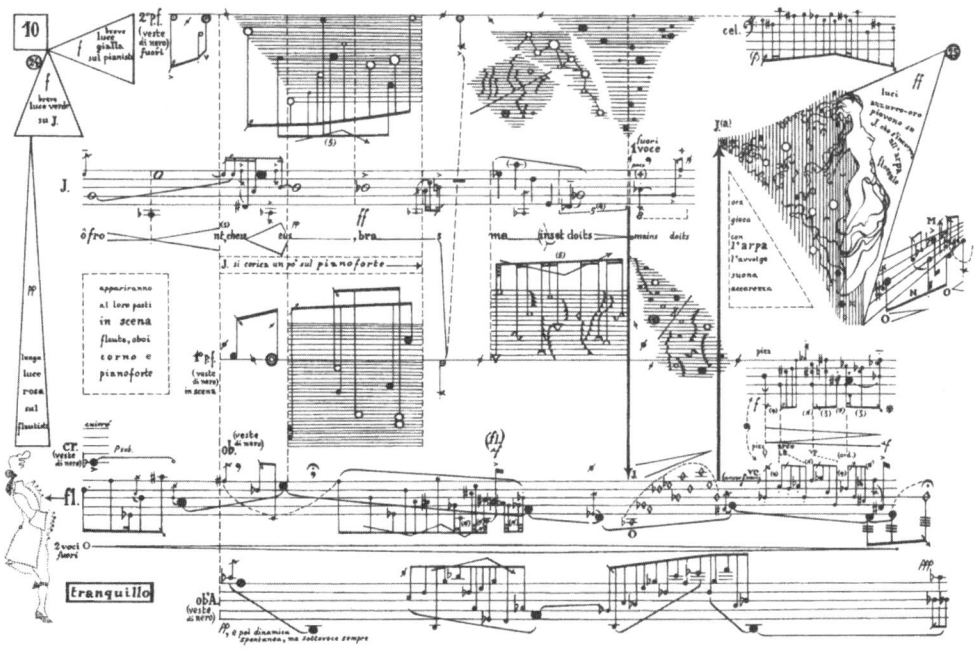

S. Bussotti: La Passion selon Sade.
Ejemplo 1.76

En el instrumento a solo no es problemático, pero sin una mínima guía puede llegar a ser caótico cuando se realiza en conjunto. Para ello es habitual que el director realice, mediante una serie de signos determinados y conocidos por los intérpretes —preparados previamente—, una conducción tutelada que permita crear la obra *in situ*. Esto no cambia, sin embargo, el hecho de que la pieza sea sustancialmente diferente de una ejecución a otra, aunque éste es precisamente el objetivo que se persigue.

Aleatoridad relacionada con el empleo no convencional del instrumento

Aparte de lo mencionado en el apartado anterior, el ejecutante no sólo puede variar o improvisar según los distintos niveles de aleatoriedad demandados, sino que a esto le añade el uso de las distintas partes del instrumento, ya sea individualmente o en conjunto, e incluso golpeando de modo especial[25]. Uno de los efectos más habituales es el que emplea las cuerdas por debajo del ponticello.

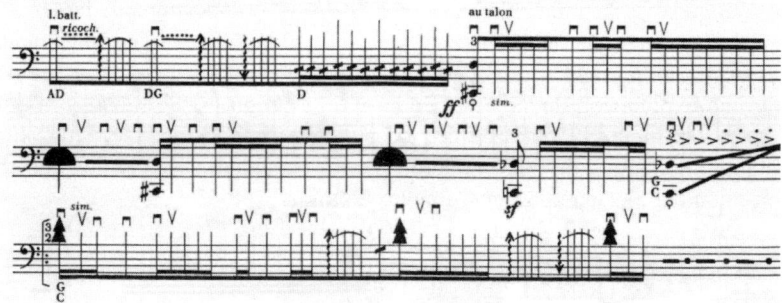

K. Penderecki: Capriccio per Siegfried Palm (contrabajo solo).
Ejemplo 1.77

Otros modos inciden en tocar con el arco en la caja de resonancia, golpear la cuerda con un utensilio, y en los instrumentos más grandes, utilizar un artilugio —vaso de vidrio, objeto metálico, etc.— como cejilla para obtener un timbre particular. Como se puede deducir, no existe límite alguno, pero tampoco debemos olvidar que cuando demandamos una articulación especial que no pertenece a su técnica, como las mencionadas aquí, el ejecutante deviene un principiante, por lo que el resultado que obtendrá no será en ningún modo equivalente al de la práctica normal. Tener en cuenta este hecho nos puede ayudar a evitar la frustración de una audición que puede ser decepcionante. En todos estos casos, y para obtener un objetivo mínimamente convincente, se requiere de un largo período de trabajo con el intérprete.

---

[25] Hay piezas en las que incluso se demanda romper el instrumento, donde evidentemente se termina la pieza. Claro está que el intérprete tiene otro preparado para este fin, que cambia sin que el público se de cuenta. No es ese, sin embargo, un método recomendable, y se trata de casos anecdóticos que inciden más en lo teatral que en lo musical —véase como ejemplo la parte de violín del final de *Eigth Songs for a Mad King* de Peter Maxwell Davies.

2.- DESCRIPCIÓN INSTRUMENTAL

2.1.- Violín

Inglés: Violin, Fiddle   Italiano: Violino   Francés: Violon   Alemán : Geige, Violine

El violín es el más pequeño de la familia. Su aparición en la música occidental es progresiva y empieza en el siglo XVI, casi en paralelo al instrumento predominante de este período, la *viola da gamba* y la *viola da braccio*[26], a los cuales acabará substituyendo. Los primeros violines son obra de constructores como Nicolò Amati, Jaco Stainer, Antonio Stradivari y Giuseppe Guarneri, quienes a su vez serán los considerados grandes *luthiers* que lo acabarán prestigiando, tal y como lo conocemos hoy.

Detalle del instrumento.
Ejemplo 1.78

El instrumento actual es muy versátil, razón por la que se ha convertido en el más importante de la familia orquestal. La longitud del cuerpo es de aproximadamente 355 mm., donde la caja de resonancia puede cambiar de tamaño según su procedencia y constructor. La del batidor mide aproximadamente entre 730 y 750 mm. —con parte superpuesto al cuerpo. Las cuerdas que emplea suelen ser de metales diversos, como aluminio, latón, plata, e incluso oro, aunque también las hay de otras combinaciones. La primera y segunda cuerdas son de aluminio, plata u oro, y las tercera y cuarta de una aleación de metal con un entorchado de materiales similares a las dos primeras. Para un oyente normal las diferencias entre estas distintas aleaciones puede ser imperceptible, pero para el ejecutante, la calidez del sonido de un metal u otro le proporciona una interpretación más cómoda, y éste es el principal motivo de su elección. Cuando el violín se utiliza para la interpretación de música antigua, las cuerdas suelen ser de tripa, a excepción de la primera, que siempre es metálica. Actualmente también se usa con un entorchado metálico en dichas cuerdas, lo que ofrece mayor seguridad en lo que concierne a mantener una afinación más segura sin perder propiedades tímbricas. A ello hay que añadir la importancia del puente, que es el natural transmisor del sonido hacia el alma —pequeña pieza de madera que une los dos lados del cuerpo. Todas y cada una de estas partes pueden variar de un constructor a otro, e incluso en uno mismo, puesto que normalmente se adaptan a las necesidades de cada intérprete, que elige las que más le convienen.

---

[26] Se relaciona con la *viola da gamba* —o *braccio*— más aguda, el quintón, que tiene cinco cuerdas en lugar de las cuatro del violín, y posee una afinación similar (véase la página168).

Afinación, extensión y digitaciones

La afinación de las cuerdas se realiza en quintas consecutivas. Sólo en determinados casos se utiliza la *scordatura*, aunque esto no cambia su técnica ni características. Actualmente se emplea un diapasón que oscila entre los 440 y 442 Hz. Para la interpretación de música antigua se sitúa entre los 385 y los 435 Hz., lo que depende de criterios interpretativos[27]. Su extensión es la siguiente:

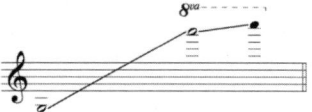

Ejemplo 1.79

Éste ámbito puede variar entre distintos instrumentos, especialmente si son de distinta época, aunque esto modifica muy poco su extremo agudo, ya que un buen ejecutante puede realizar notas fuera del batidor hasta su límite físico[28]. Para situar las posiciones, así como la mejor combinación de alturas, es conveniente tener claro su disposición. Esto es especialmente útil cuando se trata de escribir pasajes de cuerdas múltiples. Normalmente, el ejecutante emplea la combinación de distintas cuerdas para realizar su parte, aunque también hay casos en los que el autor demanda que sean efectuados sobre una de concreta. Esto se debe a que cada cual posee propiedades distintas según su tensión y digitación. Así, en la primera (Mi), el sonido es brillante a lo largo de prácticamente toda su extensión. En el agudo, sin embargo, es difícil ejecutar con seguridad, ya sea por las posiciones de la mano izquierda, que poseen limitaciones de espacio para situar los dedos, o por la presión del arco. En estos casos el intérprete acerca el arco al puente, obteniendo un sonido más claro y seguro. En la segunda (La) el timbre cambia del registro grave al agudo, en cuyo extremo es más tenso. Esto se acentúa aún más en la tercera cuerda (Re), probablemente la más neutra de las cuatro, donde la tensión se mantiene prácticamente estable a lo largo de toda la cuerda, debilitándose sensiblemente en su extremo. La cuarta (Sol) posee un sonido amplio y sonoro, con un color particular, ideal para pasajes dramáticos, puesto que su intensidad le acerca a los instrumentos más graves, como la viola y el violonchelo. En el registro agudo es, sin embargo, débil y de dinámica limitada. El ejecutante raramente emplea las posiciones abiertas, a menos de que se trate de pasajes de dobles cuerdas o saltos, ya que su sonido, al no poder ser vibrado, es particular, lo que destaca fácilmente. Del mismo modo, cuando se precisa una cuerda determinada debe especificarse con claridad, de lo contrario las combinará.

---

[27] En la interpretación de la música antigua no sólo puede cambiar la afinación del diapasón, sino el modo o escala, de acuerdo a criterios musicológicos relacionados con el autor y su época de procedencia.

[28] Esta es una cuestión con la que hay que tener mucho cuidado, puesto que del mismo modo que el ejecutante puede llegar al límite físico del instrumento, esto no quiere decir que sea cómodo: el uso de la resina del arco, y su impregnación en la cuerda, inhabilitan dicha zona para situar los dedos de la mano izquierda.

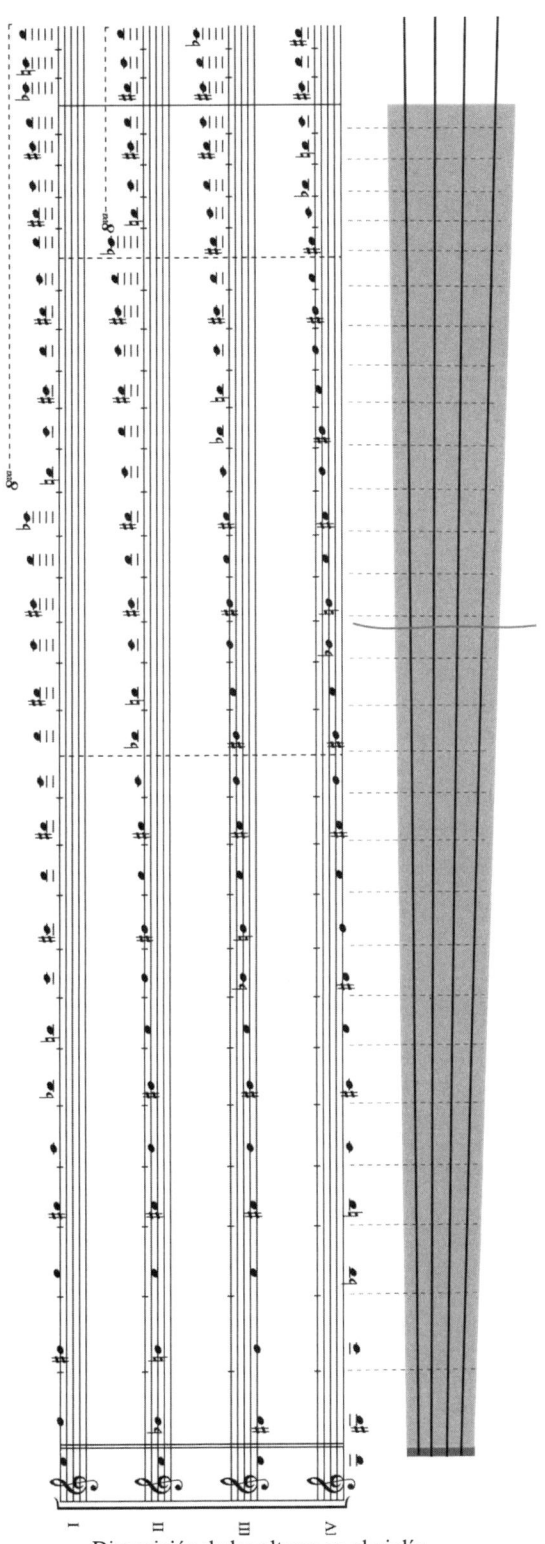

Disposición de las alturas en el violín.
Ejemplo 1.80

La disposición del instrumento en el ejemplo anterior nos permite observar con claridad las características y posibilidades de combinación de las alturas entre distintas cuerdas[29]. Para ello vale la pena tener en cuenta que el salto de una cuerda a otra hace más complejo el *legato*, puesto que se debe interrumpir el sonido, si bien esto es algo que no debe acusar un intérprete profesional. No atender esta cuestión puede invalidar la realización de determinados fragmentos en los que se requiere un solo arco, tornándolos toscos y de inútil complejidad. Así pues, su buena elección tiene influencia directa con la ejecución, puesto que cualquier pasaje precisa de la interacción de distintas cuerdas. Es la consecución lógica del movimiento de una a otra, de modo continuado, lo que nos permite realizar dicho fraseo. Evidentemente, cuando lo que se pretende es lo contrario, el salto ya no es un problema, si bien conocer las distancias y sus consecuencias será muy útil para evitar una dificultad gratuita.

Pasajes de cuerdas combinadas. Para que un pasaje pueda realizarse en *legato* no debe sobrepasarse la distancia que permite la apertura de la mano, lo que cambia de un instrumento a otro dependiendo de su tamaño. También influye la posición en el batidor, según se halle en la zona aguda o grave. En el agudo se reducen las distancias, si bien aparece la dificultad de que se acortan las posiciones, aumentando la imprecisión de las digitaciones por el espacio mínimo que hay entre una nota y otra. En el grave son mayores, y el límite interválico se halla en la octava o la décima, dependiendo del instrumentista y sus condiciones físicas. Aún así, esto no tiene porqué ser un problema, a menos de que se demande efectuarlos en una única cuerda. Cuando se combinan varias aumenta la versatilidad. Ahora bien, el problema aparece cuando se demandan movimientos interválicos en los que para su realización es necesario saltar una cuerda intermedia. En estos casos puede llegar a ser imposible el *legato*, e incluso muy difícil su consecución[30]. Así, tener en cuenta el paso de las cuerdas, manteniendo la continuidad de una a otra será, sin duda, lo más cómodo.

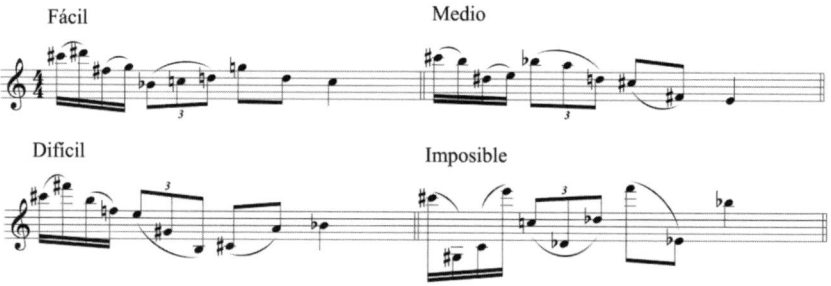

Ejemplo 1.81

Cuerdas múltiples. Las cuestiones relacionadas con la digitación y posiciones de la mano izquierda son extensibles a las cuerdas múltiples, a lo que hay que añadir la

---

[29] En la pág. 26, ya se ha expuesto lo que concierne a las posiciones de la mano izquierda en el instrumento, por lo que no las vamos a repetir aquí.

[30] Debemos aclarar que nos referimos siempre a la técnica de referencia del instrumento, lo que depende además del tempo, dinámica y otros factores.

dificultad relacionada con su distribución acordal. Tenemos que partir del hecho que estas disposiciones son posibles únicamente cuando se trata de cuerdas continuas. En el caso de las dobles, si se respeta esta premisa, se pueden mantener a lo largo de toda su extensión, siempre que las distancias de las digitaciones lo permitan. Las triples y cuádruples se realizan necesariamente en arpegiado, puesto que no es posible mantener con el arco un número mayor a dos cuerdas simultáneas y continuas.

Las combinaciones más idóneas son siempre las que derivan de la posición natural de la mano. Las disposiciones en orquilla, muy abiertas y de distribución múltiple, cuando son posibles necesitan de un tiempo para su preparación, y no pueden realizarse en pasajes en continuo cambio sin que se resienta su afinación. Es por esta razón por lo que en la música tradicional se emplean tonalidades que permiten aprovechar las cuerdas abiertas, lo que facilita su ejecución. Las disposiciones de quinta justa que implican cejilla no son siempre posibles, además de incómodas, por lo que las desaconsejamos. Hay algunos casos en los que se puede mantener la presión del arco en tres cuerdas durante un tiempo limitado, pero esto comporta una tensión considerable de la cuerda central, que se traduce en un mayor volumen dinámico en aquélla. Aquí se desliza por encima del batidor —sul tasto—, aunque es inseguro y fatiga al intérprete. También se puede friccionar en dos cuerdas no continuas presionando la que se encuentra en medio para evitar que suene, si bien esto no es apto para todos los ejecutantes.

El mejor procedimiento a la hora de distribuir las cuerdas múltiples es el de tener en cuenta la disposición de las alturas de acuerdo a la distancia que mantienen entre sí a partir del eje central del acorde, lo que a su vez también será la posición central de la mano en el batidor. En el siguiente ejemplo se muestran las que permiten mayor o menor agilidad de uso[31], según su nivel de dificultad.

Cuerdas dobles

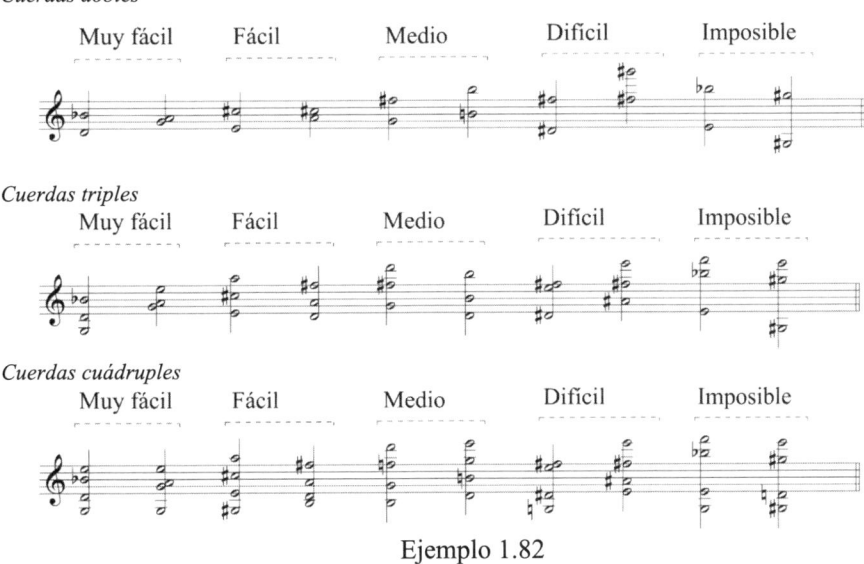

Cuerdas triples

Cuerdas cuádruples

Ejemplo 1.82

---

[31] Para delimitar las disposiciones que son ideales, recomendamos el uso de la tabla de alturas del ejemplo 1.80. Las disposiciones que superan el ámbito físico del intérprete —los intérvalos aconsejables son los que van de la segunda menor a la sexta mayor en una sola cuerda—, son peligrosas y a menudo irrealizables.

Armónicos. En el apartado genérico ya se ha relacionado todo lo que concierne al uso de los armónicos en la familia de cuerda frotada. Aquí trataremos únicamente lo que tiene que ver con el violín en particular y sus posibilidades de realización, lo que varía con respecto al resto del grupo.

La ejecución de armónicos naturales se halla limitada por su tamaño, puesto que la longitud de las cuerdas no permiten emitir más allá del armónico 6 en la cuerda I, del 8 en la II, del 9 en la III y del 10 en la IV[32]. Aún así, el intérprete puede situar la posición de armónicos —media presión— a lo largo de toda la cuerda, y si bien es cierto que no todos se pueden emitir con la misma claridad —de algunos apenas se escucha más que el zumbido del paso del arco—, su realización es viable y ofrece distintas posibilidades de combinación entre sonidos normales y armónicos.

Si tenemos en cuenta además, que ésta es una práctica habitual entre los instrumentistas, puesto que a menudo los utilizan para salvar algunos saltos complejos, es obligado conocer con detalle la tabla de las posiciones de los sonidos resultantes, lo que permite controlar con mayor comodidad el movimiento de la mano en el instrumento, al tiempo que proporciona una escritura más adecuada a su técnica.

En la tabla que sigue (ejemplo 1.83) mostramos las posiciones de la mano izquierda en el batidor. Hemos anotado con cabeza de rombo la posición del dedo —a media presión—, y el sonido resultante con cabeza negra. Los signos de octava, cuando son necesarios, se hallan dispuestos del siguiente modo: por debajo, los que se refieren a la posición en el batidor —cabeza en forma de rombo—, y por encima el de los resultantes —cabeza normal.

Hay posiciones en las que un mínimo movimiento del dedo permite realizar más de un sonido. Estos casos coinciden con los armónicos más alejados, por lo que también son mucho más inseguros y difíciles de obtener. Las posiciones indicadas con X no poseen sonido resultante propio. Por otra parte, hay que indicar que los que se hallan más allá de los descritos en el apartado genérico de la cuerda, no suenan lo nítidos que cabría esperar, y en muchos casos son ruidosos, cercanos a los multifónicos, de ahí que algunos autores los asocien a estos.

El hecho de que los incluyamos aquí se debe fundamentalmente a que nacen de la posición y situación de los dedos de la mano izquierda a lo largo del batidor, de modo similar a como se efectúa para los sonidos armónicos. Por otra parte, no debemos olvidar que muchos intérpretes no están familiarizados con su uso, por lo que se deben utilizar con moderación.

---

[32] Véase el apartado genérico de los armónicos de los instrumentos de la familia del violín en la pág. 37 y ss. Esto no quiere decir, sin embargo, que haya intérpretes que logren obtener más armónicos de los aquí mencionados, aunque normalmente son poco sonoros y se hallan dentro de la zona de frotación del arco, lo que en muchos casos los hace inviables.

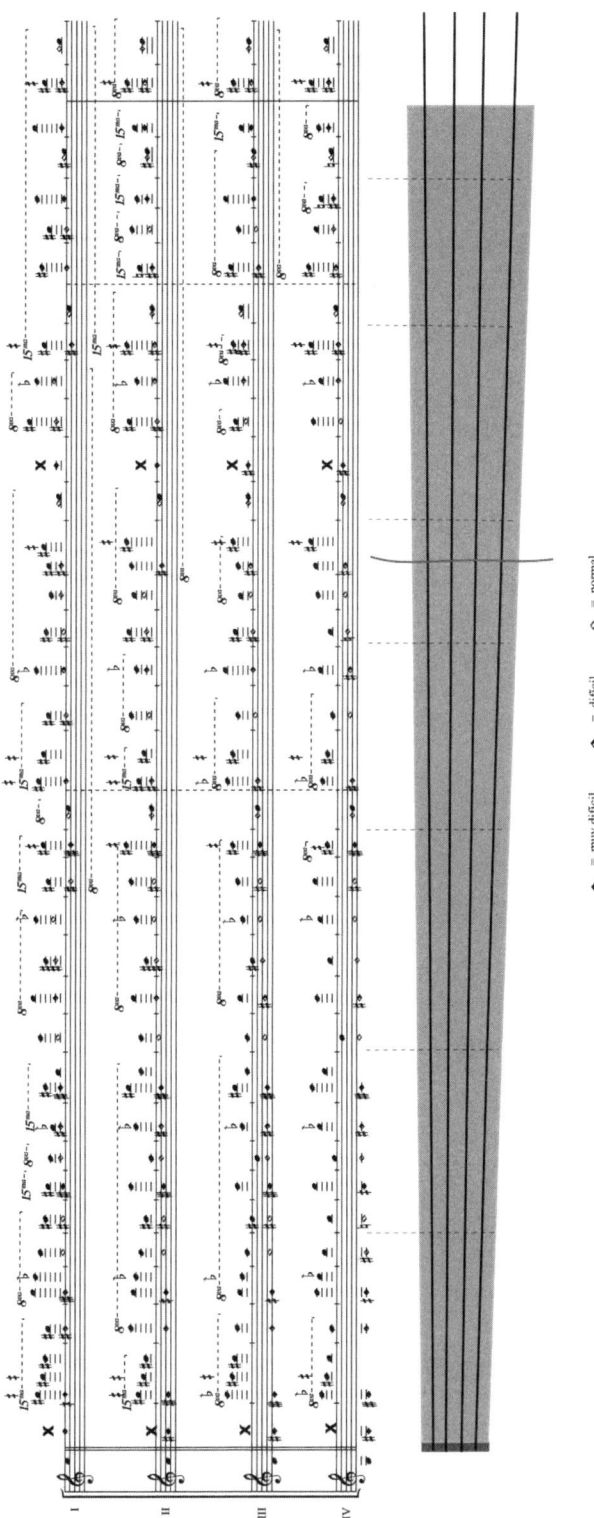

Disposición de los armónicos naturales a lo largo del batidor.
Ejemplo 1.83

Los armónicos artificiales son relativamente fáciles de obtener en el violín, con posiciones que pueden llegar a la distancia de octava. Ahora bien, no son igualmente posibles a lo largo de todo el batidor, ya que a cierta altura son inaudibles. El ámbito recomendable es el siguiente:

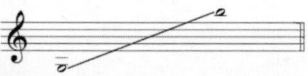

Ejemplo 1.84

Más allá de estas posiciones únicamente obtendremos un zumbido prácticamente inaudible del movimiento del arco sobre la cuerda. Aunque en la actualidad los armónicos artificiales más empleados son los de cuarta, quinta, octava, sexta y tercera, que van del más fácil al más complejo respectivamente, la realidad es que pueden realizarse en un mayor número de posiciones, si bien no todas se utilizan habitualmente, razón por lo que son más inseguras y menos eficaces. Así, gracias a su tamaño es posible obtener los armónicos naturales que van desde la octava a la segunda mayor, siempre dentro del registro recomendado. Las distancias por debajo de la tercera menor son más complejas según nos acercamos a la región aguda, ya que es difícil colocar los dedos. El siguiente ejemplo muestra los posibles, lo que es extensible a toda la tesitura mencionada anteriormente, con las salvedades aludidas.

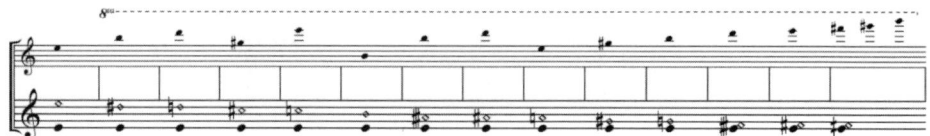

Armónicos artificiales en el violín.
Ejemplo 1.85

El violín en la orquesta

Su literatura musical es la más amplia de cuantos instrumentos forman parte de la orquesta actual. Tampoco hay que olvidar que la formación que conocemos hoy se amplía a partir de él, así como del resto de su familia. De todos los que participan, el violín es el único que mantiene una constancia de usos que ha llegado a nuestros días prácticamente inalterable. Es cierto que se han ampliado las técnicas del arco, y también la de los efectos y timbres, pero en esencia se mantiene tal y como inició su recorrido en las primeras formaciones orquestales de mediados del siglo XVI. Durante los siglos XVII y XVIII crece paulatinamente hasta su estabilización. Sus cualidades tímbricas y su versatilidad lo hacen ideales para la música de este período, así como para los auditorios que crecen de tamaño progresivamente, donde se requiere un instrumento dinámicamente potente, capaz de llenar su espacio acústico. Todo esto lo convierte en el referente que todavía hoy es en el ámbito sinfónico de concierto.

Así pues, su historia es larga y llena de ejemplos notables, imposible de describir en su totalidad en este apartado. El crecimiento del grupo de violines, que pasa de agrupaciones desiguales de entre 5 y 10 músicos a los actuales 26 a 30, es ya un salto cualitativo notorio de su peso e influencia, si bien este crecimiento tiene más que ver con las necesidades de equilibrio dinámico con el resto de instrumentos orquestales, que con una exigencia tímbrica o dinámica real. El empleo de nuevos materiales para las cuerdas también ejerce una influencia notable en ello, especialmente si se las compara con las primeras de tripa.

Las partes dedicadas al instrumento, que se mantienen prácticamente inalterables y en unísono durante un largo período de tiempo, que va desde sus inicios hasta mediados del siglo XIX, sólo se verán alteradas por la necesidad tímbrica que obliga a su ampliación en la orquesta. El uso de la agrupación de violines en dos grupos —violines primeros y segundos— se encuentra desde sus comienzos, aunque no se trata de un *divisi*: tiene más que ver con la necesidad de completar el total de cuatro voces con violines I, violines, II, violas y violonchelos-contrabajos, que no con la de dividirlos. A esto hay que añadir que el empleo de la agrupación de violines, con respecto al instrumento a solo, posee características diferenciales importantes: menor vibrato e imprecisión en la afinación. Ambas resultan inevitablemente desiguales en el conjunto, lo que arroja su característico timbre. Es por esta razón por lo que en cada grupo es necesario contar con más de dos instrumentos, puesto que es el único modo en que se obtiene el color mencionado. Reducirlo a dos instrumentos implica un resultado tímbrico cercano al de la música de cámara, formación que se compone normalmente de solistas de distintas familias, con un fin muy distinto al de la orquesta.

J. S. Bach: Cantata BWV 1. Comienzo.
Ejemplo 1.86

El uso de agrupaciones con un número desigual de instrumentos es común a la mayor parte de las obras escritas a partir del siglo XVII y hasta mediados del XIX, donde los cambios se producen básicamente en el estilo, si bien también es cierto que ambas cuestiones se influencian mutuamente, lo que al fin y al cabo supone una evolución en paralelo. Esta progresión estilística también tiene que ver con la transformación de las formas musicales, donde las necesidades de pregunta-respuesta heredadas del responsorio y la secuencia primeras, tamizadas por el madrigal y el motete posterior, se plasman en un uso a solo y en agrupaciones[33] que emplean una concepción estilística semejante. Serán precisamente estos los primeros usos del violín, con un claro balance de solista y grupo, lo que de uno u otro modo preparará la consolidación de la formación orquestal clásica —ejemplo 1.86—. El fin no es otro que el de obtener un mayor volumen dinámico en los fragmentos cadenciales, además de acompañar a los instrumentos concertantes en el resto de la pieza. Por otra parte, en muchas partituras de esta época tampoco queda claro cuando el papel se dedica a un instrumento solista o a una agrupación completa, a excepción de las partes en que su dificultad es claramente de solista.

Así, la combinación solista-ripieno forma parte del modelo policoral en el que se mueve la mayor parte de la música orquestal barroca[34], lo que se lleva a cabo no sólo en agrupaciones combinadas de solistas y grupo, sino incluso en formaciones completas en las que estos juegos de contraste poseen un claro fin cadencial. Aquí el empleo de las progresiones armónicas ayuda a crear la tensión del conjunto. Estas combinaciones, en las que se utilizan frecuentemente juegos canónicos entre distintas voces, obliga al uso de una armonía limitada, obligada por el número de voces simultáneas y la dificultad de comprender el desarrollo sin esta simplificación. El uso del *divisi* es pues frecuente, con distribuciones que en algunos casos llegan al instrumento único. Los autores de este período interpretan que el mayor movimiento también proporciona la mayor dinámica, asociando este concepto al número de eventos simultáneos, lo que desde el clave se extiende a la familia de cuerda frotada.[35]

---

[33] El difundido uso del solo-ripieno italiano de los siglos XVII y XVIII.

[34] Esta forma se desarrolla especialmente en el *Concerto Grosso*, en el que destacan compositores como A. Corelli, G. F. Handel, etc.

[35] Si bien es cierto que el clave no tiene otra posibilidad de alcanzar mayor volumen dinámico que la de incrementar la velocidad y el número de notas simultáneas, en los instrumentos de cuerda frotada no es lo mismo, ya que pueden realizar el crescendo sin problema alguno.

J. S. Bach: Concierto de Brandenburgo núm. 3 BWV 1048, segundo movimiento.

Ejemplo 1.87

Este modelo se abandonará prácticamente en su totalidad en el período posterior —Clasicismo—, donde se tiende a reforzar las líneas melódicas para conseguir mayor transparencia. Todo esto arroja como resultado un mayor volumen dinámico de conjunto, gracias a la reducción del número de voces y la incorporación de más instrumentos. Aún así, no faltan obras de en las que se mezclan los nuevos modelos con los antiguos provenientes del *concerto grosso*. La transición hacia las nuevas formas de articularlo es, sin embargo, inexorable: la agrupación se ve ampliada en detrimento del uso de solistas concertantes. La claridad de las líneas también obliga a una mayor precisión del grupo, lo que de uno u otro modo hace más difícil la interpretación: el margen de error puede hacer fácilmente audibles las imprecisiones, característica destacada de la mayor parte de la música del período clásico.

J. C. Bach: Sinfonía Concertante en Fa mayor, primer movimiento.
Ejemplo 1.88

De este modo, el estilo clásico refuerza las líneas melódicas de la agrupación de cuerda, y con ello la dinámica del conjunto. El uso del *divisi* será aquí esporádico, lo que permite mayor claridad. Aparte de las melodías principales —normalmente asignadas a las partes las agudas—, el resto del grupo posee una función de acompañamiento y de contrapeso armónico. También aparece como novedad el uso de las dobles y triples cuerdas, anteriormente reservadas al instrumento a solo. El *divisi* se confía práctica y únicamente a los violines segundos, que junto a las violas serán quienes más lo empleen. Las cuerdas múltiples se utilizan sólo en los fragmentos cadenciales y en el inicio de la pieza, y su objeto es el de obtener un mayor volumen dinámico, subrayado por la interferencia tímbrica de su realización.

J. Haydn: Sinfonía núm. 88, primer movimiento.
Ejemplo 1.89

Este empleo, que se inicia en el período clásico, se sostendrá prácticamente hasta finales del siglo XIX, donde la ampliación de la orquesta lo convierte en accesorio. Aunque se sigue encontrando en fragmentos grandilocuentes que requieren de mayor dinámica y ampliación armónica, tampoco faltan ejemplos de su uso en movimientos rápidos y veloces, si bien mantienen el mismo objetivo dinámico.

M. Mussorgsky: Una noche en el monte pelado (se ha omitido al resto de la orquesta).
Ejemplo 1.90

El *divisi* se mantiene de forma esporádica, es decir, para desdoblar voces con el objeto de aumentar la armonía, si bien al paso del tiempo tenderá a una mayor ampliación. Aún así, el más habitual es el del desdoblamiento simple de cada una de las partes, tanto en los violines primeros como en los segundos. Ya a finales del siglo XIX y principios del XX, encontramos ejemplos de incrementos mucho mayores que poseen como fin último abarcar la mayor parte del espectro armónico, algo que anteriormente se hallaba reservado a la ampliación por doblaje del resto de instrumentos orquestales. Con ello nace un nuevo modo de tratar el timbre de la agrupación de cuerda, lo que va parejo a una mayor exigencia de su parte, cercana a la del solista —ya sea en lo que se refiere a la lectura como a la interpretación. Esto, junto a la ampliación de la orquesta, supone un nuevo modelo de realización, puesto que su papel será cada vez más relevante.

R. Strauss: Till Eulenspiegels Op. 28 (se ha omitido al resto de la orquesta).
Ejemplo 1.91

Aunque existe un propósito firme de que estos fragmentos se realicen con total precisión, la realidad es que es muy difícil obtenerla, puesto que si tenemos en cuenta que de modo habitual ya existen imprecisiones de afinación, mayores serán cuando más exigentes sean en tempo y saltos interválicos. Dicho así puede parecer un problema irresoluble, y de hecho lo es si pretendemos una precisión definitiva, aunque en la mayoría de casos los autores no lo pretenden. Sólo podremos lograr el mejor acercamiento posible a su realización, algo que debemos tener en cuenta a la hora de abordar una sección de estas características, puesto que su resolución es ineludible para todo quehacer orquestal. Así, el *divisi* de conjunto, cuando se lleva a un número de partes significativo, implica también las inevitables imprecisiones que se añaden al timbre que se deriva de su combinación, y esto es algo que no se debe obviar. En la música tonal suele tener limitaciones, aunque no faltan ejemplos notables de su empleo —ejemplo 1.92. No debe extrañarnos pues, que la música orquestal que parte de los años 50 del siglo XX y hasta la actualidad, lo utilice con mayor énfasis, con muchas partituras en las que se lleva al instrumento único.

A. Schönberg: Gurrelieder, primera parte (se ha omitido al resto de la orquesta).
Ejemplo 1.92

No obstante, el uso de secciones divididas hasta el instrumento único aportan al conjunto un timbre distinto, que bien utilizado puede ser de gran efecto. Éste empleo es frecuente entre los compositores de música libre o azar, ya que de este modo se pueden aprovechar las desigualdades de las imprecisiones del grupo para crear un timbre y color particular. No obstante, el inconveniente que supone la simultaneidad de distintas partes puede llegar a arrojar similitudes inevitables, puesto que de uno u otro modo, la suma de imprecisiones acaba generando un timbre neutro, difícil de controlar, ya que posee menor capacidad de contraste. No es éste, sin embargo, el tratamiento habitual del formación de cuerda en la orquesta actual, ya que al atomizarla en líneas independientes también se pierde en capacidad dinámica de ampliación armónica[36]. Con ello se acaba construyendo un enorme grupo de cámara, con los dilemas que esto supone. Así, no hay modelos definitivos, aunque podemos concluir en que el ideal será el que combine con mayor eficacia las distintas posibilidades de verticalidad del grupo.

---

[36] No debemos olvidar que la construcción vertical de la orquesta obedece a parámetros tímbricos relacionados con el espectro armónico. Al no aprovecharlos también se pierde capacidad dinámica, lo que debe ser compensado con otro tipo de combinaciones.

W. Lutoslawski: Double Concerto, movimiento num. 1.
Ejemplo 1.93

Este modo de articular la verticalidad orquestal supone un cambio notable en la concepción de la orquesta como instrumento único, tal y como se venía realizando en los modelos armónicos tradicionales. Hasta mediados del siglo XIX se mantiene una constante combinatoria relacionada con una distribución del conjunto en cuatro voces, y sobre ellas se suceden los doblajes del resto de instrumentos de la familia, normalmente de acuerdo a su disposición armónica. La irrupción de las corrientes no tonales, que no se rigen por esta verticalidad, repercuten directamente en su conformación, puesto que la formación orquestal deja de ser el grupo único que era, donde cada miembro conformaba una pequeña porción de la disposición del espectro armónico, para construir un proceso horizontal en el que todos desempeñan un rol de importancia, pasando del doblaje tradicional a la línea combinada entre distintos componentes (ejemplo 1.93). Esto conlleva el menoscabo del peso del violín, que si bien se mantiene como destacado, se debe más a una razón de tradición que no a su verdadera relevancia. Claro está que no todas las corrientes musicales de la segunda mitad del siglo XX se rigen por estos preceptos. Buena parte de las que no lo hacen es porque se mantienen en el ámbito tradicional, es decir, con el mismo peso armónico de la verticalidad del conjunto, lo que algunos modelos creativos, como el francés "espectral", han convertido en signo de identidad.

La consecuencia de todo esto es que la orquesta se extiende, pero no en su verticalidad, que parece ya cerrada y agotada con el monumentalismo orquestal de principios del siglo XX, sino en un desarrollo tímbrico que tiene mucho que ver con la ampliación de posibilidades de ejecución combinadas, lo que no ocurre solo en el grupo de cuerda. Así, a su tradicional empleo en la orquesta hay que añadir ahora todos los usos que tienen que ver con el timbre del instrumento solista, tanto los relacionados con las posiciones del arco, como los de su acción en el batidor.

A. Webern: Cinco piezas para orquesta Op. 10, núm. 4.
Ejemplo 1.94

Sería difícil hablar de nuevos modelos de articulación tímbrica sin tener en cuenta lo que ha supuesto la irrupción de la música electrónica en la música actual, especialmente a partir de los años 50 del siglo XX. Con ella la capacidad de escucha se ha agudizado, y los sonidos aparentemente no audibles que acompañan a cualquier ejecución normal han pasado a formar parte del panorama sonoro de la orquesta. Así, el ruido —rosa o blanco—, los sonidos derivados de la sobre-presión, la media presión de arco o mano izquierda, las posiciones no habituales del arco, los multifónicos, además de un largo etcétera[37], forman ya parte de la ampliación del tejido textural de la orquesta. No todos los compositores los emplean por igual, lo que ha menudo es una cuestión de estilo o escuela, si bien de lo que no hay duda es de la sucesiva e imparable ampliación de los juegos combinatorios del conjunto. Si acaso encierran algún anatema, es el de siempre: la capacidad de crear contraste entre distintos tipos de articulación sin caer en una obsesiva y mal desarrollada redundancia tímbrica; aunque esta no es, a nuestro juicio, una cuestión que concierna al uso instrumental, sino a la creatividad de

---

[37] Véase el apartado dedicado a las articulaciones avanzadas, pág. 68 y ss.

cada autor, algo que no vamos a discutir aquí. Aparecen así nuevos modos de articular el tejido orquestal que emplean el sonido *residual* como elemento tímbrico, a veces incluso con connotaciones temáticas. Así se encuentra en compositores como L. Nono, G. Scelsi, S. Sciarrino y H. Lachenmann, entre muchos otros. Existen pues, tantos compositores como modelos de uso, los que cambian incluso entre distintas obras del mismo autor.

H. Lachenmann: Kontrakadenz (se ha omitido al resto de la orquesta).
Ejemplo 1.95

El violín como instrumento solista

El violín a solo posee propiedades notablemente distintas conforme a su uso en el conjunto orquestal: un vibrato más riguroso y mayor exageración dinámica son las premisas principales, las que le distinguen del resto de instrumentos. Por otra parte, no se le trata igual en sus modalidades principales: a solo, concierto solista y a solo integrado en el grupo. La complejidad de su parte va de mayor a menor dificultad según el orden descrito. Tampoco se puede decir que esto sea definitivo, puesto que no faltan ejemplos que lo contradicen, aunque lo consideramos un principio a tener en cuenta a la hora de enfrentarse a su técnica.

La progresión del instrumento a solo se halla paralela a su evolución en la orquesta. Esto se debe a que desde sus inicios su repertorio ya posee grandes exigencias técnicas. Tanto es así, que a día de hoy las *Sonatas y Partitas para violín solo BWV 1001-1006 para violín solo* de J. S. Bach, siguen siendo todavía parte de su música más compleja. Un ejemplo de ello es el empleo de cuerdas múltiples, esporádico en la orquesta, y que contrasta con su habitual uso en las partes a solo. La ambigüedad de los tempi que se requieren en estos casos lo hacen incompatible con el del conjunto, lo que por otra parte no se precisa, ya que la principal premisa es la de compartir las dificultades. Otra cuestión es la que tiene que ver con el período de tiempo que se requiere para la preparación de las piezas a solo, que difiere notablemente del grupo.

Todo esto hace que sea en este apartado donde se encuentran la obras más difíciles de su repertorio —en algunos casos incluso de la música en general.

J. S. Bach: Sonata para violín núm. 2, BWV 1003, Fuga.
Ejemplo 1.96

La agilidad en el cambio de cuerdas es la principal clave para abordar fragmentos de gran complejidad con relativa simplicidad. Para esto los intérpretes se valen de multitud de recursos: cuerdas abiertas, armónicos, saltos, etc. Esto tampoco es nuevo, aunque para ello se requiere conocer bien su técnica, así como las posiciones y posibilidades de movimiento a lo largo del recorrido del batidor. La música tonal, por sus características melódicas y armónicas, unidas a la construcción del instrumento, que posee una afinación acorde a las posibilidades de desarrollo melódico de aquélla, es el lugar donde mantiene mayor capacidad virtuosística, por lo que cualquier modo de obtener dicho carácter pasa por acercarse a los preceptos interválicos y combinatorios de aquélla. La *scordatura* es lo que ha servido a muchos autores actuales de subterfugio para lograr combinaciones que con la afinación normal no son posibles —aunque también lo ha sido para otros tantos a lo largo de la historia. Así, la acción conjunta de las diferentes técnicas, junto a la evolución que las diversas escuelas han realizado en los últimos decenios, es lo que hace que al paso del tiempo el nivel técnico de las piezas que se le dedican crezca en exigencia.

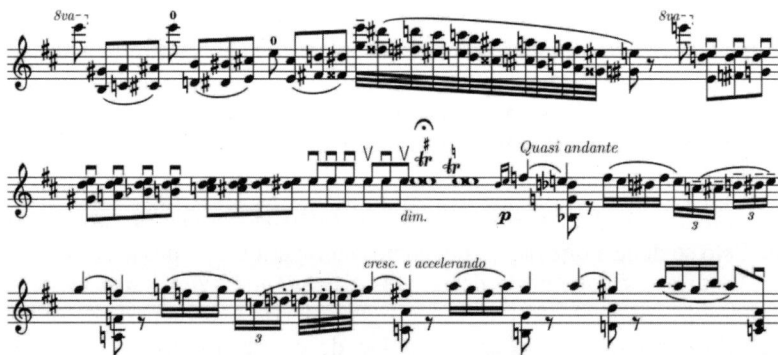

P. I. Tchaikovsky: Concierto para violín en Re Mayor Op. 35, primer movimiento, Allegro Moderato (se ha omitido al resto de la orquesta).
Ejemplo 1.97

Establecer un límite de exigencia es difícil, para no decir imposible, ya que lo que para unos es impracticable puede ser relativamente asequible para otros, aunque también es cierto que cuando una pieza demanda una dificultad extrema, será complicado mantener el mismo nivel de precisión en cada ejecución, e incluso a lo largo de ella. El único límite se halla en el entorno donde se desarrolla. Así, cuando participa en partes totalmente a solo, la ambigüedad del tempo le servirá para estirar o contraer los fragmentos que exigen mayor dificultad, lo que no es posible cuando se halla en compañía de la orquesta.

B. Bartók: Sonata para violín solo, Tempo di ciaccona.
Ejemplo 1.98

La combinación de las cuerdas, que en los ejemplos precedentes posee una notoria dificultad, difiere notablemente de cuando se realiza en una línea melódica continua y sin dobles cuerdas —ejemplo 1.99—, lo que lo hace mucho más asequible, si bien su complejidad radica aquí en que debe coordinarse con el resto de la orquesta.

B. Bartók: Concierto para violín núm. 2, primer movimiento (se ha omitido al resto de la orquesta).
Ejemplo 1.99

Asimismo, el uso del violín solo en el ámbito orquestal, es decir, como primero de grupo, tampoco posee las exigencias del concierto solista o de las piezas a solo —ejemplo 1.100—, puesto que se encuentra integrado en la orquesta, y por tanto, con un papel supeditado a aquélla. Esto no quiere decir que no se le pueda demandar el mismo nivel, pero es razonable considerar que el entorno en el que se mueve, es decir, con ensayos diarios y un repertorio que cambia constantemente, no permite el estudio detenido que requieren partituras con altas cotas de dificultad. Demandarla puede acarrearnos problemas que pueden llegar incluso a abortar la ejecución de una obra. Aquí su parte posee el propósito de destacar en el conjunto, en muchos casos añadiendo un componente dramático cercano a la voz, lo que viene subrayado por un mayor uso del vibrato. Es por esta razón por lo que a menudo lo encontramos asociado al grupo con un papel a solo independiente. Se recupera así la tradicional fórmula del concertante. No faltan ejemplos, sin embargo, de un empleo cercano al del instrumento solista, si bien las posibilidades de desarrollo textural y tímbrico son siempre variables, por lo que no se las puede determinar como definitivas más allá del ejemplo aislado.

G. Mahler: Sinfonía núm. 1, tercer movimiento (se ha omitido al resto de la orquesta).
Ejemplo 1.100

Hemos de apuntar aquí pues, que el uso del instrumento y su técnica no han cambiado sustancialmente al paso del tiempo, pero sí lo ha hecho el de su desarrollo tímbrico, que aunque ha sido mayor en el ámbito de la música de cámara, también se observa en la música a solo.

I. Fedele: Viaggiatori della notte, Segundo movimiento.
Ejemplo 1.101

El violín en la música de cámara

Los usos del violín en la música de cámara difieren poco de lo mencionado hasta aquí. En lo que se refiere técnica se mantienen los mismos preceptos, aunque al paso del tiempo se acerca más a la del instrumento a solo que no al orquestal. Las formaciones para las cuales se ha escrito son múltiples e infinitas, desde los dúos y tríos con continuo, pasando por el cuarteto de cuerda —formación en la que se halla el mayor repertorio—, hasta las agrupaciones mixtas de la segunda mitad del siglo XX. Así pues, se encuentra en una variedad de estilos y modelos de realización que alcanzan a todas las posibilidades combinatorias. Aún así, y como se ha comentado anteriormente, el desarrollo de su técnica principal ya se observa en las primeras obras, que en no pocos casos se acerca más a la de la orquesta, con las limitaciones que esto supone.

D. Buxtehude: Sonata núm. 5 para violín, viola da gamba y clave WV 256, primer movimiento.
Ejemplo 1.102

No hay que olvidar que en los primeros decenios de su uso no se encuentran las diferencias actuales entre música orquestal y camerística, puesto que la primera se nutre a menudo de un limitado número de instrumentos, lo que la acerca a la segunda. Habrá que esperar hasta el segundo cuarto del siglo XVIII, para que se inicie una paulatina separación entre modelos con estilos claramente diferenciados. En su mayoría tienen al cuarteto de cuerda como principal punto de partida. Así, durante este primer período la música de cámara con violín se compone mayoritariamente de dúos de violín y clave (o piano), tríos de violín, violonchelo y piano y cuartetos de cuerda. Estas son, sin embargo, las combinaciones principales, aunque no faltan otras. La coordinación del conjunto hace que en muchos casos sus partes sean de dificultad limitada, si bien siempre mayor que en la orquesta.

W. A. Mozart: Cuarteto de cuerda en Sol Mayor KV.387, tercer movimiento.
Ejemplo 103

Las formaciones mixtas de este período, compuestas de instrumentos de viento y cuerda principalmente, son excepcionales, aunque mantienen el mismo estilo y carácter, con exigencias de ejecución también similares.

L. v. Beethoven: Septeto Op. 20, cuarto movimiento, segunda variación.
Ejemplo 1.104

Es partir de comienzos del siglo XIX cuando se producen los cambios más notables en las formaciones de cámara tradicionales, algo que ya anuncia Beethoven en sus últimos cuartetos de cuerda —Op. 130 a Op. 133—, y que los compositores que le siguen —F. Mendelsshon, R. Schumann y J. Brahms principalmente— evolucionan hacia un estilo más complejo, cercano a la música para solista. Esto no ocurre solamente en lo que se refiere al violín, sino en el resto de instrumentos orquestales. No es extraño encontrar piezas de concierto que parten de la premisa de unir ambos conceptos —camerístico-orquestal—, en uno sólo. El *triple Concierto en Do Mayor Op. 56* de Beethoven, escrito entre 1804 y 1805; el *Doble Concierto en Re menor* de F. Mendelsshon, para violín, piano y cuerdas de 1823; el *Doble Concierto en La menor Op. 102* de J. Brahms para violín, violonchelo y orquesta de 1887, son los más destacados, siendo una clara muestra de la importancia y prestigio que la música de cámara obtiene al paso del tiempo. Aunque también se podría atribuir al *Concerto Grosso* Barroco una consecuencia similar, nada tiene que ver: éste último utiliza al instrumento y el tutti orquestal como parte de la misma agrupación, donde la orquesta amplía su línea melódica y armónica mediante el relleno (ripieno). En los nuevos conciertos la formación orquestal será utilizada como un simple acompañamiento, estableciendo un diálogo con doblajes esporádicos.

J. Brahms: Doble Concierto en La menor Op. 102, primer movimiento.
Ejemplo 1.105

Es a finales del siglo XIX y principios del XX cuando el peso de la música de cámara obtiene mayor difusión, lo que repercute directamente en la ampliación de su repertorio. Así lo encontramos en buena parte de los compositores de este período. No obstante, la mayoría de la música para violín sigue relacionada con las grandes formaciones orquestales. Con ello surgen mayores exigencias técnicas en un repertorio que tiende a ser la contrapartida al instrumento solista, con requerimientos cercanos a los de aquél. Las agrupaciones principales de partida siguen siendo las mismas: dúo, trío y cuarteto con piano, trío y cuarteto de cuerda, además de otras formaciones mixtas que crecerán de forma notable.

I. Stravinsky: Historia de un soldado, pequeño concierto.
Ejemplo 1.106

Aparecen así partituras con demandas técnicas y tímbricas desconocidas hasta ese momento. Con ello la música de cámara deviene campo de cultivo para las nuevas experiencias en el desarrollo del timbre, lo que a su vez se convertirá en el laboratorio previo a su incorporación en la música orquestal y a solo.

A. Webern: Seis bagatelas para cuarteto de cuerda Op, 9, núm. 2
Ejemplo 1.107

La primera mitad del siglo XX implicará pues, un cambio notable en la concepción tímbrica del violín, que verá aumentado el repertorio más allá del campo de la técnica tradicional, con la incorporación de modelos que poco a poco serán de uso común.

La segunda mitad del siglo XX las ampliará hasta lo indecible. Ahora bien, para los ejecutantes el repertorio donde se encuentra el repertorio más complejo sigue siendo, paradójicamente, el del principal período de expansión, que va desde sus inicios hasta finales del siglo XIX. No hay que olvidar que, en la mayoría de casos, la incorporación de nuevas técnicas no presupone un aumento de la dificultad, sino una ampliación de recursos tímbricos. La revolución que esto supone a partir de la segunda mitad del siglo XX, gracias a la experiencia de la música electrónica, abre un panorama de actuación muy diverso, que se ve jalonado por infinidad de posibilidades en las que cabe todo, desde la extrema complejidad en el uso del conjunto de cámara tradicional —ejemplo 1.108—, hasta la agrupación mixta, incluyendo la notación abierta —azar—, donde se demanda al intérprete que improvise.

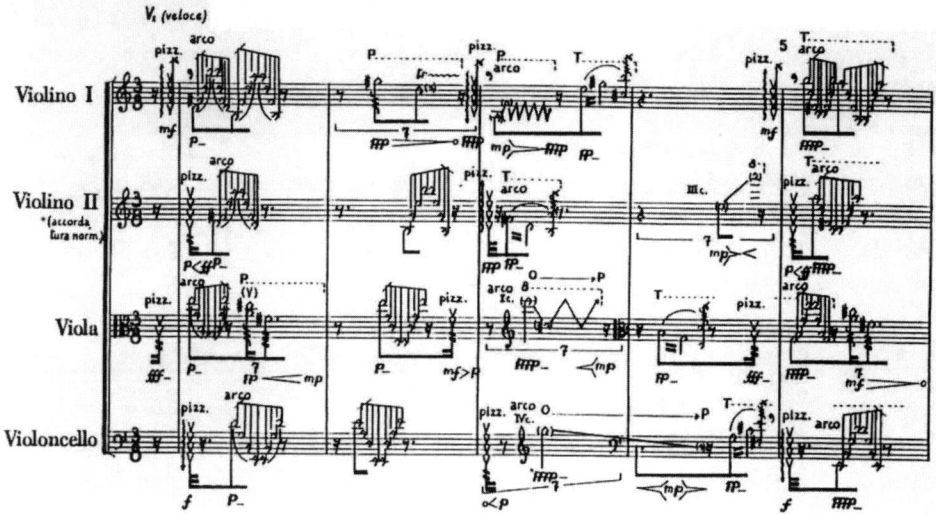

S. Sciarrino: Sei quartetti brevi, núm. 2
Ejemplo 108

Por otra parte, el período de estudio que se requiere para la formación de cámara se acerca a la del instrumento a solo, aunque como contrapartida, el trabajo del conjunto se realiza con un tiempo de preparación más dilatado. Es por esta razón por lo que el repertorio en este campo ha tendido a una complejidad creciente que apenas guarda diferencias con la del solista, lo que no sería posible si el ritmo de ensayos fuera similar al de la orquesta. No faltan ejemplos que contradicen lo mencionado, aunque en su mayoría siguen manteniendo una estrecha relación con la tradición, y por tanto, con un desarrollo técnico cercano a aquélla.

Lo mencionado nos lleva a una cuestión que creemos crucial, que es la del tipo de escritura que se requiere para cada formación, y que a juzgar por lo que hemos mostrado en los apartados anteriores, es claramente distinta, puesto que también son diferentes los planteamientos de preparación y trabajo. Si bien es cierto que la técnica instrumental a evolucionado notablemente en el último siglo, también lo ha hecho para mejorar la calidad interpretativa de las obras del gran repertorio, lo que de paso ha propiciado a los compositores nuevas posibilidades de realización que, de uno u otro modo, conllevan la expansión de su técnica. Ahora bien, esto no supone que el intérprete pueda o deba mantenerse en todo momento al límite. Éste es un extremo que debe cuidarse especialmente para no caer en un malabarismo instrumental de dificultades imposibles, donde el ejecutante difícilmente puede sobrepasar una aproximación a la obra. Aunque hay autores que persiguen éste fin, esto no quiere decir que sea la práctica habitual. En la medida de lo posible, la dificultad debe hallarse a la altura de la complejidad discursiva de la pieza, así como en consonancia a su expresividad y resultado final. Es bien cierto que no hay ni debe haber límites por debajo de lo imposible, aunque debe primar el sentido común sobre las capacidades de comprensión y realización para con el intérprete.

J. Harvey: Songs offerings, núm. 3.
Ejemplo 1.109

2.2.- Viola

Inglés e Italiano: Viola   Francés: Alto   Alemán: Bratsche

La viola es el instrumento de cuerda frotada que ocupa el lugar intermedio entre la sección aguda (violín) y la grave (violonchelo). Al igual que el violín, aparece en la música occidental en el siglo XVI, en paralelo al instrumento predominante en este período, la *viola da gamba*. Los primeros constructores también son los mismos: Nicolò Amati, Jaco Stainer, Antonio Stradivari y Giuseppe Guarneri. Su tamaño es algo mayor y también es igual en su forma, si bien sus proporciones son distintas, lo que se ha mantenido inalterable hasta la actualidad[38].

Viola, detalle del instrumento
Ejemplo 1.110

Aparte de instrumentistas que tienen a la viola como instrumento único, a lo largo de la historia ha sido empleada frecuentemente por violinistas célebres —J. Menuhin, D. Oistrakh, P. Zuckermann, etc.—, además de algunos compositores, como P. Hindemith, que le dedicaron buena parte de su obra, considerada hoy como la más significativa. La especialización a la que se ha tendido a lo largo del siglo XX hace que en la actualidad esta duplicidad sea infrecuente.

El tamaño de la viola no se ha mantenido estable al paso del tiempo, y ha habido intentos de reducirla para acercarla al violín, así como de ampliarla por encima de su volumen normal, aunque no han prosperado. A favor está su sonido, que carece de estridencias y añade un timbre aterciopelado inequívoco e inimitable, si bien su limitada dinámica le ha llevado a ocupar un lugar secundario en el conjunto orquestal, a caballo entre el violín y el violonchelo. Esto hace que de entre los instrumentos agudos sea el que más variaciones posee. Así, su elección de acuerdo a sus dimensiones suele estar relacionada con el físico del intérprete, que lo adopta según su acomodo, ya que de ello depende su versatilidad.

La viola actual posee un cuerpo con una longitud aproximada de entre 380 mm. y 420 mm.[39], donde las dimensiones de la caja de resonancia pueden variar según el constructor. Las cuerdas que emplea son de metal: aluminio, latón y plata, aunque

---

[38] Para que la viola tuviera las mismas proporciones que el violín, su caja de resonancia debería medir alrededor de 525mm., lo que imposibilitaría apoyarla en el brazo, al tiempo que sería demasiado pequeña para colocarla entre las piernas. Son precisamente estas diferencias de tamaño lo que le proporcionan su característico timbre.

[39] Se han contruído con tamaños muy diversos que oscilan entre los 380 mm. y los 470 mm., aunque la mayoría de los instrumentos con proporciones extremas han caído en deshuso. Así se encuentra la *viola contralto*, de entre 380 mm. y 415 mm., o la *viola tenor* (de 420 mm. a 480 mm.)

también las hay en otras aleaciones[40]. Para un oyente normal estas diferencias son casi imperceptibles, lo que tiene que ver más con la comodidad y gusto del ejecutante que no con el resultado tímbrico final. Para la realización de la música antigua las cuerdas suelen ser de tripa, si bien esto es algo que puede diferir de un intérprete a otro. Las cuestiones relacionadas con el puente no revisten diferencias destacables con respecto al violín, por lo que no las repetiremos aquí.

Afinación, extensión y digitaciones

Se afina en quintas consecutivas, y sólo en casos puntuales se emplea la *scordatura*, lo que no cambia ni su técnica ni características. Utiliza un diapasón que oscila entre los 440 y 442 Hz; y para la interpretación de música antigua, entre los 385 y 435 Hz, lo que depende de criterios interpretativos[41]. Su extensión es la siguiente:

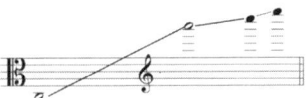

Ejemplo 1.111

Éste ámbito varía muy poco entre distintos instrumentos, aunque esto apenas modifica su límite agudo, ya que un buen ejecutante puede efectuar notas igualmente fuera del batidor hasta su límite físico[42]. Para la mejor combinación de alturas es apropiado conocer con detalle su disposición a lo largo del batidor, lo que se acentúa cuando se trata de cuerdas múltiples. En la realización de cualquier melodía o fragmento el intérprete utiliza habitualmente la conjunción de distintas cuerdas, aunque hay casos en los que el compositor demanda una sola, lo que depende de las características del pasaje. En la primera (La), es donde se obtiene el sonido más brillante, aunque no tanto como en el violín, con un timbre que es, con respecto a aquél, más opaco, razón por la que se emplea frecuentemente en fragmentos melódicos y expresivos. En el extremo agudo es difícil ejecutar con seguridad, puesto que debido a su tamaño las posiciones en esta zona son a menudo incómodas, con una capacidad de movimientos limitada. Aquí el arco tiende a acercase al puente, obteniendo un sonido más claro y estable. En las cuerdas segunda y tercera (Re y Sol) el timbre cambia entre el registro grave y agudo, en cuyo extremo es más tenso, a menudo de un color opaco y aterciopelado. En estas se encuentra su sonido más característico, utilizado frecuentemente en fragmentos de acompañamiento.

---

[40] Las cuerdas modernas constan de un núcleo que puede ser de metal, tripa, perlón u otros materiales sintéticos, con un entorchado de metal con aleaciones de plata, wolframio, etc.

[41] En la interpretación de la música antigua no sólo puede cambiar la afinación del diapasón, sino el tipo de escala, es decir, la elección del modo de afinación según criterios musicológicos relacionados con el autor y su época de procedencia.

[42] Ya se ha mencionado en el apartado del violín, que esta es una cuestión con la que hay que tener mucho cuidado: aunque hay ejecutantes que pueden llegar al límite físico del instrumento, no por ello es cómodo ejecutar fuera del batidor.

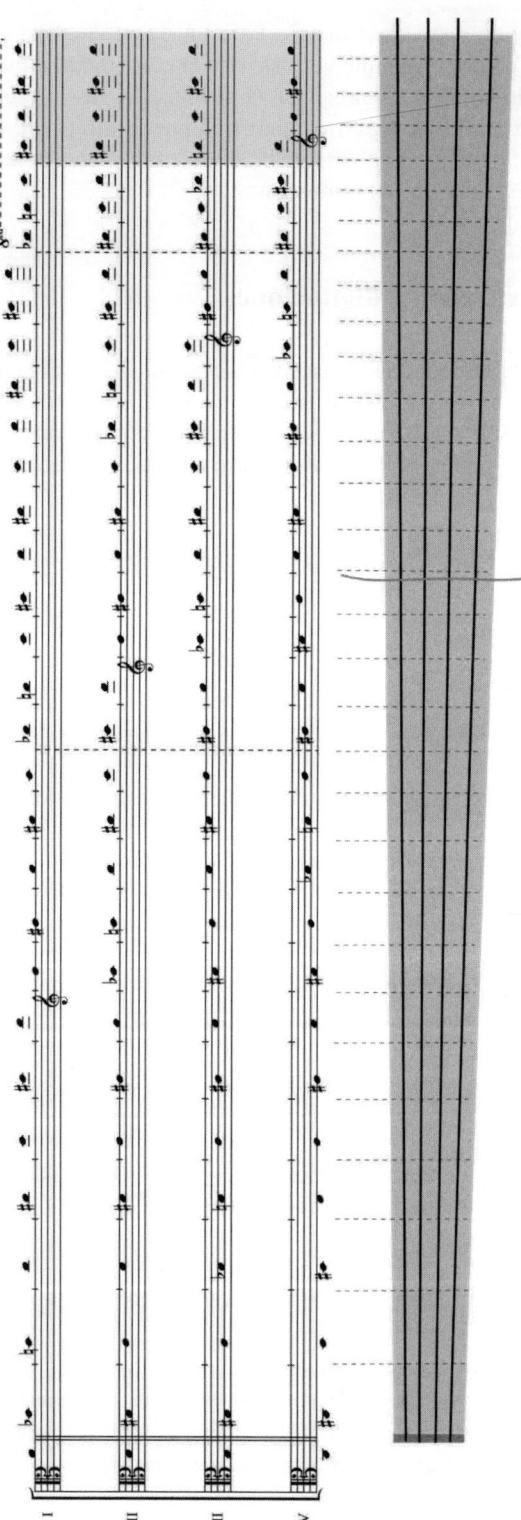

Disposición de las alturas en la viola.
Ejemplo 112

La cuarta cuerda (Do) es la que más le diferencia del violín. Se encuentra a la octava superior de la del violonchelo[43]. Posee un sonido oscuro y tenso, ideal para pasajes que requieren dicho carácter, aunque no por ello es menos ágil. En el registro agudo es débil y de dinámica limitada, razón por la cual es menos empleada. Del mismo modo que en los otros instrumentos de la familia del violín, es habitual el uso de cuerdas abiertas —también denominadas cuerdas al aire—, a excepción de los pasajes expresivos donde se precisa vibrar. Por otra parte, cuando se demanda un pasaje en una cuerda determinada debe especificarse, de lo contrario el ejecutante combinará los sonidos con las que le convenga.

La disposición de las alturas en la viola (ejemplo 1.112) nos permite observar con claridad las posibilidades de combinación entre distintas cuerdas[44]. En este ejemplo se muestra en sombreado la zona de difícil acceso: a pesar de que se halla dentro del batidor, la viabilidad de uso es reducida, y a menudo engorrosa, debido a que el volumen del cuerpo no permite alcanzarla con seguridad. Debemos recordar aquí que el salto de una cuerda a otra hace más complejo el legato, puesto que implica interrumpir el sonido. No obstante, un intérprete profesional siempre busca la mejor manera de evitar que dicha interrupción sea audible, puesto que la elección de estas disposiciones tiene influencia directa con la ejecución, y la mayoría de pasajes precisan de la interacción de distintas cuerdas.

Así, su tesitura normal es la que llega al límite agudo del La 5, donde la extensión hacia Do 6 es extrema. La que sigue hasta el Mi 6 es posible para muy pocos —señalada en el ejemplo 1.112 en sombreado—, y depende de su físico: sólo unos dedos muy largos permiten alcanzar este extremo sin dificultad, porque como se ha mencionado anteriormente, la caja de resonancia impide dicho alargamiento. Fuera del batidor no es posible situar la mano, por lo que no se emplea. Tampoco hay que olvidar que, aún así, en esta tesitura la dificultad para articular es muy alta, dado que las distancias para colocar los dedos son mínimas. En estos casos debemos ser cautelosos, para lo cual vale la pena tener en cuenta el uso de armónicos naturales o artificiales.

Pasajes de cuerdas combinadas. Como en el violín, para que un pasaje pueda realizarse en *legato* no debe sobrepasarse la distancia que permite la apertura de la mano, lo que dependiendo de su tamaño puede cambiar de un instrumento a otro.

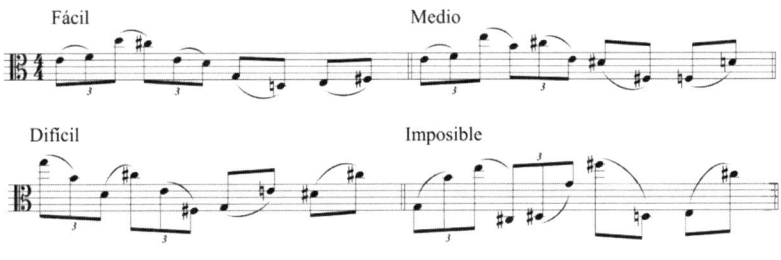

Ejemplo 1.113

---

[43] La afinación de todas las cuerdas del violonchelo es la misma que en la viola, pero una octava más grave.

[44] En la pág. 26, ya se ha expuesto lo que concierne a las posiciones de la mano izquierda, por lo que no lo vamos a repetir aquí.

La posición del batidor también influye según se ejecute en la zona aguda o grave. En el agudo se reducen las distancias, aunque también se acortan las posiciones, aumentando la imprecisión de las digitaciones. En el grave las distancias son mayores, y el límite interválico se halla en la quinta, lo que no es posible para todos los intérpretes. Esto no tiene porqué ser un problema, a menos de que se demande la realización del pasaje en una única cuerda. Cuidar que el fragmento mantenga la continuidad de paso de una cuerda a otra será siempre el modo más cómodo y seguro.

Cuerdas múltiples. Todo lo mencionado con respecto a la digitación, posición y apertura de la mano izquierda es extensible a las cuerdas múltiples. No hay que olvidar que únicamente son posibles cuando se escriben en relación de continuidad. Las dobles se pueden mantener a lo largo de toda su extensión, y las triples o cuádruples deben ser arpegiadas. Aunque es posible atacar dos o más cuerdas, no es posible sostener el sonido si no son simultáneas o con un número superior a dos.

Las posiciones más idóneas son las que mantienen la disposición natural de la mano en el batidor. Otras combinaciones, como las de orquilla, muy abiertas o de distribución múltiple, precisan de un tiempo mínimo para ser preparadas. Tampoco pueden realizarse con cambios continuos. Es por esta razón por lo que en la música para instrumentos de cuerda frotada se emplean tonalidades que permiten aprovechar al máximo las cuerdas abiertas —especialmente en el ámbito de la música tonal—, facilitando su realización. Las disposiciones que poseen distancias de quinta justa entre distintas cuerdas son más difíciles que en el violín, debido a su tamaño, por lo que no son aconsejables sin preparación.

El procedimiento más idóneo a la hora de distribuir las cuerdas múltiples, es el que tiene en cuenta la disposición de las alturas de acuerdo a la distancia que mantienen entre sí a partir del eje central del acorde, lo que a su vez también es la posición central de la mano en el batidor. A diferencia del violín, son más amplias, por lo que también son de realización más compleja, para lo cual la tabla de su disposición (ejemplo 1.112), puede servir de ayuda a la hora de su elección.

Cuerdas dobles

Cuerdas triples

Cuerdas cuádruples

Ejemplo 1.114

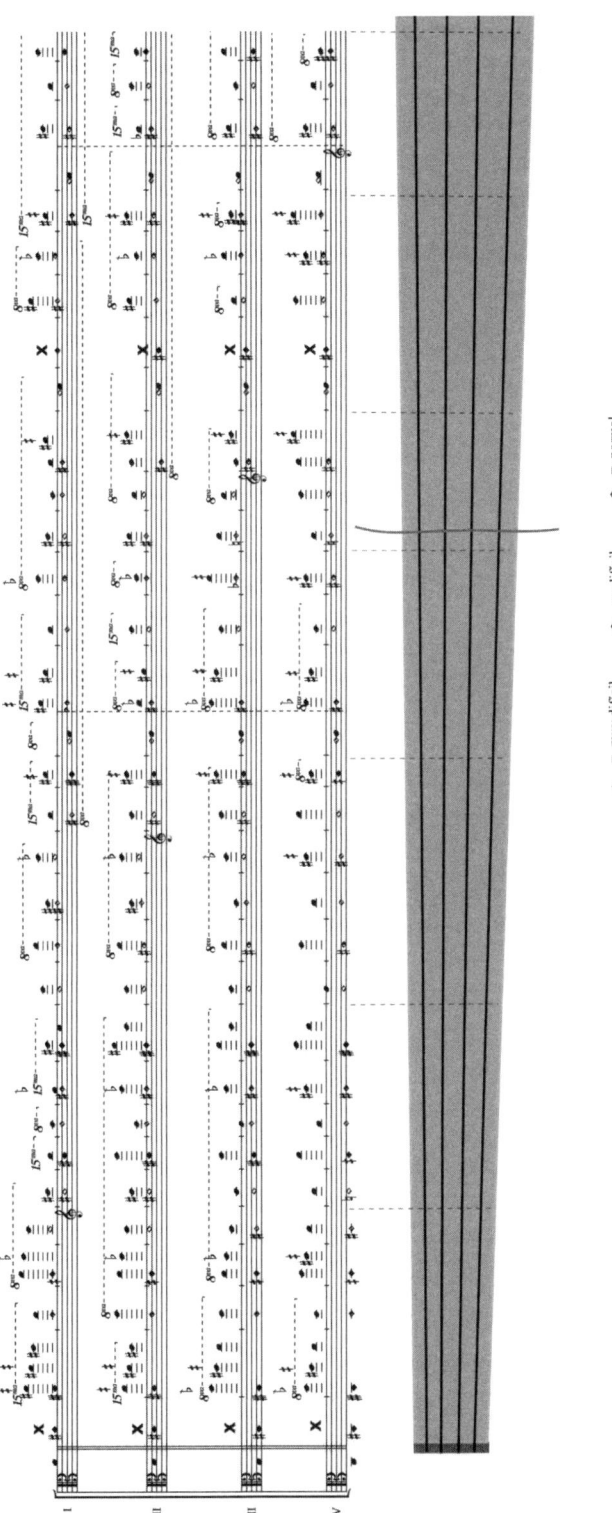

Disposición de los armónicos naturales a lo largo del batidor.
Ejemplo 1.115

Armónicos. El límite para la realización de armónicos naturales tiene que ver con el tamaño del instrumento. La longitud de la cuerda no permite emitir más allá del armónico 8 en la cuerda I, del 9 en la cuerda II y III, y del 10 en la cuerda IV[45]. No obstante, el ejecutante puede situar esta posición a lo largo de toda la cuerda, y aunque no todos los sonidos se emiten con la misma claridad, permite combinar a buena parte con las disposiciones normales, algo habitual entre los intérpretes de la familia de cuerda. Para ello es conveniente tener en cuenta la tabla de la situación de las alturas con los armónicos resultantes (ejemplo 1.115).

En la tabla mencionada del ejemplo 1.115, en que se muestra la disposición de la mano izquierda en el batidor, hemos anotado con un rombo la posición del dedo —a media presión—, y el sonido resultante con cabeza negra. Los signos de octava, cuando son necesarios, se hallan dispuestos del siguiente modo: por debajo, los que se refieren a la situación en el batidor —cabeza en forma de rombo—, y por encima, los sonidos resultantes —cabeza negra. Como se puede observar, también hay posiciones en las que un mínimo movimiento del dedo permite realizar más de un sonido armónico, aunque estos son normalmente los más alejados, y por consiguiente, los más inseguros y difíciles de obtener. Las posiciones indicadas con X no poseen altura relacionada alguna. Como se ha indicado para el violín, los sonidos que se hallan más allá de los armónicos 9 a 11, no suenan claros, y en muchos casos son ruidosos, cercanos a los multifónicos, de ahí que algunos autores los asocien a aquellos. Tampoco debe dejarse de lado lo que se refiere a su dificultad de emisión, indicado en el ejemplo con rombo normal los más audibles, rombo sombreado los medios, y rombo negro los menos accesibles.

Como en el violín, los armónicos artificiales son relativamente fáciles de obtener, con posiciones que pueden llegar a la sexta mayor, aunque ésta última sólo es posible a partir de la cuarta posición. Al contrario de aquél, en el agudo son más audibles, aunque igualmente complejos. El ámbito recomendable para realizarlos es el siguiente:

Ejemplo 1.116

Más allá de estas posiciones es difícil obtener un sonido claro y bien afinado. Aunque los armónicos artificiales más empleados son los de cuarta, quinta, y tercera —en orden de mayor a menor preferencia—, también se pueden realizar con otros intervalos, si bien no son los habituales, puesto que son más inseguros y menos eficaces. Dentro del registro recomendado anteriormente se pueden obtener sin problemas los que van desde la quinta justa a la segunda mayor. Las distancias menores a la tercera menor son más difíciles e inseguras según se acercan a la región aguda, ya que es difícil colocar los dedos en estas posiciones. En el siguiente ejemplo se muestran los más factibles, lo que es extensible a toda la tesitura mencionada con anterioridad.

---

[45] Véase el apartado genérico de los armónicos de los instrumentos de la familia del violín en la pág. 37 y ss.

Armónicos artificiales en la viola.
Ejemplo 1.117

Los de octava no se utilizan porque no es posible alcanzarlos con la mano. Los de sexta —mayor y menor—, sólo son posibles en las posiciones avanzadas del instrumento —a partir de la cuarta posición—, mientras que los de quinta son viables en toda su extensión, aunque en el registro grave son más complejos, debido a la apertura que precisa la mano izquierda. En esta zona es imprescindible preparar la posición, para lo cual se requiere de un tiempo mínimo de silencio para alcanzarla con seguridad. Tampoco hay que olvidar que muchos armónicos se pueden obtener con distintas combinaciones, algunas de ellas más cómodas, lo que puede facilitar su realización.

La viola en la orquesta

El papel de instrumento intermedio del grupo de cuerda frotada que la viola a sostenido a lo largo de su historia ha hecho que fuera considerada por los compositores como secundaria, si bien es cierto que su importancia es fluctuante. La herencia de la *viola da gamba* hace que en sus comienzos su parte apenas difiera de la de sus parientes más agudos, lo que se puede observar en el repertorio del período Barroco, donde a menudo es difícil diferenciar si se trata de una *viola da gamba* o una viola de la familia del violín.

J. S. Bach: Serenata Durchlauchster Leopold BWV 173A, Aria.
Ejemplo 1.118

Este uso se mantiene hasta mitad del siglo XVIII, donde las nuevas tendencias estilísticas que aparecen con el Clasicismo, que potencian la melodía y el bajo armónico en detrimento de las voces intermedias, hace que su papel disminuya considerablemente en importancia, lo que influye directamente en su repertorio. Esto no supone que su papel sea menor, porque aunque no es tan aparente, es igualmente imprescindible. Las violas vienen a ocupar en la cuerda un papel semejante al de las trompas en los instrumentos de viento, es decir, se trata del grupo que acoge al núcleo armónico del conjunto, completando su estructura vertical.

Mientras que la parte de los contrabajos tiene como principal cometido la ampliación del grave de los violonchelos —durante el período clásico especialmente—, las violas poseen una parte más independiente, y al mismo tiempo más versátil. Ahora bien, este papel intermedio que desarrolla desde las primeras obras también las limita, con un desarrollo de menor significación que el de los violines primeros y segundos, y asociada a los violonchelos, con los que habitualmente se halla en unísono u octavación, algo que también se observa en el período Barroco.

W. A. Mozart: Sinfonía KV 181, Segundo movimiento.
Ejemplo 1.119

Ocupar esta parte intermedia con la función de sostén armónico repercute en su uso, y es por esta razón por la que en el grupo de cuerdas las violas se encuentran divididas con mayor frecuencia, en muchas ocasiones junto al *divisi* de los violines segundos. Este uso es más frecuente según avanza el siglo XVIII, donde aparece con asiduidad en los pasajes que poseen una función de acompañamiento intermedio, lo que por otra parte es habitual en la música orquestal hasta bien avanzado el siglo XIX.

J. Brahms: Sinfonía núm. 1 Op. 68, primer movimiento (se ha omitido al resto de la orquesta).
Ejemplo 1.120

Hasta mediados del siglo XIX no se añaden novedades a este uso, que se mantiene inalterable entre los principales compositores (ejemplo 1.120). No será hasta a partir de ese momento, cuando la parte de las violas tenga mayor peso y acabe configurando un grupo de características similares al resto de la familia de cuerda frotada, lo que por otra parte cabría extender a los otros instrumentos orquestales. La dificultad se acerca aquí a la del solista, particularidad que se ampliará paulatinamente según se acerca el siglo XX.

R. Wagner: Parsifal, tercer acto. (se ha omitido al resto de la orquesta).
Ejemplo 1.121

Así pues, la evolución orquestal del grupo de cuerdas tiende a igualar el uso de la viola al resto de instrumentos agudos, con dificultades también similares, aunque nunca llegan a alcanzar las del violín, ya sea por su ámbito, notablemente menor, o por su papel en el entorno orquestal, que seguirá siendo intermedio. A ello se añade un uso creciente del divisi, paralelo al resto del grupo. Esto se observa con claridad en la música de principios del siglo XX, en autores como R. Strauss, G. Mahler y A. Schönberg, entre otros. Aún así, en el ámbito orquestal no perderá nunca su función intermedia, si bien su peculiar timbre tenderá a revalorizarse entre los compositores, que incrementarán su parte considerablemente. A ello ayuda el hecho de que algunos autores fueran a su vez notables intérpretes de viola, como M. Reger, P. Hindemith, B. Britten, entre otros; de entre los cuales proviene el que a día de hoy es su repertorio de referencia.

K. Szymanowski: Sinfonía núm. 4, segundo movimiento, Andante Sostenuto
(se ha omitido al resto de la orquesta).
Ejemplo 1.122

El siglo XX marca una inflexión importante en el uso de la viola en el ámbito orquestal, puesto que la paulatina tendencia a la desaparición de la melodía única o principal[46], se suma la igualdad de usos entre los distintos grupos de la familia de cuerda, con papeles de importancia similares a los de la música de cámara, tendencia que por otra parte seguirán el resto de instrumentos orquestales. Con ello se revaloriza su papel, al tiempo que surge una mayor complejidad de su parte que contrasta considerablemente con la música anterior.

---

[46] Esto se da, sobre todo, en la música no tonal, puesto que la tonal sigue manteniendo, incluso a día de hoy, características similares a las de los modelos tradicionales.

J. Adams: Shaker Loops, núm. 2 Hymning Slews.
Ejemplo 1.123

La demanda de una mayor dificultad de su parte, también conlleva inevitablemente una reducción del uso del conjunto, convirtiéndolo en un gran grupo de cámara donde cada instrumento, o grupo de instrumentos, participa con una parte individualizada, lo que de uno otro modo representa un retorno al modelo policoral Barroco.

E. Carter: Concierto para Orquesta (se ha omitido al resto de instrumentos).
Ejemplo 1.124

Esto conlleva nuevas dificultades, puesto que la complejidad de su parte en un entorno de gran envergadura puede desembocar en una ejecución más cercana a la aproximación que no a la precisión. También es cierto que mucha de la música que emplea este nivel de dificultad no pretende dicha exactitud. Esto no evita, sin embargo, una cierta frustración en el intérprete, que se ve sobrepasado en su parte, donde a menudo también queda limitada la capacidad de escuchar lo que él mismo está tocando.

La interpretación de estos nuevos modelos orquestales requiere, por tanto, una preparación distinta, donde el peso del estudio individual y el trabajo minucioso por familias es fundamental. Aunque en la actualidad no es fácil de realizar, dado el ritmo de ensayos a los que están obligados los conjuntos orquestales, especialmente en sus temporadas o series de conciertos, esto es, sin embargo, imprescindible si se quiere obtener un resultado razonablemente bueno. Para ello se requiere de una labor más cercana a la de la música de cámara que a la de la orquesta tradicional, puesto que las exigencias de cada parte son de características similares. El uso de efectos, pasajes rápidos, cambios de timbre, etc., requieren de un estudio concienzudo sin el cual la ejecución puede quedar mermada en todo lo que se refiere a su juego combinatorio.

La viola como instrumento solista

El papel de la viola como instrumento solista sigue paralelo al del violín, aunque no posee un repertorio tan extenso. Todo lo mencionado para aquél es extensible a la viola, puesto que desde sus inicios ambos han sido tratados de forma coaligada, donde las diferencias entre sí son más de registro, que no de técnica. El hecho de que la mayor parte de solistas los simultaneen a ambos es suficientemente elocuente. Su tesitura se encuentra tan solo a la quinta inferior del violín, por lo que la técnica apenas difiere, salvo en lo que respecta a las distancias de las posiciones —especialmente en el registro grave. Lo mismo cabría decir en lo tocante a su evolución, que mantiene las mismas prerrogativas.

Por otra parte, en la viola el papel virtuoso que desempeñan otros instrumentos agudos no tiene las mismas características ni influencia, lo que se ve recompensado por su capacidad y carácter melódicos, lugar en el que destaca especialmente. Esta aparente falta de virtuosismo, normalmente asociada a la región aguda, ha hecho que muchos compositores no la tuvieran a esta como idónea. Esto ha contribuido a que existan más conciertos de violín y violonchelo que no de viola, si bien esto es una anomalía que se viene corrigiendo en los últimos decenios, al punto de que a día de hoy, en lo que se refiere a su complejidad, apenas existen diferencias substanciales con el resto de la familia de cuerda.

En las primeras piezas para el instrumento acusa, más que el violín, la herencia de la *viola da gamba*, así como su cercanía tímbrica, lo que de uno u otro modo le lleva a substituirla. Es por esta razón que en las partes solistas, especialmente las que pertenecen al primer período del instrumento —siglos XVII y XVIII—, se encuentran a menudo dos de las características más destacadas de dicha conversión: el uso de la melodía y del arpegiado armónico. Esto no deja de ser paradójico, puesto que su técnica es muy distinta, y aunque en todo lo que concierne a propiedades melódicas es prácticamente idéntico, en la arpegiación es claramente diferente, especialmente debido al menor número de cuerdas.

N. Paganini: Sonata para viola y orquesta. Cantabile Andante Sostenuto
(se ha omitido a la orquesta).
Ejemplo 1.125

Estos modelos heredados de la *viola da gamba* se abandonarán paulatinamente para acercarse a los de la técnica del violín, aunque su tesitura sea más limitada, especialmente en el agudo, donde no es en absoluto equivalente. Así, la dificultad para alcanzar el extremo agudo es mayor en la viola, y a pesar de que la longitud de las cuerdas lo permite, existe un límite que pocas veces supera a la octava superior de la afinación de las cuerdas abiertas.

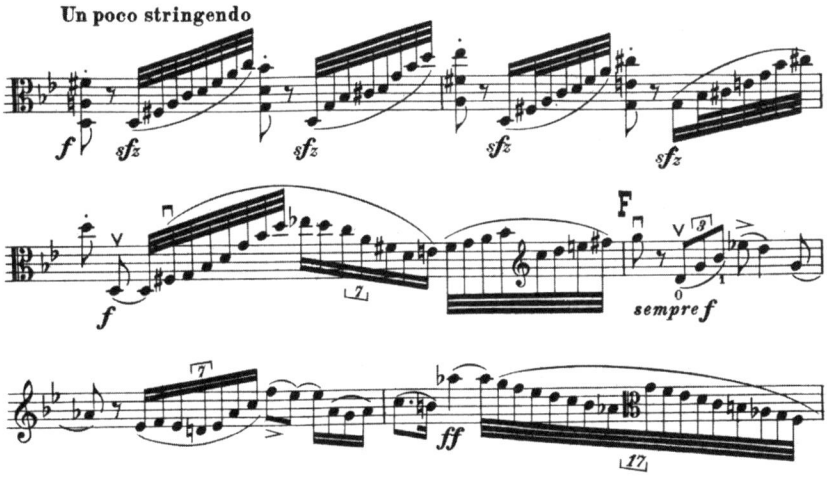

M Bruch: Romanze Op. 85 (se ha omitido a la orquesta).
Ejemplo 1.126

Esto tampoco nos debe extrañar, puesto que no es en el registro sobreagudo donde la viola desarrolla su timbre más bello, lugar en el que por otra parte el violín siempre brillará con mayor suficiencia. Es en la zona intermedia donde la viola posee su mayor calidez y capacidad expresiva, lo que no quiere decir que no pueda tener fragmentos de virtuosismo equivalente, más aún cuando la técnica de ambos apenas difiere. Aunque tiene algunas limitaciones, no entorpecen en absoluto su ejecución, y eso se observa en muchas piezas de su repertorio.

H. Vieuxtemps: Capriccio núm. 9.
Ejemplo 1.127

Su papel virtuoso no es, sin embargo, el más destacado, prefiriendo solos en tesituras intermedias en las que su sonido pasa a un primer plano, y su sutilidad tímbrica alcanza un cénit difícilmente superable por otros instrumentos. Así se encuentra en las partes solistas, donde a menudo se emplea de modo concertante.

P. Hindemith: Der Schwanendreher. Inicio.
Ejemplo 1.128

En la actualidad la viola solista posee partes equivalentes a cualquier otro instrumento de la familia de cuerda frotada, donde los efectos, timbre y uso del arco son también similares.

La viola en la música de cámara

Su uso en la música de cámara posee características distintas a las del violín. Mientras que el último participa indistintamente en las formaciones orquestales, a solo y en cámara desde sus comienzos, la viola es más empleada en la música orquestal, y relativamente poco en agrupaciones pequeñas. Como se ha mencionado anteriormente, cuando es así no queda claro si su parte pertenece a la *viola da gamba* o a la viola de la familia del violín. Así se encuentra, por ejemplo, en muchas piezas del siglo XVII. Es a partir de la consolidación del cuarteto de cuerda que empieza ocupar un lugar estable entre los violines y el violonchelo, añadiendo una nueva parte. El crecimiento del repertorio para esta formación durante los siglos XVIII y XIX, hará de ella un instrumento imprescindible, que aunque ocupa un papel intermedio, al paso del tiempo se irá consolidando hasta el punto de igualar su peso en el conjunto.

J. Haydn: Cuarteto Op. 20, núm. 4. Segundo movimiento.
Ejemplo 1.129

El gran salto cuantitativo y cualitativo de su parte se produce a lo largo del Clasicismo, en paralelo a la paulatina consolidación del cuarteto de cuerda. Esto hará que poco a poco los compositores aprecien más su sonido y peculiaridad tímbrica, ampliando su repertorio al trío y cuarteto con piano, además de otras formaciones mixtas, si bien seguirá siendo el cuarteto su formación principal.

L. v. Beethoven: Cuarteto Op. 132. Primer movimiento.
Ejemplo 1.130

A mediados del siglo XIX el repertorio de la viola posee las condiciones conocemos en la actualidad. Aún así, no es equivalente al del violín o violonchelo, a pesar de su inclusión en los grandes cuartetos con piano de W. A. Mozart y J. Brahms, entre otros. Son pocas las piezas como instrumento principal, pero aún con todo no dejan de ser relevantes: *Trío Kv. 498* para clarinete, viola y piano y el *Divertimento Kv. 563* para trío de cuerda de W. A. Mozart, *Dos canciones para contralto, viola y piano* Op. 91 de J. Brahms, *Ocho piezas para clarinete, viola y piano Op. 83* de M. Bruch, etc. A partir de finales del siglo XIX y principios del XX evoluciona notablemente, gracias a las nuevas piezas realizadas por destacados compositores, muchos de ellos también intérpretes. En la nueva música se hace énfasis en sus propiedades tímbricas y melódicas, ya alejadas de las transcripciones, lo que de uno u otro modo era el empuje que necesitaba para igualar sus condiciones al resto del grupo.

B. Britten: Lachrymæ.
Ejemplo 1.131

Esto le ha llevado a participar activamente en cualquier agrupación de cámara convencional, ya sea de instrumentos de cuerda o mixtos, con exigencias de dificultad e importancia similares, sólo limitadas por su propia técnica. La nueva música, especialmente a partir de segunda mitad del siglo XX, ha incluido a la viola en infinidad de agrupaciones, donde su parte se ha desarrollado con una técnica cercana a la del instrumento solista. Se puede decir así, que con ello ha alcanzado su total madurez.

P. Boulez: Le marteau sans Maître, núm. 1.
Ejemplo 1.132

2.3.- Violonchelo

Inglés: Violoncello, Cello   Italiano: Violoncello   Francés: Violoncelle   Alemán : Violoncell, Cello

El violonchelo es el instrumento grave por excelencia de la familia del violín, solamente superado en volumen por el contrabajo, aunque éste último posee una forma y composición mezcla del "violón" Barroco —familia de las *violas da gamba*— y del violín moderno. Su aparición a lo largo del el siglo XVI es paralela al violín y la viola. Por otra parte, es el heredero más directo de la *viola da gamba baja*, con quien compartirá repertorio en su periodo inicial y a quién acabará substituyendo. Los primeros constructores son los mismos del resto de la familia: Nicolò Amati, Jaco Stainer, Antonio Stradivari y Giuseppe Guarneri. Su forma también es igual, aunque algo más robusta, puesto que tiene que apoyarse en el suelo y su tamaño es mucho mayor. Esto también supone una manera totalmente distinta de ejecutar: el intérprete lo sostiene entre sus piernas, rodeándolo con ambas manos. La derecha sostiene el arco, mientras que la izquierda se coloca en el batidor, lo que le permite obtener una extensión considerablemente mayor a la de la viola, gracias a que se puede alcanzar sin problemas hasta el mismo límite del batidor, e incluso hasta el puente.

Detalle del instrumento.
Ejemplo 1.133

La posición del instrumento, que se halla colocado verticalmente entre las piernas del intérprete, admite una técnica en el batidor ampliada, donde también se utiliza el dedo pulgar, denominado *capotasto*, que permite alcanzar disposiciones mucho más abiertas, aunque fijas y complejas a la hora de realizar grandes saltos. El *capotasto* se emplea a lo largo de todo el batidor, si bien es más cómodo a partir de la mitad de las cuerdas. La versatilidad de las posiciones, junto a la técnica del arco, lo hacen un instrumento muy ágil, por lo que no es casualidad que a menudo se encuentre compartiendo partes a dúo con el violín. Así se encuentra en un buen número de conciertos dobles y triples que nos han dejado compositores como L. v. Beethoven o J. Brahms, entre otros. Esto hace del violonchelo un instrumento habitual en las formaciones de cámara, ya sea de cuerda —cuarteto, trío, trío con piano, etc.—, o en agrupaciones mixtas, donde comparte protagonismo con el violín. Asimismo, posee un importante número de conciertos solistas, al igual que una infinidad de piezas a solo. Desde las *Suites para violonchelo* de J. S. Bach, es un asiduo del gran repertorio, y para él se han escrito parte de las páginas más bellas de la historia de la música.

Afinación, extensión y digitaciones

Su parte se escribe normalmente en clave de Fa, aunque en el registro medio también se emplea la de Do en cuarta. En el agudo se utiliza la de Sol en segunda. El fin del uso de estas claves no es más que el de facilitar la lectura de las notas que se hallan fuera del pentagrama, por lo que salvo en estas circunstancias, es recomendable escribirlo en la primera.

Se afina una octava por debajo de la viola: Do1-Sol1-Re2-La2. Los cambios de las alturas de las distintas cuerdas —*scordatura*— son igualmente posibles, aunque como en la viola, no son habituales[47]. El ámbito del batidor también puede variar entre distintos instrumentos, especialmente si son de época diferente. Esto modifica en muy poco su límite agudo, más aún teniendo en cuenta que un buen ejecutante puede realizar notas fuera del batidor hasta su límite físico.

Extensión del instrumento.
Ejemplo 1.134

En el extremo agudo es más y difícil ejecutar con seguridad, puesto que las distancias entre las alturas, unidas al tamaño del instrumento, lo convierten en un registro engorroso donde se deben extremar las precauciones. La emisión a partir del Mi 5 no es posible en movimiento rápido, a menos de que se combine con posiciones fijas entre distintas cuerdas. Esta zona sobreaguda es muy insegura, por lo que apenas se emplea, siendo aconsejable llegar a ella por movimiento conjunto y con un tempo limitado.

En la tabla de la disposición de las alturas del ejemplo 1.135 se pueden observar las posibilidades de combinación entre distintas cuerdas, si bien a diferencia del resto de instrumentos de la familia, su tamaño no permite las relaciones estrechas de las primeras posiciones, lo que afecta a los saltos y a la apertura de la mano izquierda. Como se ha mencionado anteriormente, su disposición vertical, colocado entre las piernas y apoyado en el suelo, admite una apertura de la mano izquierda en la que el dedo pulgar también se usa para realizar posiciones que requieren de una distancia mayor a la habitual. Esta disposición, denominada *capotasto*[48], es muy común, aunque las alturas pisadas por este dedo también poseen limitaciones de movimiento. Se emplea a partir de la octava intermedia, es decir, de la zona donde comienza la caja de resonancia, puesto que fuera de ahí no es posible colocarlo detrás del batidor, si bien también se puede utilizar en las primeras posiciones. Éste último caso es excepcional y no siempre es factible, ya que precisa de un tiempo mínimo de preparación.

---

[47] La *scordatura* en el violonchelo aparece muy poco en la música anterior a la primera mitad del siglo XX, aunque hay ejemplos notables, como el de la *Suite núm. 5* de J. S. Bach, donde afina la cuerda La (primera) en Sol.

[48] Véase al respecto el apartado dedicado a las posiciones de los instrumentos de cuerda frotada de la pág, 26 y ss.

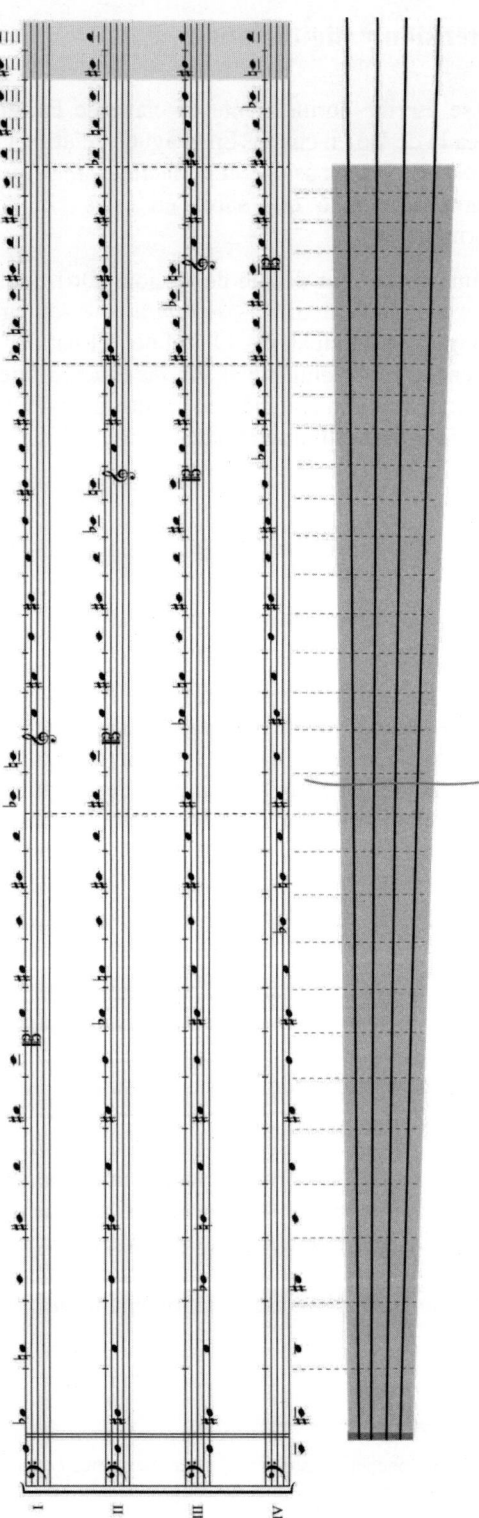

Disposición de las alturas en el violonchelo.
Ejemplo 1.135

El ámbito normal es el que llega al límite agudo de Mi5-Fa5. La extensión hacia el Sol 5 es extrema. La que sigue hasta el La 5 sólo es accesible para muy pocos —señalada con sombreado en el ejemplo 1.135—, y se precisa de un estudio muy concienzudo para tocar correctamente en esta zona. No hay que olvidar que aquí la dificultad de movimiento de los dedos es complicada, puesto que las distancias son mínimas. En muchos casos, para obtener estos sonidos basta con acudir al uso de armónicos naturales o artificiales, lo que por otra parte puede facilitar considerablemente la ejecución.

Como en el resto de instrumentos de cuerda frotada, se combinan las cuatro cuerdas para realizar los pasajes, lo que no impide que algunos se puedan efectuar con una sola, algo que depende de su carácter, así como de los saltos exigidos. La primera (La), es la que posee el sonido más brillante, utilizada a menudo para melodías o movimientos en el agudo de contenido dramático, lugar donde mantiene una tensión difícil de igualar. En el extremo es delicado ejecutar con seguridad, debido a las posiciones estrechas de la mano izquierda, si bien esto no tiene porqué ser un obstáculo para un músico profesional. Cuando se demanda un timbre más agudo el arco se acerca al puente, donde se obtiene un sonido más claro y de afinación más segura. En la segunda cuerda (Re), es igualmente tenso, pero menos brillante, de carácter aterciopelado, cercano al medio-grave de la viola. La tercera cuerda (Sol), posee un papel intermedio entre las dos primeras y la cuarta, por lo que su timbre es discreto, pero sonoro, cambiando notablemente entre el grave y al agudo, en cuyo extremo es más tenso y brillante. La cuarta cuerda (Do) es de sonido potente y claro, por lo que no es casualidad que en la orquesta clásica se emplee el violonchelo junto a los contrabajos en octava, especialmente en la región grave, puesto que en este ámbito ofrece mayor definición de emisión. El registro agudo de esta cuerda es, sin embargo, débil y de dinámica limitada.

La disposición de alturas en el instrumento (ejemplo 1.135) permite observar las características y posibilidades de combinación de las alturas entre las distintas cuerdas[49], lo que puede ayudar a concretar los saltos posibles. Por otra parte, debemos recordar que el cambio de una cuerda a otra hace más difícil el *legato*, puesto que implica interrumpir el sonido. Aún así, y a pesar de sus limitaciones, esto no tiene porqué ser un problema.

Las cuerdas abiertas se emplean con mayor frecuencia en el violonchelo que en el resto de instrumentos de cuerda agudos, especialmente en los fragmentos que requieren cuerdas múltiples, o en el registro grave. Su uso es, no obstante, esporádico, ya que poseen un sonido potente que puede complicar el equilibrio del conjunto, por lo que el intérprete no suele utilizarlo a menos de que se le indique o resulte ineludible.

Pasajes de cuerdas combinadas. En los fragmentos en *legato* combinados entre distintas cuerdas no debe sobrepasarse la distancia que permite la apertura de la mano. En ello influye la posición del batidor, según se encuentre en la zona aguda o grave: en el agudo se reducen las distancias, aunque también se acortan las posiciones, aumentando la imprecisión de las digitaciones; en el grave son mayores, y el límite interválico se halla en la quinta, aunque es preferible la cuarta, ya que la primera no es

---

[49] En la pág. 26 y ss., ya se ha expuesto todo lo que concierne a las posiciones de la mano izquierda en el batidor, por lo que no lo vamos a repetir aquí.

128

posible para todos los intérpretes. Esto no tiene por que ser un problema, a menos de que se demande realizarlo en una sola cuerda. Mantener la continuidad de una a otra simultáneamente es, sin duda, el modo para lograr la mejor articulación.

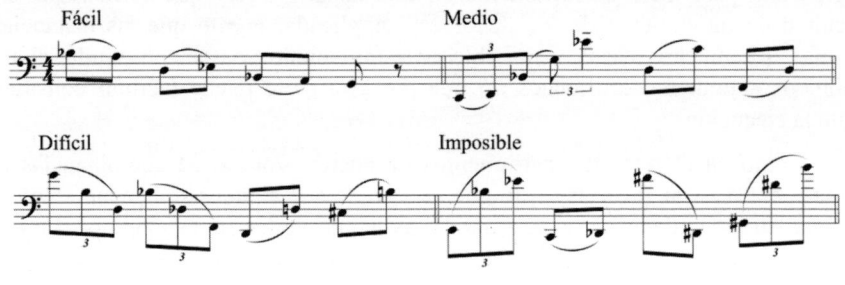

Ejemplo 1.136

Cuerdas múltiples. Todo lo relacionado con la digitación y las posiciones de la mano izquierda es extensible a las cuerdas múltiples. Por otra parte, no hay que olvidar que sólo son posibles sin saltos cuando son continuas. Las dobles se pueden mantener a lo largo de toda su extensión, teniendo siempre en cuenta las posiciones de la mano izquierda, y que sean seguidas. Las cuerdas triples y cuádruples se realizan forzosamente en arpegiado, puesto que debido a la curvatura de la disposición de las cuerdas en el batidor, no es posible atacar y mantener con el arco un número mayor a dos.

Como en el violín, las más idóneas son las que mantienen la posición natural de la mano en el batidor. Otras combinaciones, como las de orquilla, muy abiertas o de distribución múltiple, necesitan un tiempo mínimo para su preparación, por lo que tampoco pueden realizarse con permanentes cambios. Es por esta razón por lo que en la música tonal para cuerda frotada se emplean habitualmente tonalidades que permiten aprovechar las cuerdas abiertas, puesto que facilita su ejecución. Las disposiciones de quinta justa son más fáciles que en el violín, debido al tamaño del instrumento y a la posición de la mano.

De nuevo, el procedimiento más idóneo a la hora de distribuir las cuerdas múltiples, es el de tener en cuenta la disposición de las alturas de acuerdo a la distancia que mantienen entre sí a partir del eje central del acorde, lo que a su vez será también la posición de la mano en el batidor. A diferencia del violín o la viola, las distancias son mucho mayores, por lo que su realización es similar, pero no equivalente, para lo cual la tabla de la disposición de las alturas en el batidor (ejemplo 1.135), además de la de las posiciones (ejemplo 1.13), puede servir de gran ayuda a la hora de su elección. En el ejemplo siguiente se muestran una serie de combinaciones en dificultad creciente. Por otra parte, saltando de una cuerda a otra se puede realizar cualquier movimiento sin limitación alguna más allá de la capacidad del ejecutante, si bien no serán acordes simultáneos, sino arpegiados.

Cuerdas dobles

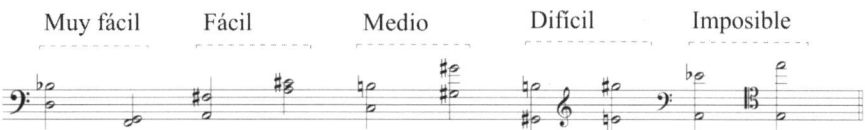

Cuerdas triples

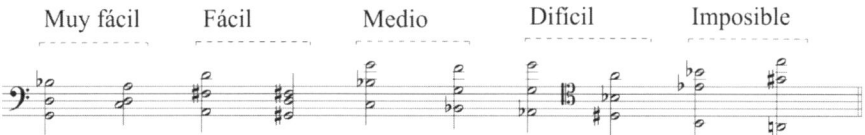

Cuerdas cuádruples

Ejemplo 1.137

Armónicos. El límite para la realización de armónicos naturales tiene que ver con su tamaño y versatilidad, lo que permite emitirlos con comodidad en todas las cuerdas hasta el armónico 11, y con mayor dificultad hasta el 14 —cambia entre la primera y última, que va de más a menos respectivamente. Aún así, el ejecutante puede situar la posición de armónico —media presión— a lo largo de toda la cuerda, y aunque no todos poseen la misma claridad, ofrecen muchas posibilidades de combinación con los sonidos normales. Esto se emplea frecuentemente, puesto que en no pocos casos facilita la ejecución de pasajes con grandes saltos. Para su escritura es conveniente conocer con detalle la tabla de posiciones, ya que permite controlar con comodidad y precisión el movimiento de la mano izquierda en el batidor (ejemplo 1.138).

En la tabla del ejemplo 1.138 se muestran las posiciones de la mano izquierda en el batidor, donde se ha anotado con un rombo la posición del dedo —a media presión—, y el sonido resultante con cabeza negra —los distintos tipos de rombo del ejemplo hacen referencia a su nivel de dificultad. Los signos de octava, cuando son necesarios, se hallan dispuestos del siguiente modo: por debajo, los que se refieren a la posición en el batidor, y por encima, los de los sonidos resultantes. También hay posiciones en las que un mínimo movimiento del dedo permite realizar más de un armónico, aunque estos casos suelen pertenecer a los más alejados, por lo que son inseguros y difíciles de obtener. Las indicadas con X no poseen sonido resultante alguno. Como se ha indicado anteriormente, los que se hallan más allá del armónico 11 no suenan claros, y en muchos casos son ruidosos, cercanos a los multifónicos, de ahí que algunos autores los asocien a aquellos.

130

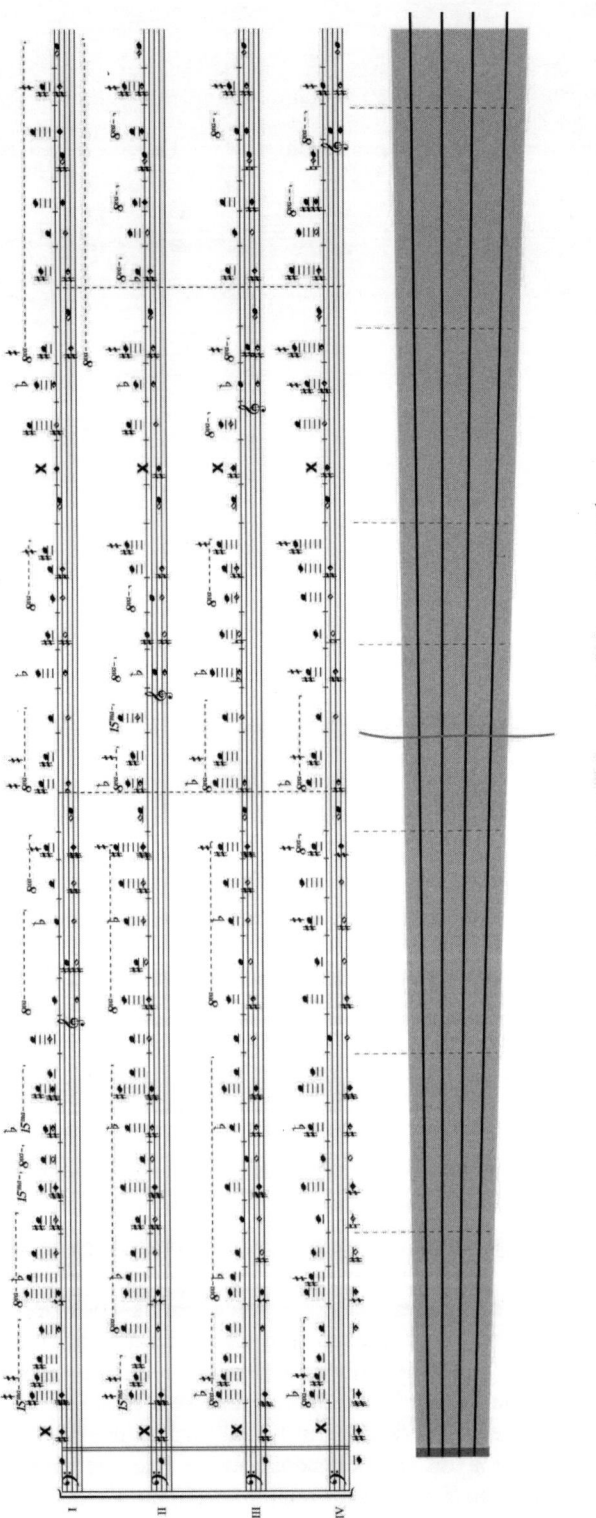

Disposición de los armónicos naturales a lo largo del batidor.
Ejemplo 1.138

Al igual que en el violín y la viola, los armónicos artificiales son relativamente fáciles de obtener, con posiciones que pueden llegar a la octava en el registro agudo, aunque siempre con el *capotasto*. No obstante, estos últimos únicamente son posibles a partir de la octava superior de la afinación principal. Al poseer una caja de resonancia considerablemente mayor a la de sus hermanos agudos, también son más audibles y sonoros. El ámbito recomendable para realizarlos es el siguiente —la zona aguda extrema es difícil y no todos los intérpretes la pueden alcanzar con facilidad:

Ejemplo 1.139

Más allá de estas posiciones es complicado obtener un armónico artificial claro y bien afinado. Aunque los más utilizados son los de cuarta, quinta, y tercera, también existen otros, si bien se emplean poco, debido a que son más inseguros y menos eficaces. Se pueden obtener sin problemas los que van desde la quinta justa a la tercera menor, y siempre dentro del registro recomendado anteriormente. Las distancias más pequeñas son más difíciles y problemáticas según se acercan a la región aguda. En el siguiente ejemplo se muestran todos los posibles, lo que es extensible al ámbito mencionado anteriormente.

Armónicos artificiales en el violonchelo.
Ejemplo 1.140

Los armónicos artificiales de octava apenas se utilizan porque no es posible alcanzarlos con la mano. Los de sexta —mayor y menor—, sólo son viables en las posiciones avanzadas —a partir de la sexta posición—, los de quinta a partir de la cuarta, y los de cuarta y tercera a lo largo de toda su extensión[50]. Las más abiertas es imprescindible prepararlas, ya que se requiere de un tiempo mínimo para alcanzarlas con seguridad. Por otra parte, y como ya se ha mencionado para el resto de instrumentos de cuerda, no hay que olvidar que muchos de estos armónicos se pueden obtener a partir de distintas posiciones, lo que en no pocos casos puede ser más cómodo y fácil.

---

[50] Esto dependerá siempre del intérprete y de su capacidad física, por lo que lo mencionado aquí hace referencia al ejecutante medio.

El violonchelo en la orquesta

El uso del violonchelo en la orquesta es paralelo al del violín, con quien compartirá el mayor número de partes concertantes de las primeras piezas para la formación de cuerda frotada. Desde sus inicios participa con una doble función solista-bajo que lo acabará convirtiendo en el instrumento polivalente que es. Ahora bien, también es cierto que su principal papel en estas primeras obras es la de refuerzo del bajo armónico, posición que comparte con el resto de instrumentos graves y el clave —o continuo. Esto, unido a la escasa participación inicial de otros también graves, lo que muchas veces se hallaba condicionado a las posibilidades reales de disposición instrumental de cada agrupación, hace que a menudo su parte se limite a un simple bajo con función de apoyo de la verticalidad armónica del conjunto. No faltan partituras donde ni siquiera se anota, dando por hecho que se realizará con aquél[51].

---

[51] No siempre era así, puesto que dependiendo de las condiciones de cada agrupación podía ser substituído por un instrumento equivalente de la familia de la *viola da gamba*, o de la de viento-madera —fagot o bajón—.

J. S. Bach: Cantata BWV 151, Aria.
Ejemplo 1.141

Esta no es una función superada en la técnica del violonchelo, sino más bien consolidada, lo que todavía hoy se mantiene dentro del ámbito orquestal. No debe extrañarnos pues, que en la mayor parte de las obras orquestales que van del siglo XVII hasta la mitad del siglo XIX, no posea un papel destacado más allá de pasajes esporádicos. Es a partir de la mitad del siglo XIX cuando su funcionalidad se dirige hacia una polivalencia en la que tanto puede ser instrumento principal como bajo armónico. El énfasis de estas partes ya se encuentra en las primeras piezas concertantes, aunque en muchos casos se asimila más a las partes solistas que no a la de su integración en el conjunto.

A. Corelli: Concerto Grosso núm. 6, Allegro.
Ejemplo 1.142

La ampliación de la parte del violonchelo, con el doblaje a la octava grave de los contrabajos, añade aún más importancia a su función de instrumento de apoyo del bajo armónico, lo que en muchos autores se alarga hasta la segunda mitad del siglo XIX, con un papel único para ambos. Esto limita su técnica, puesto que el nivel de exigencia de su parte es inferior a las posibilidades reales de ejecución. A cambio se obtiene un peso armónico que, reforzado por el doblaje de los contrabajos, engrosa la columna armónica. Este uso es habitual a lo largo del todo el Clasicismo, y son muy pocos los casos en que se demanda dividirlos. Es a partir de finales del siglo XVIII, cuando se empiezan a encontrar más ejemplos de independencia de los dos grupos, aunque la mayoría poseen la finalidad de control dinámico, y no tímbrico. En Beethoven las partes de los violonchelos ya se diferencian claramente de las del bajo continuo de la tradición anterior, y por consiguiente, poseen un protagonismo equivalente, lo que deja entrever el camino que seguirán en la música posterior.

L. v. Beethoven: Sinfonía núm. 5, Op. 67, Segundo movimiento.
Ejemplo 1.143

Aunque Beethoven inaugura el proceso que llevará inexorablemente a la división de las partes del bajo entre violonchelos y contrabajos, no es hasta algo más tarde que su papel cobra un peso definitivo, gracias a que los autores desarrollan su música realzando sus cualidades expresivas. Esto, unido al nuevo estilo, hará que en el seno orquestal su parte crezca en importancia, igualándola al resto de instrumentos de cuerda agudos (ejemplo 1.144). Se dan así los primeros pasos hacia la consecución de un modelo de escritura orquestal que ha de llevar a una similitud de exigencias en todas las partes por igual (véase los ejemplos 1.120 a 1.124). La música actual ha conducido a una armonización de su papel en la agrupación, con un nivel de dificultad que en ocasiones se asemeja a la del solista. Sobre si esto se adecua o no a la realidad de la orquesta, es algo en permanente debate entre compositores y ejecutantes. En cualquier caso, los inconvenientes que posee el hecho de que la partitura no se estudie el tiempo equivalente al de cualquier pieza a solo o concierto, hace que no sea posible abordarla con la misma eficacia.

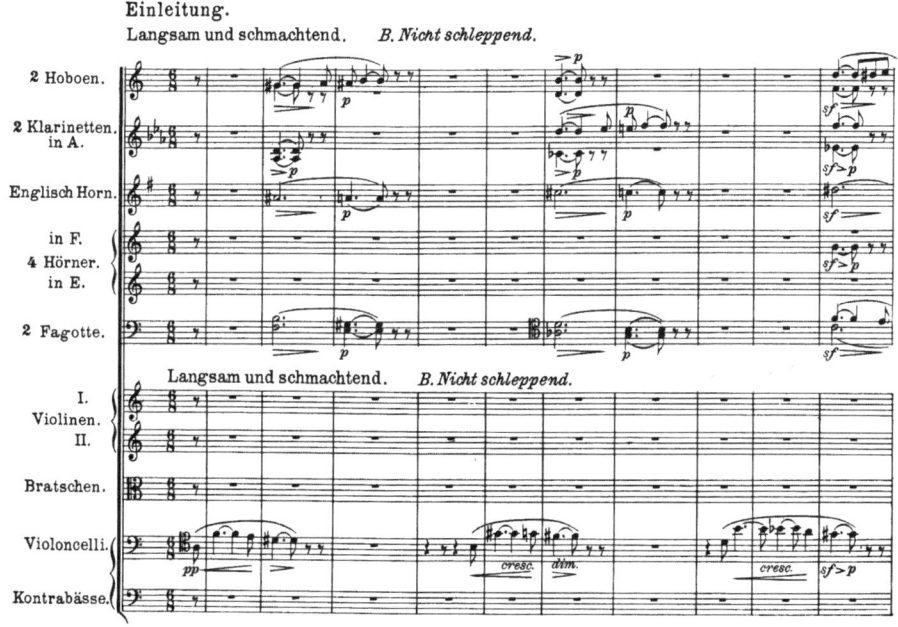

R. Wagner: Tristán e Isolda, inicio del preludio.
Ejemplo 1.144

En la actualidad su técnica ha evolucionado notablemente, de modo que muchos ejecutantes pueden llegar a alcanzar un grado de destreza que les permite tocar con seguridad pasajes que en el pasado sólo eran posibles para unos pocos. Esto nos aventura a decir que no tiene porque haber un límite mientras su parte sea posible, aunque siempre que se encuentre dentro de lo razonable. No hay que olvidar, sin embargo, que el músico de orquesta posee un tiempo limitado de trabajo, dentro de la dinámica habitual del conjunto, el que va de un concierto al siguiente, por lo que no se trata, ni mucho menos, de las condiciones y tiempo de preparación que ofrece el estudio individual del solista. Aunque la tarea de éste último es normalmente más compleja, también tiene menos limitaciones de tiempo, aparte de un menor número de obras que asimilar. Esto aconseja ser prudentes a la hora de realizar una pieza para orquesta y delimitar sus dificultades, puesto que no se trata de partes a solo, sino de una agrupación de individuos que deben alcanzar una combinación lo suficientemente equilibrada como para no acabar en un mar de desafinaciones e imprecisiones.

F. Romitelli: Audiodrome, (se ha omitido al resto de la orquesta).
Ejemplo 1.145

El violonchelo como instrumento solista

Las partes de violonchelo solista poseen, desde sus comienzos, un alto grado de dificultad, similar a las del violín, cuyas diferencias tienen más que ver con el volumen del instrumento que no con su capacidad de emisión y realización, algo que al paso del tiempo no ha hecho más que ampliarse. Aunque es frecuente escuchar el equívoco de que su evolución técnica se intensifica a lo largo del siglo XX, nada está más lejos de la realidad: desde los primeros conciertos solistas, así como en las piezas para solo, las exigencias son muy altas, para lo cual no hay más que leer algunas de las partes de las *Suites para violonchelo* de J. S. Bach. Sí lo ha hecho, sin embargo, en el uso de timbres y procedimientos especiales.

J. S. Bach: Suite para violoncello núm. 5, BWV 1011, Preludio[52].
Ejemplo 1.146

---

[52] J. S. Bach emplea aquí la *scordatura* siguiente: C-G-D-G

El violonchelo ofrece posibilidades de realización que el violín no posee. El uso del *capotasto* y la emisión de los armónicos más agudos le proporcionan una agilidad de registro y sonido que, unido a su capacidad expresiva, le permiten realizar desde las partes más graves hasta las más agudas con prácticamente la misma versatilidad. Sólo en el extremo agudo posee mayor dificultad de emisión, lo que se debe a la poca distancia existente entre las distintas alturas. Esto no ha sido, sin embargo, un obstáculo para que esta zona se empleara con asiduidad desde sus comienzos.

A. Vivaldi: Concierto para Violonchelo RV 413, fragmento del primer movimiento
(se ha omitido al resto de la orquesta).
Ejemplo 1.147

Durante el Clasicismo su técnica se mantiene estable, con pocas diferencias con respecto a la música anterior, aunque con un menor número de conciertos respecto al violín: W. A. Mozart no posee ninguno, J. Haydn cuatro, aunque no está clara la autenticidad de algunos de ellos, y L. v. Beethoven únicamente el *Triple concierto para violín, violonchelo y piano*. Hay que esperar a la segunda mitad del siglo XIX para encontrar los que en la actualidad son los principales. Los más destacados son el de R. Schumann *(La menor Op. 129)*, los dos de C. Saint Saëns *(La menor Op. 33*, y *Re menor Op. 119)*, sin olvidar el *Doble concierto en La menor para violín y violonchelo Op. 102* de J. Brahms.

C. Saint Saëns: Concierto para Violonchelo en La menor Op. 33
(se ha omitido al resto de la orquesta).
Ejemplo 1.148

Estos conciertos se comportan como la revitalización definitiva del instrumento, que ve cómo a partir de este momento crece el número de conciertos y piezas a solo. Esto le lleva, junto al violín y el piano, a ser uno de los que posee el mayor y más importante número de piezas dedicadas. La dificultad, sin embargo, no se ve incrementada más allá de la técnica empleada en el período Barroco. Lo que sí cambia es el uso del registro y su directa relación con la gestualidad melódico-tímbrica, lo que poco a poco se abrirá camino en su repertorio. En esta línea se encuentran conciertos como los de E. Elgar, A. Dvorak, A, Honegger, D. Kabalevsky, A. Khachaturian, P. Hindemith, entre otros.

E. Elgar: Concierto para Violonchelo Op. 85, segundo movimiento
(se ha omitido al resto de la orquesta).
Ejemplo 1.149

Así, la complejidad de su parte va en aumento de modo progresivo, aunque mantiene su carácter. Estas mismas características son llevadas al extremo incluso en compositores que se alejan del Romanticismo, pero que ven en el violonchelo una capacidad expresiva cercana a la voz humana. Esto, subrayado por intérpretes de altísimo nivel, como P. Casals y M. Rostropovich, le llevarán al encumbramiento que todavía hoy posee.

B. Britten: Suite para violonchelo núm. 2, Op. 80, cuarto movimiento.
Ejemplo 1.150

La literatura posterior ha tendido a un virtuosismo que le sitúa en el límite físico. Esto ha llevado a complicar enormemente su parte, lo que en algunos casos conlleva un esfuerzo notable para descifrar la partitura, a veces incluso con el objetivo final de crear cierta ansiedad como parte intrínseca de su ejecución. No obstante, el extremo que nos debemos marcar como inviolable es el que tiene que ver con su máxima capacidad de realización. Lo que es imposible no es realizable, y demandarlo puede llevar fácilmente a que el intérprete desprecie la obra.

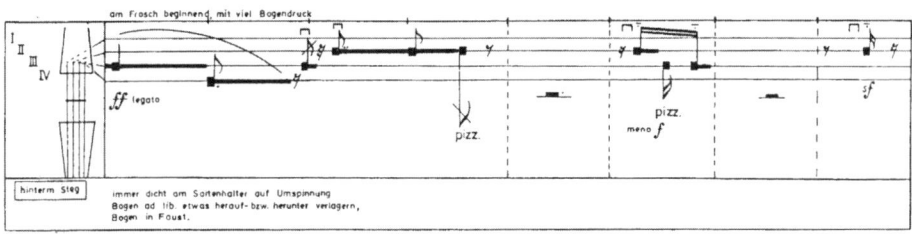

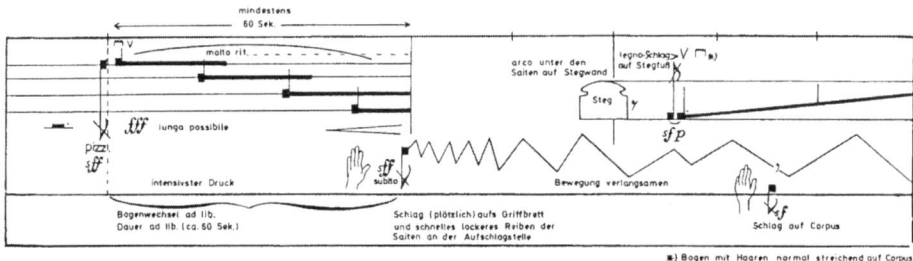

H. Lachenmann: Pression[53].
Ejemplo 1.151

El violonchelo en la música de cámara

El papel de bajo continuo, junto al clave y otros instrumentos graves, que se observa en la primera orquesta, es el mismo que ocupa en sus comienzos en el seno de la música de cámara. No se puede establecer una clara línea de división de usos, ya que las primeras formaciones no diferencian con claridad la pertenencia a una u otra agrupación. Su papel sigue siendo el de instrumento a cargo de la parte grave —véanse los ejemplos 1.102 a 1.104. Es por esta razón por lo que la dificultad técnica del instrumento solista no se encuentra aquí, donde mantiene un papel de bajo armónico alejado de los modelos expresivos que le continuarán. Es el violín el que posee las partes melódicas principales. Únicamente en determinadas piezas, como en la fuga y otros modelos contrapuntísticos similares, posee un papel más exigente, lo que se traduce en un uso dual de bajo y melodía. Así lo encontramos en piezas como *El arte de*

---

[53] H. Lachenmann emplea aquí la *scordatura* siguiente: Lab0-Sol1-Reb2-La2

la Fuga BWV 1080 en J. S. Bach, y en una de las obras más destacadas del primer Romanticismo, la *Cuarteto Gran Fuga Op. 133* de L. v. Beethoven. No obstante, se trata de casos puntuales que no son representativos de su técnica en el ámbito en la música de cámara, puesto que como se ha dicho anteriormente, su parte sigue siendo de refuerzo del bajo.

W. A. Mozart: Adagio y Rondo en Do menor KV 617, primer movimiento.
Ejemplo 1.152

Así, es en el cuarteto de cuerda donde el violonchelo desarrolla su técnica más avanzada, aparte de la música para solista. En los cuartetos de L. v.. Beethoven y J. Brahms principalmente, toma el aliento necesario para su evolución posterior hacia la polivalencia mencionada en el ámbito de la música orquestal: en el *Doble concierto en La menor Op. 102* de J. Brahms (ejemplo 1.105), comparte con el violín la parte de instrumento solista, algo que ya había realizado en el *Triple Concierto en Do Mayor Op. 56* de L. v. Beethoven. Es precisamente la importancia que le dan estos autores, con la composición de cuartetos, tríos y cuartetos con piano, además de los conciertos, lo que hace que su papel crezca en importancia y, por consiguiente, adquiera un protagonismo desvinculado del bajo. Todo lo que concierne al timbre y registros se revitaliza de manera extraordinaria, dando pié a un repertorio que interesa cada día más a los compositores, y al cual dedicarán las que probablemente son sus mejores páginas.

J. Brahms: Piano Trío Op. 101. Primer movimiento.
Ejemplo 1.153

El extraordinario desarrollo de su técnica hace que en la música de cámara se convierta en un instrumento imprescindible, puesto posee matices difíciles de igualar: en el grave es potente, con un peso armónico y definición de altura que no tiene otro miembro de la familia de cuerda; en el agudo puede alcanzar una tesitura notable, lo que ayudado por los sonidos armónicos le permite una gran polivalencia tímbrica y gestual. Lo mencionado ha tenido una influencia notable, con partes en las que su timbre y textura obtienen un papel definitorio.

I. Stravinsky: Concertino.
Ejemplo 1.154

Este desarrollo tímbrico será notorio a partir de la segunda mitad del siglo XX, y tiene como notables precedentes los cuartetos de A. Webern, A. Schönberg, A. Berg y B. Bartók entre muchos otros. Una vez alcanzada la máxima de la complejidad melódica, el instrumento se dirige hacia un uso en el que se exploran todas sus características tímbricas, ya sea con el arco, con la mano izquierda, etc., además de las relacionadas con el resto de la familia de cuerda —golpes de arco, media presión, tocar debajo del *ponticello*, golpear en la caja de resonancia, etc.

B. Furrer: Aer.
Ejemplo 1.155

La influencia de la música electrónica ha tenido, sin duda, un peso fundamental a la hora buscar timbres y modos de articulación que no habían sido explorados con anterioridad, ya sea porque se consideraban interferencias acústicas, o simplemente ruidos accesorios, lo que además se evitaba. La técnica actual del violonchelo ha eliminado muchas barreras, y es en la música de cámara donde las combinaciones entre los distintos miembros del grupo las dimensiona. Así, hoy existen muchos modelos

con intenciones igualmente distintas, que van desde el modelo clásico, en el que la melodía posee un peso preponderante, hasta otros cuya intención es la de construir un juego de timbres que en no pocos casos supone la creación de un instrumento aparentemente nuevo. Esto ha derribado sus límites técnicos, algo que para muchos intérpretes cuestiona la tradición, si bien estas son cuestiones secundarias que sólo el tiempo irá madurando, gracias al lógico y natural filtro de aquéllas que poseen características lo suficientemente consolidadas y eficientes como para acabar formando parte, eventualmente, del violonchelo del futuro.

2.4.- Contrabajo

Inglés: Double Bass   *Italiano: Contrabasso*   *Francés: Contrebasse*   *Alemán: Kontrabass*

El contrabajo es el miembro más voluminoso de la familia del violín, y el que más variantes de forma exterior posee con respecto al resto del grupo. También mantiene muchas coincidencias con sus antecesores, especialmente en lo que se refiere a construcción y apariencia. Del instrumento actual ya se encuentran antecedentes a finales del siglo XV, con tamaños que parten del *violón* de la familia de la *viola da gamba*, y con el que la forma de su silueta exterior a menudo conserva gran similitud.

Existen dos modelos principales: los que se asemejan a la forma del violín, y los que poseen una caja de resonancia similar a la *viola da gamba* grave. Tampoco faltan los que mantienen características de sus ancestros: en el caso del derivado de *viola da gamba*, con los agujeros en forma de **C** —e incluso con un tercer agujero en medio con una roseta[54]—, y en el del violín, con la forma de *f* característicos. También los hay mixtos[55], tanto en lo que se refiere a silueta como agujeros, aunque su finalidad y afinación no difieren entre sí. El tamaño de su caja de resonancia es variable, si bien en el contrabajo medio se encuentra aproximadamente en los 140 cm. de longitud. Para la música de cámara se emplean puntualmente instrumentos más pequeños, que pueden tener tan sólo 115 cm. También los hay mayores, aunque forman parte del decálogo infinito de variables de la familia.

Detalle del instrumento de cuatro cuerdas.
Ejemplo 1.156

Se emplea apoyado en el suelo, con el intérprete de pié rodeándolo con los brazos: se sostiene con la mano izquierda y se toca con el arco o dedos de la mano derecha. Su tamaño obliga a tocar erguido, por lo que el ejecutante suele apoyarse sobre un taburete. Lo mencionado tiene influencia directa en el uso del arco, que si bien es más grueso que en el resto de instrumentos de cuerda, no es más largo, aparte de que se

---

[54] La roseta, empleada habitualmente en los antiguos instrumentos de cuerda pulsada, consiste en una tapa en forma de celosía con distintas formas —entre ellas las de una flor, de ahí su nombre—, que cubre el agujero de la caja de resonancia, lo que en el contrabajo se encuentra debajo o cercano al batidor.

[55] De hecho, buena parte de los utilizados en la actualidad lo son.

utiliza con una posición de agarre distinta debido a su colocación[56]. El objeto no es otro que el de obtener una agilidad similar a la del resto de la familia.

Afinación, extensión y digitaciones

Los instrumentos de cuatro cuerdas, los más habituales, se hallan afinados en cuartas —Mi0-La0-Re1-Sol1—, mientras que los de cinco poseen disposiciones diversas. Actualmente la quinta cuerda también se afina a una distancia de cuarta, es decir, en Si0[57], ya que esto supone posicionarlas con la misma relación interválica. También se sitúa frecuentemente en Do0, lo que por otra parte es el modo tradicional. A la hora de escribir para contrabajo no hay que olvidar, sin embargo, que no todos los ejecutantes lo realizan igual, aunque se puede demandar sin que cause problema alguno. Del mismo modo, los hay que poseen una *extensión*, que consiste en un sistema de cejilla móvil colocada en la cuarta cuerda, que en su máxima apertura permite llegar al Do0 grave. Así, de la habitual cuarta justa que separa la tercera y cuarta, se pasa a una sexta mayor, lo que influye en el resto de alturas.

No se debe olvidar, sin embargo, que en la orquesta sólo una pequeña parte de los contrabajos posee cinco cuerdas. Aún así, en las formaciones de envergadura cada día es más frecuente que la mayoría lo sean. Es por esta razón que a la hora de escribir para el instrumento, hay que tener en cuenta qué parte del grupo es de cuatro y cual es de cinco, puesto que de lo contrario los intérpretes la realizarán directamente a la octava superior.

El ámbito también puede variar entre distintos instrumentos, sobre todo si son de época diferente, aunque no es precisamente en el límite agudo donde habitualmente se ejecuta, prefiriéndose para ello a otros miembros de la familia. En esta zona la afinación es más insegura, debido a que las distancias entre una nota y otra se hallan muy cercanas, lo que dificulta las posiciones de los dedos de la mano izquierda. En esto también influye su tamaño, que no permite alcanzarlas con seguridad. La extensión del contrabajo actual —cuatro y cinco cuerdas— es la siguiente:

Extensión del instrumento[58].
Ejemplo 1.157

---

[56] Véase el apartado dedicado al uso del arco en los instrumentos de cuerda frotada, pág. 20.

[57] Véase la distribución de las alturas en el batidor en el ejemplo 1.158.

[58] Únicamente el instrumento de cinco cuerdas posee la cuarta inferior.

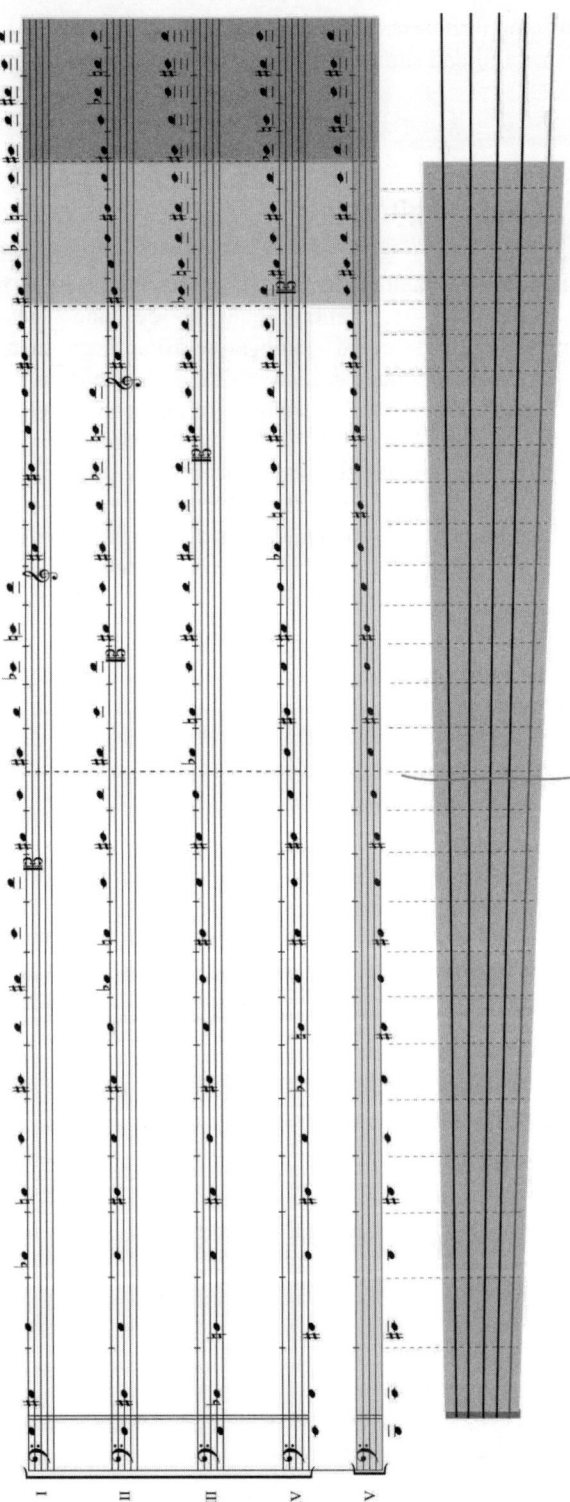

Disposición de las alturas en el contrabajo de cuatro y cinco cuerdas.
Ejemplo 1.158

Se escribe en clave de Fa, y suena a la octava inferior[59]. El uso de la quinta cuerda añade mayor tesitura en el grave, pero también dificulta sensiblemente la agilidad de movimientos en el resto: las posibilidades de combinación, aunque son mayores con esta, pueden complicar algunas posiciones. Los instrumentos con cinco cuerdas pueden emplear igualmente acordes de cinco notas, aunque lo hacen muy esporádicamente. La zona que va del sonido Do4 al Fa4 —sin olvidar que suenan a la octava inferior— es peligrosa, puesto que se encuentra fuera del batidor[60]. En la orquesta normalmente no se sobrepasa el Sol4 —sonido escrito.

En el ejemplo 1.158 se encuentra la disposición del contrabajo de cuatro y cinco cuerdas, y en él se observan con claridad las características y posibilidades de combinación de las alturas en distintas posiciones, especialmente en lo que concierne a cuerdas múltiples. Su ámbito, aunque varía poco entre distintos instrumentos, apenas modifica su límite agudo. Posee un tamaño notable, por lo que las posiciones de la mano en su máxima apertura son limitadas[61], lo que hay que cuidar a la hora de escribir para él, evitando saltos imposibles. Las partes sombreadas del ejemplo apenas se emplean en la orquesta, puesto que los intérpretes de estas formaciones están más acostumbrados a desarrollar el registro grave. La zona de las cuerdas que se encuentra fuera del batidor es de difícil acceso, y se utiliza en contadas ocasiones.

Como en el violonchelo, a partir de la octava se utiliza el pulgar dentro del batidor, ya que en esta zona empieza la caja de resonancia y no es posible mantenerlo en su posición normal. Esto resta agilidad de movimientos, puesto que se pierde el punto de apoyo del resto de los dedos, lo que puede repercutir en la afinación.

El empleo de una cuerda u otra tiene mucha importancia en el contrabajo, más que en cualquier miembro de la familia de cuerda frotada, lo que repercute en el timbre. En la primera cuerda (Sol), es donde se obtiene el sonido más brillante, cercano al del violonchelo, especialmente en el registro agudo. En el extremo es más difícil ejecutar con seguridad, ya sea por su tamaño como por las posiciones de la mano izquierda. Las distancias se hallan también relacionadas con su envergadura, equidistantes con respecto al resto de instrumentos agudos. En las cuerdas segunda y tercera (La y Re) el sonido cambia entre el registro grave y agudo, en cuyo extremo posee mayor tensión, aunque con un timbre más apagado con respecto al violonchelo. Éste es, sin embargo, el característico del contrabajo para fragmentos de acompañamiento rápidos. La cuarta (Mi), posee un sonido profundo de gran peso dinámico y tímbrico, ideal para obtener un bajo armónico de envergadura, si bien es oscuro y tenso. La quinta cuerda (Si-Do) posee características similares a la cuarta —únicamente cuando se encuentra—, con mayor énfasis en su peso dinámico y un timbre pesado que es el más grave de la orquesta, sólo sobrepasado por el piano y el órgano. En estas cuerdas el registro agudo es débil y de dinámica limitada, razón por lo que se usa poco. Como en el resto de la familia, las cuerdas abiertas se emplean con moderación, puesto que su sonido destaca fácilmente. El intérprete utiliza siempre la combinación de todas las cuerdas, a excepción de cuando se demanda un pasaje en una determinada, lo que debe especificarse.

---

[59] También hay compositores que prefieren escribirlo en sonido real, si bien es muy incómodo para el intérprete, que se ve obligado a leer con muchas líneas adicionales.

[60] En algunos instrumentos el batidor puede llegar a abarcar una seguna mayor más aguda de la descrita en el ejemplo 1.158.

[61] Véanse las posiciones del instrumento en la pág. 26 y ss.

Pasajes de cuerdas combinadas. Para que un pasaje pueda realizarse en *legato* no debe sobrepasarse la distancia que permite la apertura de la mano, lo que puede cambiar de un instrumento a otro dependiendo de su tamaño —y en no pocas ocasiones del físico del intérprete. También influye la posición en el batidor, según se trate de la zona aguda o grave. En el agudo se reducen las distancias, aunque también se acortan las posiciones, aumentando la imprecisión de las digitaciones. En el grave son mayores y el límite interválico sobre una sola cuerda se halla en la tercera mayor, aunque esto no es un problema si se combinan varias cuerdas. Tener en cuenta el paso de una a otra, manteniendo su continuidad, es siempre el modo más eficaz.

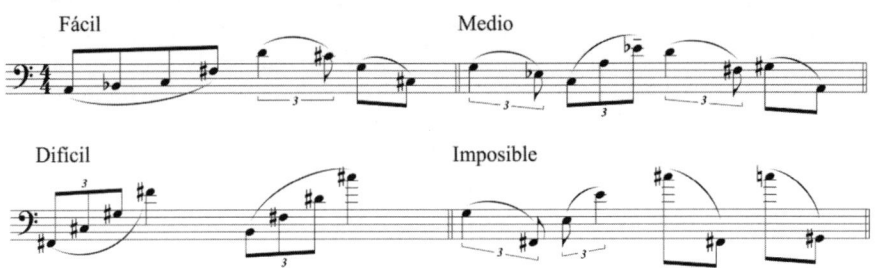

Ejemplo 1.159

Cuerdas múltiples. Todo lo relacionado con la digitación y la posición de la mano izquierda mencionado anteriormente es extensible a las cuerdas múltiples. Por otra parte, no hay que olvidar que sólo son posibles consecutivamente. Las dobles se pueden emplear a lo largo de toda su extensión, siempre teniendo en cuenta las posiciones de la mano izquierda. Las triples, cuádruples y quíntuples se realizan en arpegiado, puesto que no es posible atacar con el arco un número mayor a dos cuerdas simultáneas y continuas.

Como en el violonchelo, las posiciones más idóneas son las que mantienen la disposición natural de la mano en el batidor. Otras combinaciones, como las de orquilla, muy abiertas o de distribución múltiple, necesitan un tiempo mínimo de preparación, y tampoco pueden realizarse con cambios continuos. Es por esta razón por lo que en la música para instrumentos de cuerda frotada se emplean normalmente tonalidades que permiten aprovechar las cuerdas abiertas, lo que facilita su ejecución. A diferencia del resto de la familia aguda, las distancias de quinta justa son más fáciles gracias a la posición de la mano, siendo posibles a lo largo de todo el batidor.

Igual que en el resto de los instrumentos de cuerda, el procedimiento más idóneo a la hora de distribuir las cuerdas múltiples, es el de tener en cuenta la disposición de las notas de acuerdo a la distancia que mantienen entre sí a partir del eje central del acorde, lo que a su vez es también la posición central de la mano izquierda en el batidor. A diferencia del violonchelo, las distancias son mucho mayores, algo que hay que tener en cuenta cuando se realiza una ordenación equivalente, para lo cual la tabla de distribución de las alturas (ejemplo 1.158) puede servir de ayuda a la hora de su elección.

Cuerdas dobles

Cuerdas triples

Cuerdas cuádruples

Ejemplo 1.160

Armónicos. El límite para la realización de armónicos en el contrabajo tiene que ver con su tamaño. En lo que concierne a los naturales, la longitud de las cuerdas permite hasta el armónico 7 y 8 en las cuerda I, II y III, y el 7 en la IV; mientras que en el instrumento de cinco cuerdas, en la quinta es difícil obtener más allá del 6[62]. Aún así, el ejecutante puede situar la posición a lo largo de toda la cuerda —con media presión del dedo sobre el nodo—, y aunque no todos los sonidos se emiten con la misma eficacia, ofrece posibilidades de combinación que pueden facilitar la realización de determinados pasajes. Así lo emplean frecuentemente los intérpretes, si bien es conveniente conocer con detalle las posiciones con los sonidos resultantes, lo que permite controlar el movimiento sin caer en incoherencias o saltos imposibles.

En la tabla del ejemplo 1.161 se muestran las alturas resultantes con la posición de la mano izquierda en el batidor. Se ha anotado con un rombo las situación de los dedos —lugar donde se debe ejercer la mínima presión para la emisión del sonido—, y con cabeza negra el sonido real. Cuando son necesarios los signos de octava, se hallan dispuestos del siguiente modo: por debajo los que se refieren a la posición en el batidor, y por encima los resultantes. Hay posiciones en las que un mínimo movimiento del dedo permite realizar más de un armónico, aunque son los más alejados, además de inseguros y muy difíciles de obtener. Las posiciones indicadas con X no poseen sonido alguno, y los de la quinta cuerda apenas se emplean, razón por lo que no se han incluido.

---

[62] Véase el apartado genérico de los armónicos de los instrumentos de la familia del violín en la pág. 37 y ss.

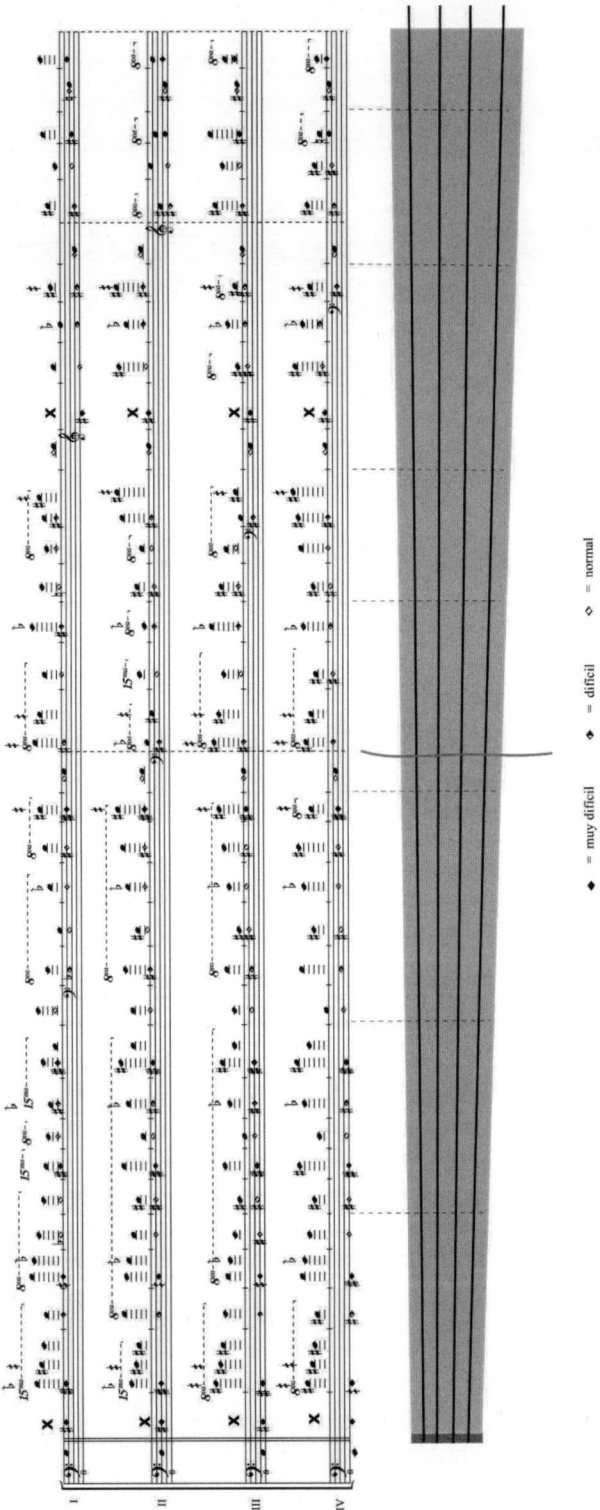

Disposición de los armónicos naturales a lo largo del batidor.
Ejemplo 1.161

Los armónicos artificiales poseen en el contrabajo características similares al resto de instrumentos de cuerda frotada. Los principales —tercera y cuarta principalmente—, se emplean únicamente a partir de la quinta posición. Los de tercera menor, mayor y cuarta justa son posibles de modo progresivo —del grave al agudo—, con una apertura máxima de la mano de quinta justa a partir de la octava posición. En las primeras cuerdas se pueden realizar con mayor comodidad, y en la tercera, cuarta y quinta son de emisión difícil. El ámbito recomendable es el siguiente:

Ejemplo 1.162

Más allá de estas posiciones es difícil obtener un armónico artificial claro. Aunque en la actualidad, los más empleados son los de tercera, cuarta y quinta, también pueden realizarse en otras posiciones, a pesar de que son poco comunes. Se pueden obtener fácilmente los que van desde la quinta justa a la segunda mayor —siempre dentro del registro recomendado anteriormente. Las distancias más pequeñas de tercera menor son más difíciles e inseguras según se acercan a la región aguda, y el armónico resultante es más parecido a un sonido múltiple o ruidoso que no a un sonido normal. En el siguiente ejemplo se muestran todos los que son posibles sobre una única cuerda, lo que es extensible a la tesitura mencionada anteriormente.

Posibles a partir de la octava posición   Posibles a partir de la quinta posición

Armónicos artificiales en el contrabajo.
Ejemplo 1.163

Los mayores de quinta justa no son posibles más que en la región aguda extrema, por lo que no se emplean.

El contrabajo en la orquesta

El principio del uso del contrabajo en la orquesta hay que situarlo en el último Barroco y primer Clasicismo, si bien su antecedente se encuentra en el *violón* de la familia de la *viola da gamba*, lo que es en sí mismo un claro ejemplo de su empleo, puesto que el instrumento actual se trata de un híbrido entre ambos. Sus inicios tienen que ver con el redoblaje de las partes del continuo realizadas por los violonchelos. No tendrá un papel específico hasta bien entrado el Clasicismo. J. Haydn será el primero en darle mayor importancia en el ámbito orquestal, escribiendo en algunas de sus obras una parte separada —*Sinfonías 6, 7, 8, 31, 45* y en el comienzo de *La creación*, entre otros. Estos casos son, sin embargo, esporádicos y de una significación limitada, con una intención de facilitar su papel, más que de la de disociarlo del resto de la cuerda grave.

J. Haydn: La creación, inicio de la Representación del caos.
Ejemplo 1.164

Aunque la parte del contrabajo se mantiene en esta línea, es decir, con un papel prácticamente exclusivo de refuerzo del grave de los violonchelos, hay ejemplos de partes más destacadas, si bien son esporádicas. Esto tiene que ver con su emisión, que es de precisión limitada, especialmente en el conjunto. El doblaje de los violonchelos ayuda a obtener un sonido más claro y preciso, por lo que no es casualidad la combinación del dúo violonchelos-contrabajos de la orquesta clásico-romántica. El hecho mismo de que se mantengan a distancia de octava permite mayor emisión de armónicos, favoreciendo la verticalidad gracias a las coincidencias de los sonidos resultantes. Cada grupo aporta características diferenciales: los violonchelos una buena definición de altura, además del peso en el grave; y los contrabajos la amplitud de la fundamental. Esto permite multiplicar el volumen dinámico del bajo, al tiempo que ayuda al resto de la familia aguda a obtener mejor afinación. Estas características son las que perduran en su empleo hasta bien entrado el siglo XX, con particularidades que se diferencian y cambian al paso del tiempo, pero que mantienen en esencia los mismos criterios.

L. v. Beethoven: Sinfonía núm. 9 Op. 125, cuarto movimiento
(se ha omitido al resto de la orquesta).
Ejemplo 1.165

El empleo del contrabajo evoluciona enormemente a partir de Beethoven, si bien a lo largo del siglo XIX se sigue utilizando el mismo doblaje de violonchelos y contrabajos de la música precedente. Esto se mantiene hasta el cambio de los criterios armónicos de la combinación vertical de la orquesta a principios del siglo XX, lo que no es óbice para que algunos autores amplíen su parte con algunos *divisi* difíciles de imaginar medio siglo antes.

R. Strauss: Así habló Zarathustra Op. 30 (se ha omitido al resto de la orquesta).
Ejemplo 1.166

Este *divisi*, aunque esporádico, se amplia considerablemente a lo largo del siglo XX, llegando al individuo único. Aún así, no se puede decir que de este modo se obtenga el mejor rendimiento del conjunto. Aunque se consigue mayor ampliación del grupo, también se pierde en eficacia armónica vertical. Esto deja de tener importancia en el momento en el que se prescinde de la tonalidad o cualquier otro método que implique aproximación al espectro armónico. A menos de que se utilice un sistema de connotaciones similares a la tonalidad, se pierde en volumen dinámico y amplitud tímbrica, aunque se gana en textura. Sin ella sólo se alcanza un volumen débil que obliga al ejecutante a tocar más fuerte para obtener un peso dinámico equivalente al del doblaje de octava o el unísono.

I. Xenakis: Metastaseis (se ha omitido al resto de la orquesta).
Ejemplo 1.167

Aparte del aumento del *divisi*, también se produce un crecimiento notable del uso de efectos tímbricos que guardan semejanza con el resto de la familia de cuerda frotada. Aunque la mayoría son menos ágiles, debido principalmente a su tamaño, no dejan de utilizarse, sobre todo en grupo. La eficacia es menor, sin embargo, cuando se demanda una dificultad cercana a la del instrumento a solo, ya que no es fácil obtener un timbre equilibrado. Es por esta razón por lo que algunos compositores han preferido escribir para orquesta reduciendo efectivos, con el objeto de obtener mayor precisión. Esto permite, sin duda, controlar de mejor modo el resultado final.

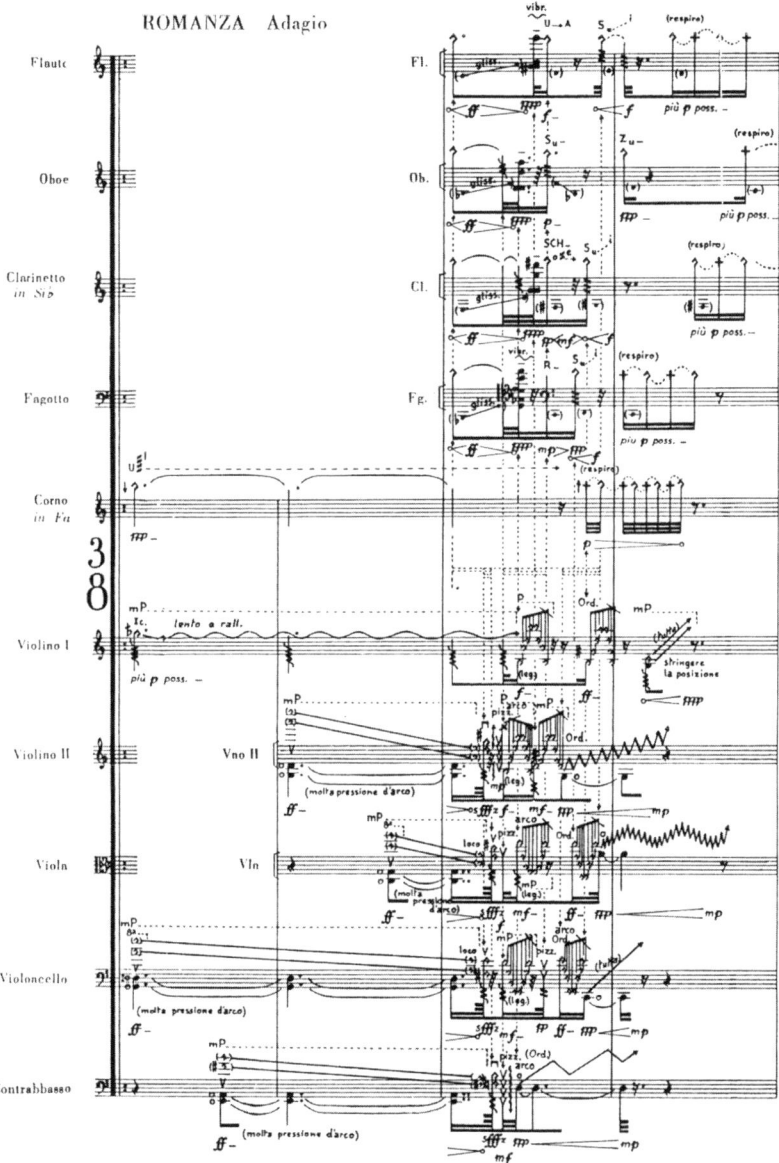

S. Sciarrino: ...Da un divertimento.
Ejemplo 1.168

El contrabajo como instrumento solista

El desarrollo del papel del contrabajo como instrumento solista es el más tardío del grupo de cuerda frotada, y las primeras piezas datan de mediados del siglo XVIII, de la mano de autores como K. D. v. Dittersdorf, J. B. Vanhal, F. A. Hoffmeister, A. Capuzzi, J. M. Sperger, entre otros[63]. Es en el siglo XIX cuando su repertorio se consolida, con conciertos que son hoy su repertorio de referencia.

G. Bottesini: Concierto para contrabajo y orquesta en Fa# menor, Segundo movimiento
(se ha omitido al resto de la orquesta).
Ejemplo 1.169

En estos conciertos la parte del contrabajo posee un peso similar a la de su hermano agudo, el violonchelo, con un nivel de exigencia notable. En estos se aprecia que se mueve muy a menudo en la región aguda, dejando el registro grave para fragmentos ocasionales. Con esto se enfatiza su carácter expresivo, y aunque no es fácil ejecutar en esta región, es precisamente aquí donde abandona su carácter grandilocuente por el ligero y expresivo de los instrumentos medio-agudos. Esta característica prevalece en buena parte de los obras solistas posteriores, por lo que no es extraño ver que poco a poco se tiende a utilizar *scordaturas* que permiten ejecutar con mayor eficacia y agilidad, aparte de que así también se obtiene un timbre más brillante, lo que le acerca al violonchelo[64].

---

[63] De J. Haydn se conoce de la existencia de un concierto para contrabajo que desapareció tras el incendio de la Biblioteca de Eisenstadt del año 1776.

[64] Para la música a solo se emplean otras afinaciones, normalmente más agudas —denominadas *solo* o *super solo*—, lo que facilita la ejecución de determinados pasajes extremos.

S. Koussevitzky: Concierto para contrabajo y orquesta Op. 3, Segundo movimiento
(se ha omitido el resto de la orquesta).
Ejemplo 1.170

Este nivel de exigencia ha ido en aumento al paso del tiempo, demandando al contrabajo una técnica equivalente a los de la familia aguda. Esto no siempre se puede obtener con la misma fidelidad de afinación y precisión, lo que por otra parte depende de cada ejecutante. Su evolución tímbrica ha sido, sin embargo, equivalente a la de aquellos, con nuevas posibilidades y combinaciones que han enriquecido enormemente su repertorio.

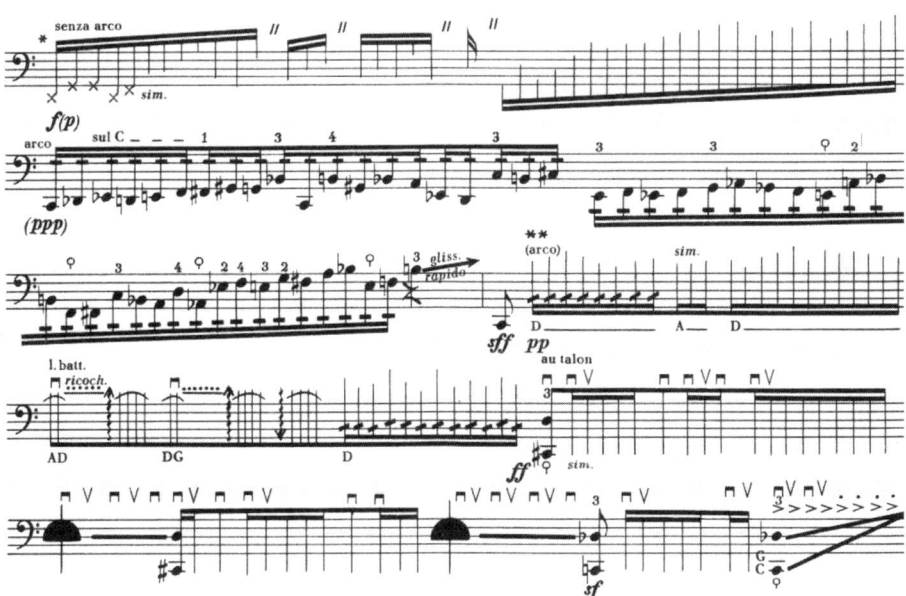

K. Penderecki: Capriccio per Siegfried Palm.
Ejemplo 1.171

El contrabajo en la música de cámara

El uso del contrabajo en la música de cámara es tardío, y hay que esperar a la segunda mitad del siglo XVIII para encontrar obras significativas. Tampoco se debe olvidar que debido a su cercanía con el violón de la familia de la *viola da gamba*, no existe una línea divisoria clara con respecto al paso de un instrumento a otro, lo que en muchos casos se simultanea. Por otra parte, al contrabajo se le requiere habitualmente para un repertorio asociado a agrupaciones de envergadura, lo que normalmente no es compatible con la música de cámara. Su papel de doblaje de la línea del bajo, junto al continuo, lo convierten en secundario, y por tanto, prescindible en agrupaciones pequeñas, donde se prefiere al violonchelo como instrumento grave. Así pues, su repertorio en este género es limitado hasta finales del siglo XVIII, con pocas piezas en las que participa con una parte independiente.

D. Dragonetti: Duetto, primer movimiento.
Ejemplo 1.172

En el anterior ejemplo se mantiene el papel de instrumento solista mencionado en el apartado anterior, es decir, con una parte aguda que permite desarrollar su carácter más expresivo. Así se encuentra frecuentemente en piezas de cámara con agrupaciones de cuerda limitadas. Cuando aparece en formaciones de mayor tamaño recupera su papel grave, propio de la música orquestal, y aunque en algunos pasajes mantiene el juego combinatorio del doblaje a la octava con el violonchelo, no es esta su función principal. Así se encuentra en el *Septeto Op. 20* de Beethoven (ejemplo 1.104), o en el *Quinteto "La trucha" Op. 114* de F. Schubert, las que por otra parte son las piezas más representativas de su uso en el ámbito de la música de cámara hasta la primera mitad del siglo XIX.

F. Schubert: Quinteto "La trucha" Op. 114. Tema y variaciones, variación núm. 4.
Ejemplo 1.173

Son pocas las piezas de cámara escritas a lo largo del siglo XIX en las que participa con un papel más allá del doblaje del violonchelo. Habrá que esperar a finales de siglo para encontrar un repertorio más exigente, a la altura del resto de instrumentos orquestales.

I. Stravinsky: Historia de un soldado, Danse du diable.
Ejemplo 1.174

Es a partir de la segunda mitad del siglo XX cuando rompe las fronteras del doblaje de la música tradicional, con la incorporación de técnicas y timbres comunes al resto de instrumentos de cuerda. Esto hace que los compositores vean en el contrabajo un potencial tímbrico no desarrollado anteriormente, lo que por consiguiente ayudará a la ampliación de su repertorio.

G. Scelsi: Okanagon, para tam-tam, contrabajo y arpa.
Ejemplo 1.175

Del mismo modo que en el resto de instrumentos de cuerda, esto supone cambios en su técnica, a la vez que una ampliación que no tiene más límite que el de las posibilidades físicas de cada intérprete. Con ello se iguala a cualquier otro miembro de la familia de cuerda, y como ocurre en la música para solista, su papel será equiparable al de sus hermanos agudos. No obstante así, su agilidad sigue siendo menor, aunque en la actualidad esto es un reto para los ejecutantes, y no una limitación.

3.- Otros instrumentos de cuerda frotada

Aunque en el grupo de cuerda frotada la familia del violín ocupa un lugar prominente, su historia y evolución parten de instrumentos antecesores relacionados con aquélla, algunos de los cuales poseen un peso notable en su período de influencia. No todos han gozado, sin embargo, del mismo interés para los compositores, por lo que no parece razonable enumerarlos íntegramente, puesto que a los principales se añaden infinidad de variantes, que en muchos casos son tanto o más destacadas que el original. Éste apartado está dedicado pues, a los que tras un período de inacción han retornado a la actividad de la música de concierto, donde hoy se encuentran completamente rehabilitados. La mayor parte se emplean para la interpretación de la música antigua, y en algunos pocos casos en obras nuevas que los requieren. También hay excepciones en las que su evolución no se llega a truncar del todo—como por ejemplo, en la *viola de amor*—, gracias a que se emplean en la música de la primera mitad del siglo XX, manteniéndose en dicho repertorio, e incluso ampliándolo con piezas nuevas. Otros, como la *viola da gamba* —y también la *viola da braccio*—, debido a su actual recuperación, vuelven a gozar de un nuevo esplendor, lo que ha hecho que algunos autores los retomen de nuevo, aunque su uso todavía sigue siendo limitado. Es por las razones esgrimidas hasta aquí por lo que consideramos imprescindible su estudio, que realizamos con idéntico tratamiento con respecto al resto de instrumentos, tanto en lo que se refiere a su descripción como a sus posibilidades de ejecución.

3.1- Viola da gamba.

Inglés e italiano: Viola da gamba   Francés: Viole de gambe[65]   *Alemán: Kniegeige o Welsche Geige*

Como *viola da gamba* entendemos hoy a un gran número de instrumentos de cuerda que, de uno u otro modo, han sido la antesala del violín actual[66]. A diferencia de la familia del violín, que posee una destacada estandarización en lo que respecta a forma, sonido y técnica, lo que se mantiene prácticamente inalterable desde sus comienzos, la *viola da gamba* se halla en permanente evolución. Sus variantes son muchas, aunque la mayoría conservan las mismas características.

Los primeros instrumentos que consideramos *viola da gamba* aparecen en Europa hacia la segunda mitad del siglo XVI, aunque hay tratados anteriores en los que ya se apuntan algunos antecedentes, como en la *Regola Rubertina* de Silvestro Garnasi de 1542, y el *Musica instrumentalis deudsch* de Martin Agricola de 1545, si bien todavía no son los definitivos. No habrá que esperar muchos años para que así sea. Michael Prætorius, en su *Syntagma Musiccum II, de organographia* de 1618, ya hace una descripción de las cuatro violas principales, con la forma en que las conocemos en la actualidad.

---

[65] En francés también se utiliza la denominación *Dessus de viole, Taille de viole* y *Basse de Viole*.

[66] La propia denominación de *viola da gamba* es ya problemática, puesto que mientras que su significado literal es, viola de pierna, también se utiliza para nombrar a otros instrumentos, como la *viola da braccio*, la *viola bastarda* —que responde más a una manera de interpretar—, la *vihuela de arco*, la *vihuela de pierna*, el *violón*, etc. Todos son iguales, aunque de distinto tamaño.

En este tiempo el grupo de violas tendrá un fuerte arraigo aristocrático, por lo que su evolución y uso, así como posterior olvido, van parejos a lo que supusieron los movimientos campesinos del período de su influencia, con el ascenso y declive político-económico de la aristocracia de finales del siglo XVIII, lo que arruinaría su evolución como familia propiamente dicha, dando lugar a la prominencia del violín. La aparición de las salas de conciertos a lo largo de la segunda mitad del siglo XVIII y principios del XIX, con grandes espacios donde se precisaba de un mayor volumen dinámico, contribuirían a su desuso. Esto hace que sea empleada muy esporádicamente a lo largo del siglo XIX, no siendo parcialmente recuperada hasta la segunda mitad del siglo XX, gracias a la proliferación de formaciones que poseen como objetivo principal mantener un rigor historicista. La música actual lo está rescatando del olvido que ha sufrido durante decenios, especialmente en lo que respecta a nuevas composiciones, aunque sigue siendo poco utilizada fuera del marco de la música histórica.

Lo mencionado anteriormente supone la ruptura del cordón umbilical entre el período de su invención y la época actual, por lo que hoy en día se construyen en su mayoría de acuerdo a réplicas del siglo XVI y XVII. Su composición es, sin embargo, similar a la del violín —no en vano la viola antigua es su antecesor—, aunque con algunos cambios: no posee las mismas uniones (bordillos) de las partes de la caja de resonancia; el número de cuerdas es mayor (entre 6 y 7); la forma de su caja de resonancia es distinta, además de plana; los agujeros también son diferentes (en forma de C y no *f*); su voluta posee decoraciones variables; etc.; sin olvidar todo lo que concierne al arco. Las diferencias entre distintos constructores pueden ser elevadas, si bien al paso del tiempo se ha tendido a una estandarización que permite un estudio ordenado. El objetivo es conseguir una técnica más depurada, de modo similar a cómo se da en el resto de instrumentos orquestales modernos.

Su uso en la nueva música es limitado, puesto que se utiliza mayoritariamente para la interpretación de la música antigua. Aunque emplea técnicas de interpretación tomadas del estudio de tratados y escritos de la época de su invención, la realidad es que esta cuestión sigue siendo una incógnita entre músicos y musicólogos, porque aún con ello, no se puede determinar con certeza todo lo que concierne a su tradición oral. No hay que olvidar que el instrumento prácticamente se abandona a lo largo del siglo XIX, y no es hasta la segunda mitad del siglo XX cuando se realizan intentos serios de recuperarlo, con todos los inconvenientes que esto acarrea: dudas sobre la veracidad de su empleo, modos de articulación, dinámicas, estilo, etc.

Hoy en día se denomina a la familia de la violas antiguas con distintas acepciones, aunque la que más a prosperado es la de *viola da gamba*, y en algunos casos, *viola da braccio*, aunque esta última se utiliza poco. La primera se halla en oposición a la otra. La *viola da braccio*[67] es, de hecho, el instrumento antecesor del actual violín, de quien toma su forma y posición. La *viola da gamba* se ejecuta apoyada sobre los muslos —e igualmente en el brazo (*viola da braccio*)[68]—, y de ella hay cuatro tipos principales: soprano, tenor, bajo y violón. También las hubo de más pequeñas, de tamaño intermedio, así como mayores, como la *viola contralto*, que es algo menor que la *viola tenor*, aunque posee la misma afinación. En este apartado nos ceñiremos exclusivamente a los más utilizados en la actualidad.

---

[67] También se emplea la denominación *viola de brazo*, aunque normalmente se utiliza la italiana, de ahí que la prefiramos como referencia.

[68] De la *viola da braccio*, la más grande que se emplea es la *viola tenor*.

Aunque antiguamente se construían instrumentos con un número de cuerdas que oscilaba entre 4 y 7, en la actualidad se utilizan únicamente los de 6 y 7, siendo el primero el más empleado. Las cuerdas son de tripa, al igual que en el instrumento original, lo que todavía se mantiene. Son muy pocos los casos en los que se usan metálicas.

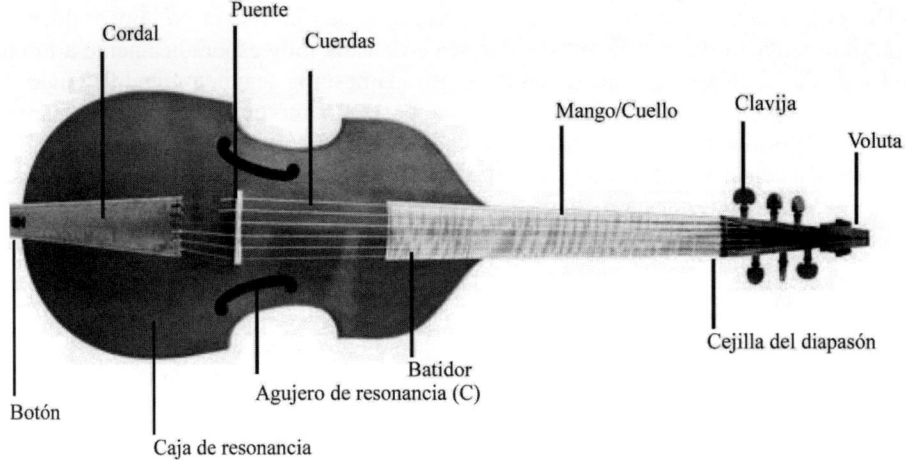

Detalle del instrumento.
Ejemplo 1.176

Arco

El arco de la familia de la *viola da gamba* es distinto del de la familia del violín —a excepción del instrumento Barroco—, y su forma también es diferente. Se trata de un arco más ligero, de formas curvadas. Como se observa en el ejemplo 1.177, el botón se halla más separado de la nuez, que se sitúa justo en la vara, lo que obliga a cogerlo con una posición de la mano diferente, cercana a la que hoy en día se utiliza en el contrabajo: con la palma de la mano hacia arriba, presionando con el dedo corazón.

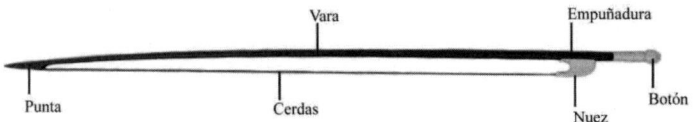

Arco de la familia de la viola barroca.
Ejemplo 1.177

Lo primeros arcos se construían con madera de serpiente (*snake wood*), o madera de hierro (*iron wood*), aunque actualmente se realizan en madera de Pernambuco, al igual que en el violín. Las cerdas son de crin de caballo u otros materiales sintéticos que los sustituyen. Su forma y tamaño varían de un instrumento a otro: es menor para los pequeños, y mayor en los grandes, lo que oscila entre los 70 y 79 cm. de longitud.

Instrumentos

Como ya se ha mencionado anteriormente, bajo la denominación de *viola da gamba* se encuentra una la familia completa, que se compone de cuatro instrumentos principales: soprano, tenor, bajo y violón. Todos se colocan entre las piernas del intérprete. Sólo otros más pequeños, apenas utilizados en la actualidad, y que pertenecen a la familia de la *viola da braccio*, se sitúan en el brazo (Quintón, Pardessus). En cuanto a su tamaño, las medidas de referencia se basan en la distancia entre la cejilla y el puente, que es de 35 cm. de longitud en la soprano, 50 cm. en la tenor, 70 cm. en la baja, y entre 90 y 95 cm. en el violón.

| Soprano | Tenor | Baja | Violone (violón) |

Familia completa de la viola da gamba.

Ejemplo 178

Todos mantienen las mismas características de construcción, diferenciándose únicamente en su tamaño. Salvo en los que son réplicas de instrumentos antiguos, en la actualidad se realizan sobre patrones estandarizados. Muchos de estos, especialmente los más graves, también utilizan un sistema de trastes que en algún caso son fijos, aunque no es lo normal. Habitualmente emplean cuerdas de tripa atadas en la parte trasera, lo que permite obtener una afinación más precisa. El número de trastes que utilizan es de siete, y cambian de lugar según la pieza[69]. También es posible disponerlos según el sistema mesotónico. Cuando se realiza en temperamento igual, a veces se emplean dos trastes en paralelo separados entre sí, ya que la tensión entre una y otra cuerda puede variar notablemente y hace difícil mantener una disposición completamente equilibrada. Esto antiguamente apenas se empleaba, si bien es una cuestión sobre la que los teóricos no se ponen totalmente de acuerdo.

3.1.3.- Afinación, extensión, técnica

La viola antigua emplea un mayor número de cuerdas que la familia del violín, lo que no equivale a decir que su tesitura sea más amplia. Aunque su extensión es similar, no se utilizan de igual modo hacia el agudo, y mucho menos en su extremo, ya que en ese lugar pierden el color y timbre que las caracteriza.

Afinación. La *viola da gamba* se afina habitualmente con un diapasón algo más bajo que el actual, si bien siempre de acuerdo a la música que se va a interpretar. Normalmente el La 3 posee entre 385hz y 415hz, aunque esto no supone que no se pueda afinar del mismo modo que en el resto de las familias instrumentales —de hecho, para la música italiana del siglo XVII se sitúa en 440hz. Por otra parte, para la interpretación de la música antigua tampoco se utiliza el temperamento igual, lo que varía según la época, autor e intérprete. En las agrupaciones de cámara actuales, se emplea un diapasón que oscila entre los 420hz y los 442hz. En lo que concierne a las alturas de las cuerdas entre distintos miembros de la familia, es algo que puede diferir según el constructor y su procedencia, lo que no ocurre con el violín, de por sí más estable gracias a su estandarización.

Existen pues, distintas afinaciones para cada miembro de la familia. En el ejemplo 1.179 mencionamos las más habituales. Debemos remarcar, sin embargo, que es habitual el uso de la *scordatura*, por lo que la mencionada aquí es únicamente de referencia[70]. La falta de una normalización en este aspecto ya se encuentra recogida en muchos de los tratados de su época de influencia, aparte de que puede cambiar según se trate de instrumentos solistas o agrupaciones. En este último caso suelen hallarse dispuestos por cuartas.

---

[69] El cambio de posición de los trastes no se emplea a lo largo de un mismo concierto, puesto que requeriría mucho tiempo de preparación. Téngase en cuenta además, que estas variaciones pueden acarrear una dificultad adicional para el intérprete, que necesita adaptarse a cada nuevo sistema.

[70] La *scordatura* se empleaba frecuentemente en la música para instrumento a solo —escrita normalmente en tablatura—, afinando las cuerdas en distancias de cuartas con una tercera en medio, lo que todavía hoy se mantiene.

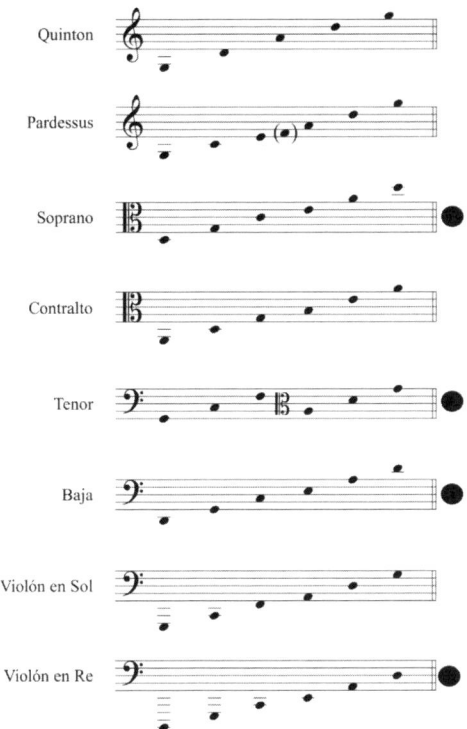

Afinación del grupo completo de violas da gamba[71].
Ejemplo 1.179

Violas da gamba como el "quintón" y el *pardessus* francés, así como la *viola contralto,* son instrumentos poco utilizados en la actualidad. El *violón* suele emplear dos afinaciones distintas: Sol y Re, si bien esta última, que se encuentra a la octava inferior de la viola tenor, es la más adoptada. Otras violas, utilizadas esporádicamente, son las inglesas *Lyra viol*, algo más pequeña que la viola tenor, la *Division viol*, parecida a la viola baja, y la italiana *Viola bastarda*, que como se ha mencionado anteriormente, se trata más bien de una técnica para la interpretación.

Ámbito y extensión. No hay una extensión definitiva entre las *violas da gamba*, puesto que al tratarse de replicas de instrumentos antiguos —además de que no existe una estandarización clara—, no podemos más que mostrar las que consideramos más utilizadas, por lo que cuando se precisa obtener el límite último de su tesitura debe consultarse con el intérprete al cual va destinada la pieza.

---

[71] Las señaladas pertenecen a los instrumentos principales.

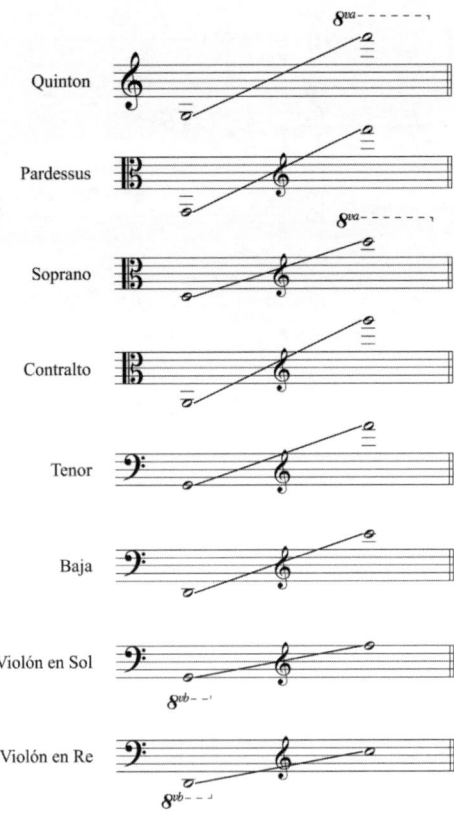

Ámbito del grupo completo de violas da gamba[72].
Ejemplo 1.180

Aunque en el ejemplo anterior se puede deducir que en cada cuerda se puede alcanzar aproximadamente una séptima menor sobre octava, la realidad es que en las cuerdas graves es difícil de obtener, especialmente en los instrumentos mayores. Así, en las cuarta, quinta y sexta, no es posible alcanzar más allá de la quinta sobre octava, puesto que la posición de la mano no permite ejecutar con seguridad (véase el ejemplo 1.181 y 1.182).

Articulaciones. Todo lo mencionado con respecto a las articulaciones de los instrumentos de cuerda frotada de la familia del violín es aplicable a la de la *viola da gamba*. Sólo se debe tener en cuenta que el mayor número de cuerdas no ofrece la misma agilidad de movimientos, especialmente en los saltos, lo que en algunos casos puede llegar a ser problemático. Esto es algo, sin embargo, que un intérprete profesional no debe acusar. La que más difiere es la dirección del arco: en la viola, la trayectoria habitual es la de arco hacia arriba, contraria a la del violín. Esto hace que sean algo más difíciles de realizar los pasajes largos con un solo arco, así como el *spiccato* y el *ricochet*.

---

[72] Ejecutar en el extremo agudo, más allá del ámbito señalado es difícil y apenas se emplea.

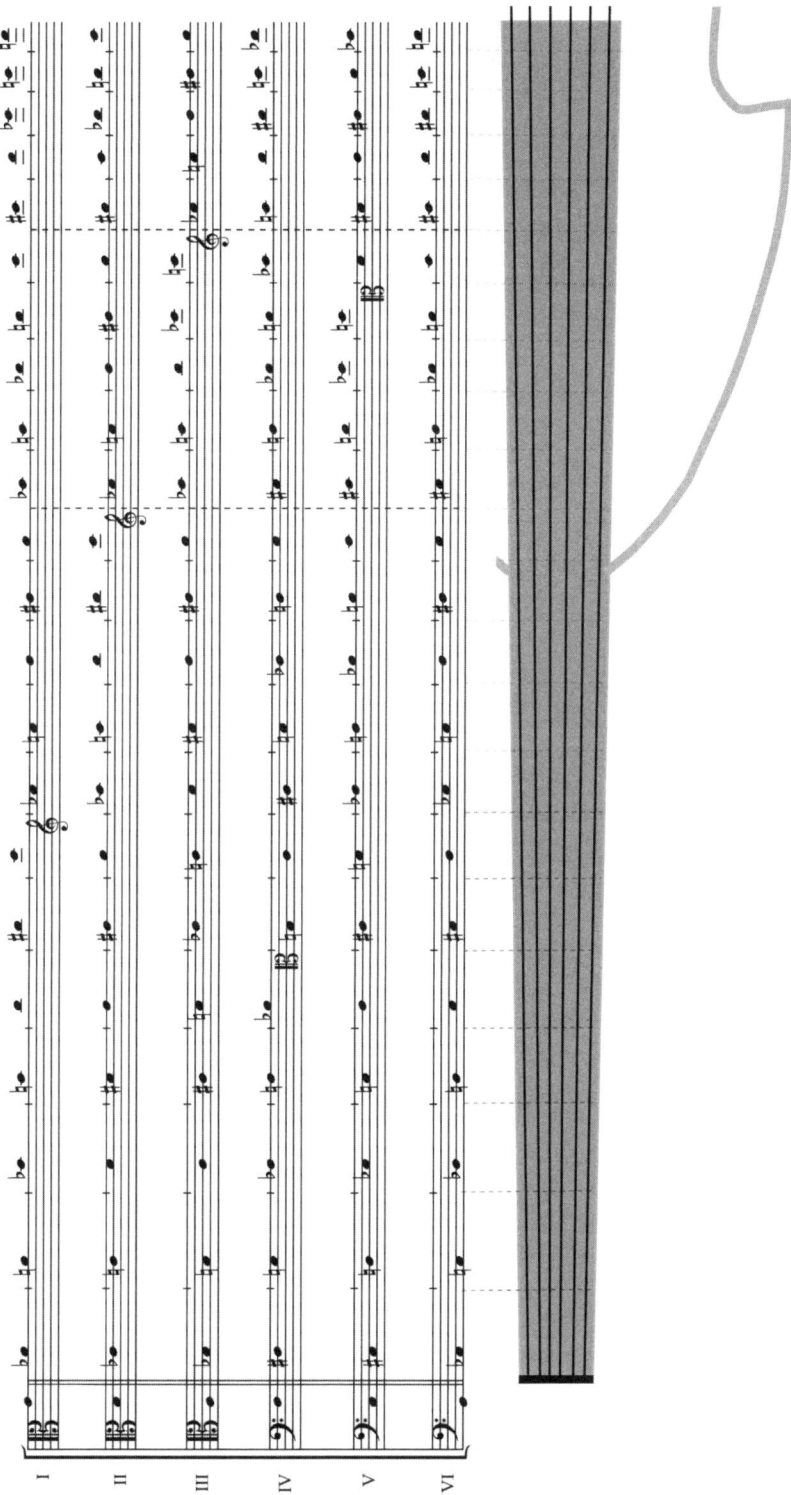

Viola da gamba tenor.
Ejemplo 1.181

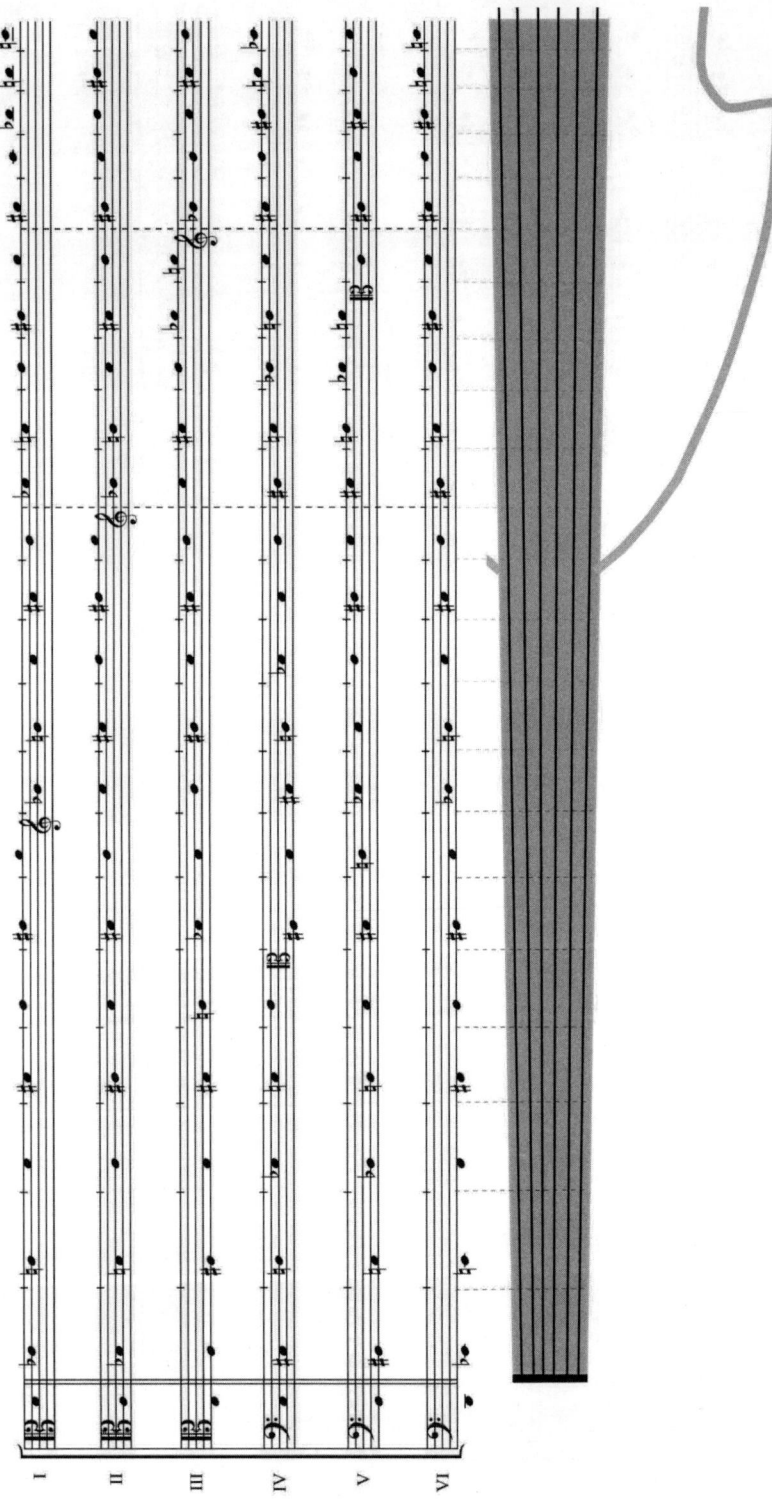

Viola da gamba baja.
Ejemplo 1.182

Cuerdas múltiples. El uso sin arpegiar, más allá de las cuerdas dobles, no es habitual ni práctico. Esto se debe a que su número —normalmente 6— no lo hace posible sin dificultad. Como ya se ha mencionado en la descripción de la familia del violín, el uso de las cuerdas múltiples —tres o más— posee un componente de ruido inherente a la complejidad de afinación. Esto se multiplica en la viola da gamba, puesto que a ello se suma la imposibilidad de presionar más de cuatro cuerdas, por lo que al problema de situar el arco en la posición adecuada para ejercer la presión, se añade el de la presión de las cuerdas con la mano izquierda en la altura, lo que lo hace extremadamente difícil. Aún así, a diferencia de la familia del violín, el uso de cuerdas triples es más asequible, puesto que la curvatura del puente permite realizarlas con mayor facilidad. No faltan ejemplos de su empleo, aunque no hay que olvidar que es esporádico. Para ello es conveniente conocer bien la situación de la mano en las cuerdas de acuerdo a la combinación del acorde, sin olvidar que una posición de cuerdas múltiples debe ser preparada con un movimiento adecuado que evite los saltos. Realizar una continuidad de acordes distintos puede devenir imposible si no se tiene en cuenta lo mencionado, invalidando incluso la ejecución.

G. Benjamin: Upon silence.
Ejemplo 1.183

En los fragmentos con acordes se utilizan habitualmente cuerdas abiertas, ya que de este modo resultan más asequibles: es en las cuatro primeras donde el ejecutante actúa con mayor frecuencia, mientras que las quinta y sexta se emplean como bajos armónicos, razón por la cual se encuentran a menudo al aire. Otra cuestión a tener en cuenta es que, al atacar en las cuerdas múltiples con el arco en dirección hacia abajo, las notas que se mantienen por defecto no son las agudas, sino las graves. Para obtener lo contrario hay que anotarlo expresamente.

Armónicos. En la técnica actual se emplean frecuentemente[73], y es una de sus características más destacables. Esto se debe a que el número de cuerdas, así como la relativa imposibilidad de pisarlas completamente con los dedos de la mano izquierda, hace que el intérprete desarrolle una depurada técnica que le permite realizar los pasajes con armónicos, facilitando su ejecución. Se efectúan del mismo modo que en la familia del violín, y los hay de naturales y artificiales, si bien los más empleados son los

---

[73] Apenas se emplean en la música antigua.

primeros. También son idénticos sus inconvenientes, lo que depende del tamaño del instrumento.

En lo que se refiere a armónicos naturales, es difícil sobrepasar el séptimo en los instrumentos agudos y el quinto en los instrumentos graves, debido a que las posiciones de la mano no lo permiten. Aunque no revisten una dificultad más allá de la técnica del violín, no todos los ejecutantes están familiarizados con su uso. Su participación en la música actual ha hecho que poco a poco vaya adquiriendo nuevos hábitos interpretativos. El uso del *sul ponticello*, *sul tasto*, etc., además de los golpes de arco, son ya totalmente equivalentes, y su empleo habitual.

Se anotan con un círculo sobre la nota real, y se realizan del mismo modo que en los instrumentos de cuerda frotada: situando el dedo con una presión limitada en el nodo correspondiente y según el sonido demandado. No hay que olvidar, sin embargo, que en cada cuerda sólo son posibles los que pertenecen a la serie de la fundamental —posición abierta. Los aconsejables para cada instrumento de la familia son los siguientes:

Quintón

Pardessus

Soprano

Contralto

Tenor   Bajo

Violón en Sol   Violón en Re

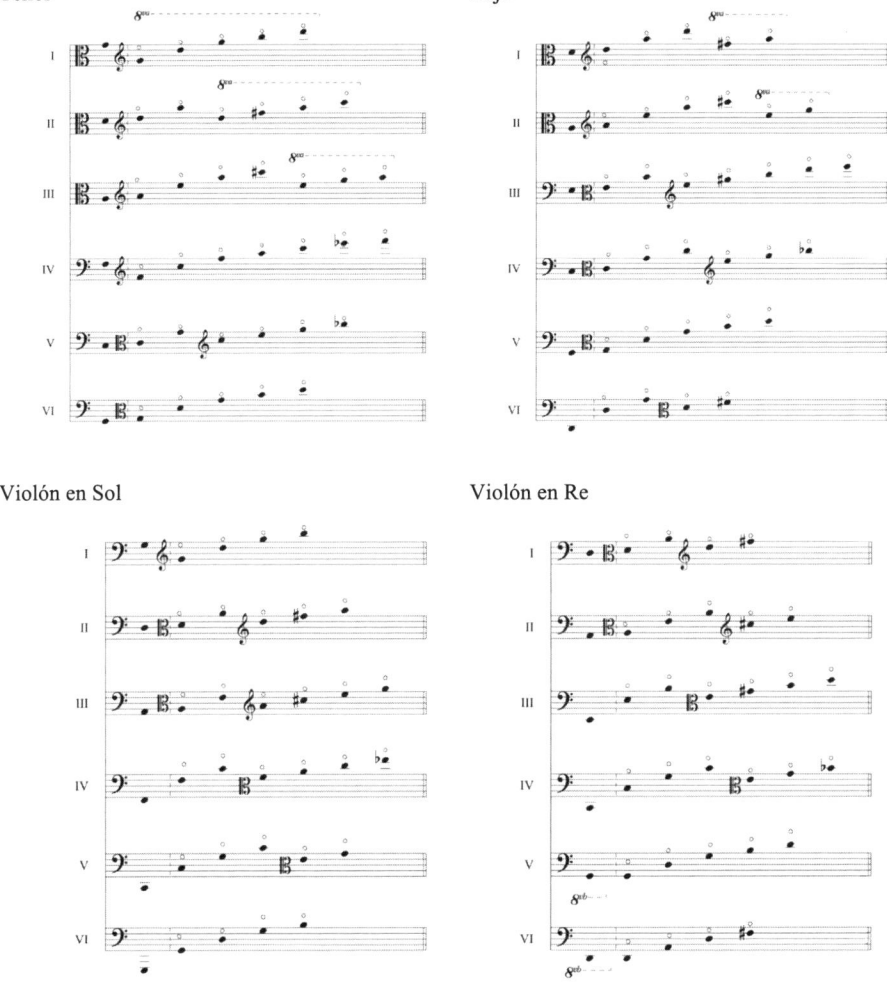

Ejemplo 1.184

Los armónicos artificiales más corrientes son los de cuarta y quinta justa, aunque también pueden utilizarse los de tercera mayor y sexta menor, si bien son menos habituales, y por consiguiente, difíciles de realizar. Debemos recordar aquí lo mencionado para el violín: en los instrumentos agudos son posibles desde los de tercera a los de sexta; mientras que en los graves, únicamente los de tercera en las primeras posiciones, y los de cuarta y quinta en las posiciones intermedias y agudas. En cuanto a la dificultad de su técnica, es válido lo mencionado para el resto de la familia de cuerda.

Pizzicato. Se realiza del mismo modo que en la familia del violín, con una nomenclatura idéntica. El hecho de tener seis cuerdas le acerca más a la guitarra, lo que ha sido aprovechado por algunos compositores, si bien esto no quiere decir que se pueda utilizar con una técnica semejante a la de aquélla. Por otra parte, en la viola hay que dejar más tiempo de preparación para los cambios de *pizzicato* a *arco normal*, o viceversa, puesto que la forma de coger el arco requiere de mayor movimiento y es menos ágil.

Uso solista, en la música de cámara y en la música orquestal

El principal repertorio de la *viola da gamba* se encuentra en la música del Renacimiento y Barroco de los siglos XVI a XVIII. No obstante, en no pocos casos se le sustituye por el instrumento equivalente de la familia del violín, lo que a veces hace difícil determinar su parte si no se posee el manuscrito original. Aún así, se conservan suficientes partituras como para poder acercarnos a la técnica que se empleaba en su principal época de desarrollo de un modo más o menos convincente. Ahora bien, el largo período de desuso también truncó su estabilización, y esta es la principal razón por la cual lo encontramos limitadamente en la música actual, donde aparece esporádicamente, aunque esto se debe más al desconocimiento que a sus capacidades interpretativas. Su uso no ha de confundirse ni asimilarse al de la familia del violín, puesto que también es una técnica distinta, tanto en lo que respecta al manejo del arco como a la pulsación de las cuerdas: su mayor número requiere de otro tipo de precisión, con objetivos diferentes.

En lo que concierne a la música para instrumento solo, el objetivo que persiguen buena parte de las obras de esta modalidad, es decir, un cierto malabarismo, gran dificultad interpretativa, fragmentos veloces, etc., no se hallan de igual modo en la familia de la *viola da gamba*, lo que se debe a que su función era más la de desempeñar un papel rico en ornamento, con gran peso melódico, que no el virtuosismo de los conciertos solistas posteriores. Esto no quiere decir que no llegue a adquirir un cierto nivel de complejidad, especialmente en el repertorio del último Barroco, si bien es el que le permite sus propiedades técnicas.

J. S. Bach: Sonata núm. 2 en Re menor BWV1028, primer movimiento.
Ejemplo 1.185

Su configuración, con la posibilidad de arpegiar con gran facilidad a través del recorrido de las cuerdas abiertas, mezclando sonidos normales y armónicos, arroja el sonido brillante que le es característico. Esto ha sido —y todavía es—, muy empleado por los compositores que se han acercado al instrumento. También es muy eficaz para fragmentos melódicos y polífonos, donde su peculiar sonido crea una atmósfera tímbrica inigualable.

D. Buxtehude: Sonata en Re Mayor WV 267.
Ejemplo 1.186

Pero quizá donde viola brilla en todo su esplendor, es en el uso policoral que encontramos en buena parte de las obras orquestales del período Barroco, donde la arpegiación, sumada a la densidad combinada del grupo, crea un timbre inusual, de gran peso armónico y tímbrico. Esta característica también ha sido recogida por buena parte de los compositores actuales que se han acercado al instrumento, puesto que su uso permite una combinación singular.

G. F. Handel: Giulio Cesare in Egipto HWV 17, acto II, escena II.
Ejemplo 1.187

3.2.- Viola de amor

Inglés e italiano: Viola d'amore   Francés: Viola d'amour   Alemán: Liebesgeige

La viola de amor es un instrumento que se halla entre la *viola da gamba* y la viola moderna —familia del violín—, si bien tiene más de la primera que de la segunda, de ahí que C. Sachs[74] la catalogara en dicho apartado. Su envergadura es similar a la de la *viola da gamba tenor*, con una longitud aproximada de entre 36 y 42 cm.[75], aunque existen instrumentos menores. En la época de su procedencia no poseía una estandarización definitiva de su forma, por lo que su apariencia externa podía variar considerablemente de una a otra. No obstante, mantienen en común el aspecto redondeado de su caja de resonancia. La influencia del violín hace que las violas posteriores adopten una apariencia similar. Las actuales se construyen siguiendo modelos del siglo XVIII, muchos de ellos aún en uso —Salomon, Eberle, etc.

Lo que si se mantiene prácticamente idéntico a la *viola da gamba* son los agujeros de la caja de resonancia, con la clásica **C** ornamentada. También las hay que poseen una obertura adicional central en forma de *roseta*, propia de los instrumentos de cuerda renacentistas, lo que es un ejemplo de su falta de estandarización y del continuo proceso evolutivo en que todavía hoy se encuentra. Del mismo modo posee diferencias en el ancho del cuerpo, que es mayor cerca del botón y más estrecho conforme se acerca al puente. El clavijero a menudo no tiene la forma de caracol de la familia del violín[76], prefiriéndose cabezas de animales, personas, etc. Por otra parte, al tener que albergar un mayor número de cuerdas —entre 5 y 7, dependiendo del instrumento—, es considerablemente más robusto.

A las cuerdas afinadas por las que se pasa el arco hay que añadir las de simpatía, que se encuentran por debajo de aquéllas. Su número suele ser el mismo que el de las normales, y resuenan según su afinidad armónica. También se las denomina melódicas[77]. Son de distinto tipo. La normales son de tripa, entorchadas con distintas aleaciones de metal —graves—; y completamente de metal —las más agudas.[78]. Las de simpatía son metálicas, puesto que así se obtiene un sonido más claro.

---

[74] SACHS, Curt: *The History of Musical Instruments*. New York: Norton&Norton, 1940.

[75] Para estas medidas se toma siempre como referencia el tamaño del cuerpo.

[76] Actualmente también se construyen con un clavijero en forma de caracola, como el de la familia del violín, aunque se prefieren mayoritariamente réplicas de instrumentos originales.

[77] Existe un instrumento similar, pero sin cuerdas de simpatía, denominado *viola bastarda*. Emplea una afinación sensiblemente distinta a la de la *viola de amor*, y posee seis cuerdas.

[78] Antiguamente este entorchado se realizaba con hilo de plata, material que se sigue empleando en la actualidad.

Detalle del instrumento.
Ejemplo 1.188

Afinación, extensión, digitaciones específicas y modos de ejecución

No hay una afinación concreta ni definitiva de la viola de amor, a pesar de que muchos autores apuntan a la de siete cuerdas como la más destacada. Al coexistir instrumentos con distinto número, también es difícil determinar con certeza su afinación. Si a ello añadimos el hecho de que es habitual utilizar la *scordatura* para obtener combinaciones diversas, podemos concluir en que lo que aquí apuntamos no es más que una aproximación al modelo principal, por lo que debemos tomarlo con precaución.

Afinación. Se utilizan distintas configuraciones. Como se ha mencionado, es habitual el uso de la *scordatura*, lo que depende de la pieza, estilo, instrumento y número de cuerdas que posee. En los ejemplos siguientes mostramos las afinaciones principales según su disposición.

Disposición del instrumento de cinco cuerdas[79].
Ejemplo 1.189

---

[79] El instrumento de 5 cuerdas es normalmente una *viola de amor* algo más pequeña, también denominada *violín de amor* —*violino d'amore* (it.)—, y se afina más aguda.

Disposición del instrumento de seis cuerdas[80].
Ejemplo 1.190

Disposición del instrumento de siete cuerdas[81].
Ejemplo 1.191

La viola de amor más empleada es, sin embargo, la de siete cuerdas; preferentemente con la segunda disposición del ejemplo 1.191. Ésta afinación puede cambiar según la tonalidad de la pieza, pasando de mayor a menor, o viceversa. Si tenemos en cuenta que no existe ninguna de definitiva, el uso de la *scordatura* parece muy apropiado,—especialmente en la música actual— aunque se debe ser cauteloso, puesto que al utilizar un elevado número de cuerdas, un cambio de afinación múltiple puede resultar caótico para el intérprete, generando una dificultad cercana a lo imposible.

Las cuerdas de simpatía se suelen afinar al unísono o a la octava aguda de las normales, e igual que aquéllas, admiten la *scordatura*. Pueden no ser audibles si se las afina de modo no tonal o no son armónicamente afines a las principales, puesto que será difícil obtener la resonancia de la columna de armónicos, que es lo que al fin y al cabo les permite vibrar.

Su timbre es suave y bello, aspectos acentuados por el uso de la combinación de las cuerdas de tripa, metal y simpatía, lo que convierte a la viola de amor en un instrumento singular. La resonancia de las cuerdas también es mayor que en el violín, y

---

[80] Estas son parte de las diecisiete afinaciones que muestra J. F. Bernhard Majer en su *Museum musicum, theoretico-practicum.*

[81] A. Casella menciona como principal en su tratado de orquestación a la primera, mientras que S. Adler aconseja la segunda.

en algunos casos se acerca a la de la guitarra. La principal limitación se encuentra en su capacidad dinámica, inferior a la del resto de la familia de cuerda frotada. Para obtener un buen resultado y aprovechar sus cualidades tímbricas es necesario utilizarla en un espacio acústico adecuado, evitando las interferencias de una orquestación excesiva.

Ámbito y extensión. El ámbito del instrumento se ha estandarizado de acuerdo al repertorio que lo emplea. Es el siguiente:

Ejemplo 1.192

Debido al mayor número de cuerdas, su técnica es más compleja que la de la familia del violín, puesto que está obligada a utilizar articulaciones en arpegiado que aprovechen su afinación —con cuerdas abiertas especialmente—, todo ello sin olvidar las posibilidades reales de situar los dedos de la mano izquierda en el batidor, para lo cual el ejemplo 1.193 puede servir de gran ayuda.

Hay que tener en cuenta que el intérprete selecciona los sonidos con los cuatro dedos de la mano izquierda —el pulgar sirve únicamente para aguantar el mango—, por lo que no es posible una articulación equivalente en todas su extensión.

En el ejemplo 1.193 se indican con redonda las alturas que no son posibles o muy difíciles de ejecutar, dada su disposición dentro de la caja de resonancia. Aún así, tampoco hay que olvidar la dificultad de situar las posiciones en esta zona, puesto que el mango también es más ancho. En el registro extremo se debe proceder especialmente con cautela, ya que aquí no todos los intérpretes son capaces de tocar con la misma agilidad —la línea discontinua delimita el final del batidor, por lo que las notas que le siguen son difíciles de alcanzar.

Arco. El arco de la viola de amor difiere según el intérprete. Normalmente se emplea un arco de viola o violín modernos, puesto que a menudo es ejecutado por instrumentistas de viola. Cuando se busca rigor histórico, especialmente en las obras del pasado, entonces se utiliza un arco de violín o viola Barroco, que como ya se ha mencionado anteriormente, posee un aspecto similar al de la *viola da gamba*. (véase pág. 18).

Técnica, articulaciones y efectos. El uso de combinaciones de acordes arpegiados es muy común en la técnica del instrumento, algo que, junto a la resonancia de las cuerdas de simpatía, produce un timbre armónico único, que es en lo que erradica su belleza. Para ello es conveniente tener en cuenta las posiciones y las cuerdas abiertas, puesto que el intérprete las emplea para realizar fragmentos que aparentemente son complejos, pero que dada su articulación, no revisten excesiva dificultad (ejemplo 1.194). También hay usos que nada tienen que ver con lo mencionado: G. Puccini, en *Madama Butterfly* la utiliza con una figuración melódica simplificada —final de la primera parte del segundo acto—, lo que es más propio de la viola moderna que no de la viola de amor.

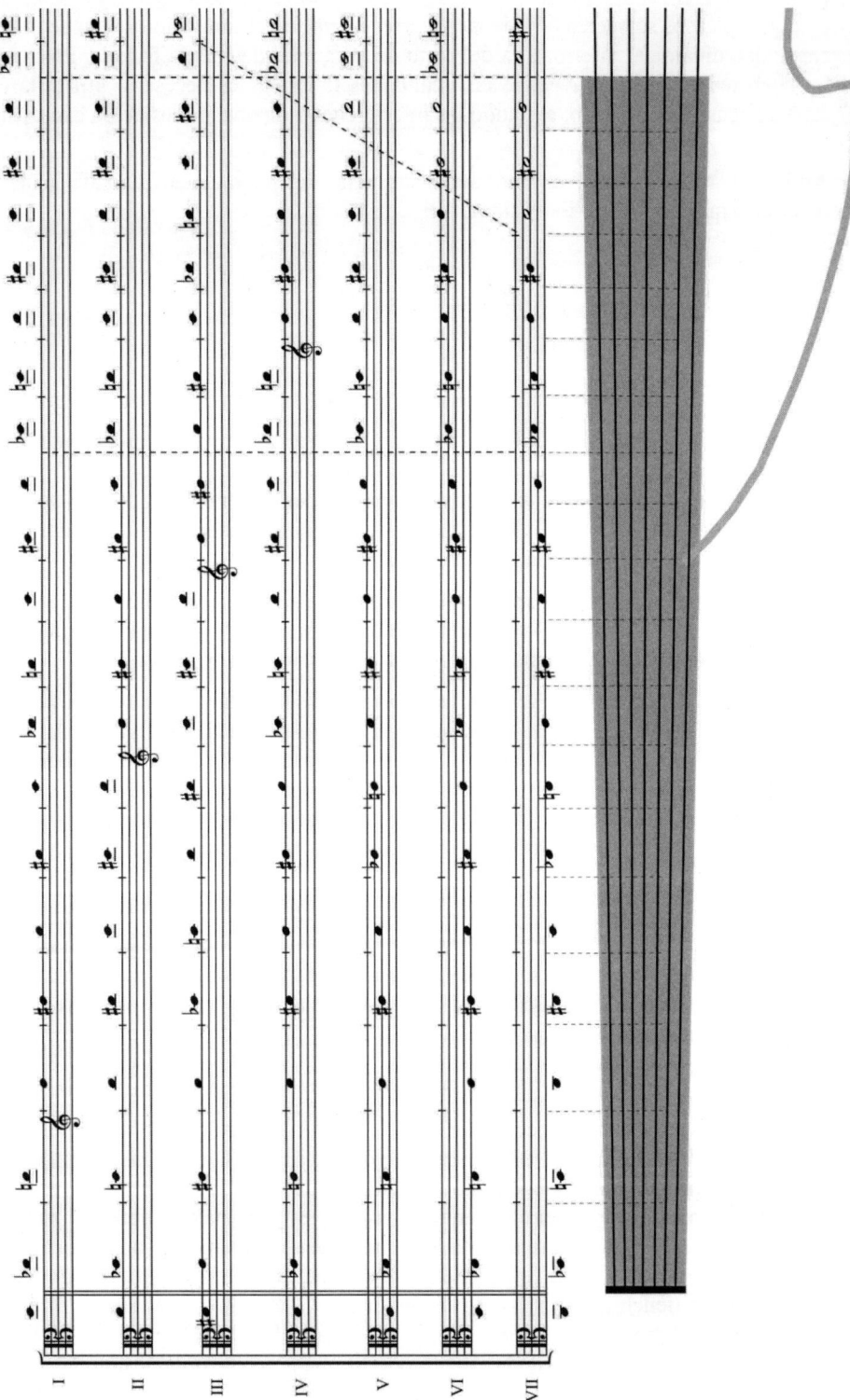

Ámbito del instrumento.
Ejemplo 1.193

P. Hindemith: Kleine Sonate para viola de amor y piano (se ha omitido el piano).
Ejemplo 1.194

Todo lo que respecta al uso de trinos, trémolos, articulaciones, ya sean normales o especiales, no lo vamos a repetir aquí, puesto que es idéntico al resto de instrumentos de cuerda frotada. En las dobles, triples o más combinaciones de cuerdas, se mantienen los criterios mencionados para la familia del violín, con la salvedad de que en la viola de amor es obligado el uso de cuerdas abiertas, ya que no es posible pulsar más de cuatro simultáneamente. Tampoco se puede mantener el sonido de modo continuo en más de dos, por lo que el resto deben realizarse en arpegiado. Aquí, la dificultad es mayor, debido a que su número obstaculiza la ejecución.

Armónicos. Aunque se utilizan poco, se realizan de modo similar al resto de la familia del violín. Es difícil sobrepasar el séptimo armónico en las cuerdas graves, porque incluso el sexto y séptimo son ya arriesgados. El número de los posibles se reduce en las cuerdas agudas.

Ejemplo 1.195

Al tratarse de un instrumento de tamaño mayor a la viola común, es más complicado realizar armónicos artificiales de cuarta o quinta en las primeras posiciones, si bien un ejecutante profesional no tiene porqué tener problema alguno. En las posiciones intermedias no son difíciles, aunque apenas se emplean en las cuerdas graves, puesto que es complejo situar la doble posición de cuerda pisada y media presión para obtener el sonido resultante. La notación y la forma de realizarlos es idéntica a la de la familia del violín, por lo que emplazamos al lector al apartado correspondiente.

Uso orquestal, solista y camerístico. La viola de amor se utiliza con poca frecuencia en la música orquestal, por lo que en la mayoría de casos se circunscribe a apariciones esporádicas en las que ni siquiera desarrolla su técnica particular. A menudo acaba siendo utilizada como una variante de la viola, realzando su peculiar sonido —como en el ejemplo de G. Puccini mencionado anteriormente. Esto tiene una explicación: en este ámbito el sonido de las cuerdas de simpatía apenas es audible, y su construcción, con parte de las cuerdas de tripa, hacen que no pueda competir dinámicamente con el resto de instrumentos orquestales, más aún cuando se encuentran en conjunto. No es extraño pues, que cuando aparece lo haga aparte, en fragmentos a solo, aunque así acabe remarcando su papel ocasional, lo que de uno u otro modo ya se encuentra en la primera música escrita para ella.

G. F. Handel: Orlando HWV 31, Acto III, escena VIII[82].
Ejemplo 1.196

---

[82] G. F. Handel emplea aquí la denominación *Violette marine*, habitual en el período de la composición de la obra (1733).

En las piezas escritas para el instrumento a lo largo del siglo XX su uso varía notablemente, puesto que se desvincula de la técnica de la viola y alcanza a la del violín, sobre todo en lo que se refiere a la complejidad de algunos fragmentos. No obstante así, su parte sigue tendiendo a pasajes melódicos en lugar del movimiento arpegiado característico de períodos anteriores, propios de la familia de la *viola da gamba* o *braccio*. También es frecuente su uso ambivalente, donde puede llegar a ser substituido por otro miembro de la familia —violín mayoritariamente.

S. Prokofiev: Romeo y Julieta. Suite núm. 2, quinto movimiento (se ha omitido al resto de la orquesta).

Ejemplo 1.197

Es en la música de cámara y solista donde su técnica se ha desarrollado acorde a sus características interpretativas, aunque las obras que se le han dedicado siguen siendo limitadas. En la actualidad, muchos compositores reutilizan de nuevo los patrones arpegiados de antaño, aprovechando la afinación y posiciones fijas para realzar su carácter y timbre.

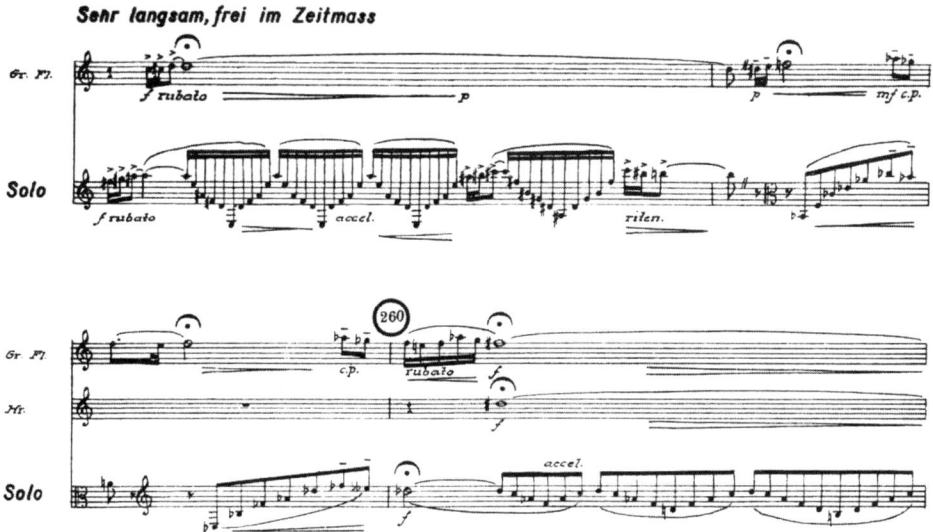

P. Hindemith: Kammerkonzert núm. 6.

Ejemplo 1.198

4.- Instrumentos eléctricos

En el ámbito de la música de concierto los homólogos eléctricos de la familia de cuerda frotada han tenido una aceptación muy tímida, y en la práctica orquestal apenas se usan. La dicotomía que parece existir entre el instrumento amplificado, con respecto a sus hermanos acústicos, es algo que no parece haberse superado, ni siquiera en una edad tecnológica como la actual, lo que en sí mismo es una contradicción inexplicable.

Si bien es cierto que la mayoría de los instrumentos eléctricos más reconocidos son los de cuerda pulsada —guitarra y bajo especialmente—, cuya evolución se halla estrechamente relacionada con la de la música popular a partir de la segunda mitad del siglo XX, también existen otros de cuerda frotada que, aunque con menor aceptación, han desarrollado una historia paralela que a día de hoy ya no podemos eludir. No se trata de imitaciones de los acústicos, sino de instrumentos capaces de obtener un sonido totalmente diferente, con usos alejados de la música tradicional.

De estos los hay tanto de la familia del violín como de la *viola da gamba*, si bien son los primeros los más utilizados. La evolución de la tecnología ha hecho que sus posibilidades de ejecución sean infinitas, puesto que al poder interconectarse a distintitas fuentes de sonido, ya sea mediante la amplificación convencional, MIDI, u otra de cualquier tipo —además de infinidad de sistemas no estandarizados y en continuo cambio—, hace que no podamos delimitar sus capacidades técnicas con claridad más allá de las básicas, lo que por otra parte es el objetivo de este apartado.

También habría que distinguir entre los instrumentos acústicos tradicionales amplificados, y los enteramente electrónicos, puesto que no poseen las mismas características: los primeros mantienen su sonido inalterable, por lo que el cambio que se produce en su emisión se relaciona con la amplificación y el uso de efectos, mientras que los segundos parten de un sonido nuevo que no es proporcionado por la caja de resonancia, sino por la vibración de las cuerdas en un sistema electrónico sofisticado[83]. A continuación se realiza una exposición de los más utilizados, si bien nos referimos únicamente a aquellos que poseen una construcción específica en lo que concierne a su forma y modelo de emisión. Tampoco tomamos a ningún constructor como referencia a la hora de describir su composición, ya sea de un instrumento único o de la familia completa, puesto que en esencia son similares. Con ello excluimos los especiales, que aunque pueden ser empleados en la música actual, a día de hoy no poseen la estandarización suficiente.

---

[83] Este sistema es lo único que mantienen en común con los instrumentos electrónicos de cuerda pulsada.

4.1.- Familia del violín eléctrico

Los primeros instrumentos electrónicos de cuerda frotada datan de la primera mitad del siglo XX. En 1935 la compañía de guitarras eléctricas Rickenbacker elaboraba una familia completa —violín, viola, violonchelo y contrabajo—, con la denominación *Electro*, realizados enteramente en baquelita, a la que siguieron modelos en aluminio y madera. Otro constructor, Barcus-Berry y Álvarez, realiza en 1938 un diseño basado en el instrumento tradicional, añadiendo un potenciómetro de volumen colocado debajo del puente. Estos no serían, sin embargo, utilizados por ejecutantes profesionales. La construcción en la década de 1950 del siglo XX de un violín más consistente por parte de la compañía de guitarras eléctricas Fender, marca la pauta del instrumento eléctrico moderno. A este han seguido distintos intentos de crear una familia entera que ha evolucionado hasta la actual, como la de la compañía japonesa Yamaha. No es la única, y son distintos fabricantes los que lo han adoptado, especialmente tras su buena acogida en la música popular.

Así, la familia del violín enteramente electrónico actual no posee caja de resonancia, puesto que son los pequeños micrófonos de contacto situados cerca del puente los que recogen el sonido, lo que hace innecesario el cuerpo. Su éxito último radica en que para muchos intérpretes se ha convertido en un instrumento de estudio que permite trabajar en cualquier situación, evitando un volumen dinámico excesivo. Asimismo, su creciente calidad tímbrica también ha facilitado su eclosión, lo que hace que muchos ejecutantes sientan curiosidad por utilizarlo. De este modo, a la primera función de substituto del instrumento original, sin duda la menos interesante, se añade la de la concreción en un sonido nuevo, donde su timbre y capacidad de emisión son finalmente distintas. Es precisamente en estas condiciones cuando evoluciona, con una técnica nueva y particular.

4.1.1.- Construcción, afinación, extensión y técnica

Se construyen de distintos materiales, y mantienen inalterables todas las cuestiones relacionadas con el ámbito, posiciones y técnica, del instrumento original. Lo que cambia es todo lo relacionado con la dinámica, puesto que no depende de sí mismo para producirla, requiriendo amplificación. Esto a menudo también supone la incorporación de módulos de sonido que permiten ampliar su contorno tímbrico, creando nuevos sonidos, campo que por otra parte bordea lo infinito. Estas incorporaciones deben a la guitarra y el bajo eléctrico buena parte de su desarrollo, puesto que en esencia son similares. Aunque que hoy por hoy no son habituales en la música de concierto, sí lo van siendo en la música popular y el jazz. Es gracias a esto que día a día ganan espacio, especialmente en la música de cámara, a pesar de que sigue siendo la familia acústica la más utilizada.

Los instrumentos más empleados son los de cuatro cuerdas, aunque también se construyen con cinco, y a veces seis, lo que depende de cada fabricante. Cuando son de más de 4 cuerdas su técnica se relaciona con la de la *viola da gamba*, razón por la que no los incluimos aquí. Las afinaciones de la familia completa no difieren del grupo acústico, a excepción del contrabajo, del cual no se ha estandarizado el de 5 cuerdas, sino el de 4. Su ámbito es el siguiente:

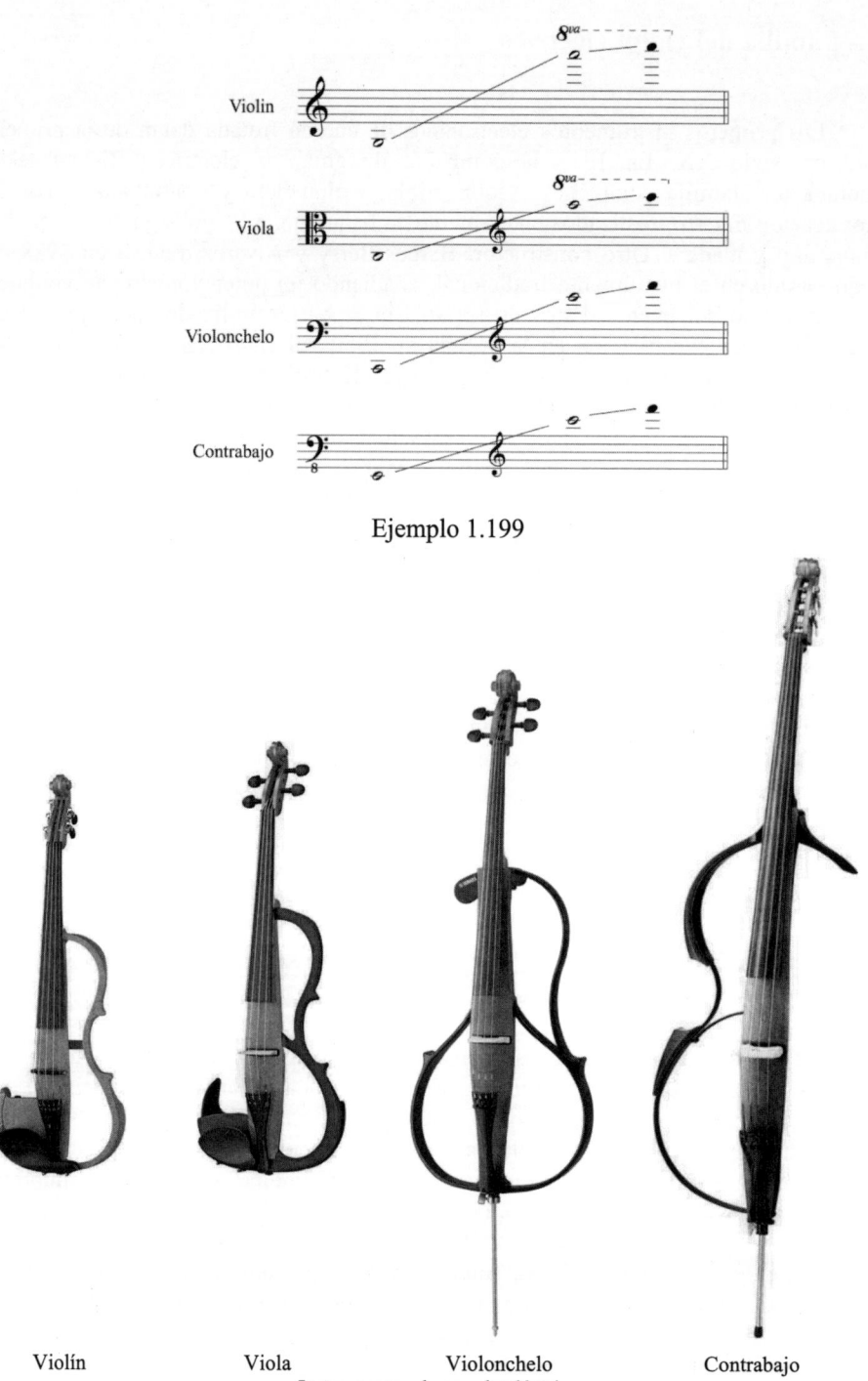

Ejemplo 1.199

Violín   Viola   Violonchelo   Contrabajo
Instrumentos de cuerda eléctricos.
Ejemplo 1.200

Todas las cuestiones técnicas mencionadas para los instrumentos de cuerda frotada de la familia del violín son extensibles a los de cuerda frotada electrónicos, ya que aparte de su forma y medio de reproducción, lo que concierne al paso del arco, digitaciones, posiciones, articulaciones, etc., son las mismas que en aquellos.

Uso en agrupaciones

Los instrumentos electrónicos de cuerda frotada no se emplean en el ámbito orquestal, puesto que serían difíciles de manejar y equilibrar en conjunto. Sólo en los casos en que participa como solista se puede realizar de modo adecuado. El ámbito en el que se encuentran con mayor frecuencia es en la música de cámara, y es aquí donde los compositores lo han utilizado con más eficacia. Su uso no reviste mayor complejidad que el de la de la familia del violín tradicional, si bien es cierto que el habitual empleo de pedales, ya sea de reverberación, distorsión, etc.; o efectos, permite ampliar su timbre a límites insospechados. Esto puede dificultar la interpretación, por lo que el ejecutante debe tener conocimientos técnicos al respecto, puesto que son múltiples los sistemas de reproducción. Delimitarlos a todos nos llevaría un trabajo completo, dada la ingente variedad de opciones y las posibilidades que ofrece cada variable específica. Tampoco es aconsejable utilizarlos de manera indiscriminada. A día de hoy, estos instrumentos siguen siendo de uso esporádico, y son pocos los intérpretes que los poseen. Para ello hay que asegurarse previamente de que existen en el grupo al cual se dirige la pieza.

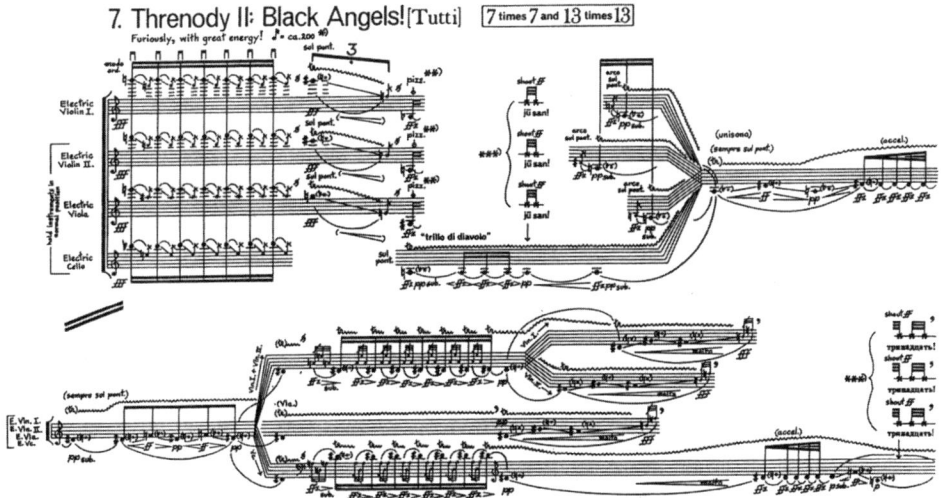

G. Crumb: Black Angels, núm.7.
Ejemplo 1.201

4.2.- Familia de la viola da gamba eléctrica

Como es natural, a la proliferación de instrumentos de cuerda frotada eléctricos tampoco podía faltar la *viola da gamba*, más aún con la evolución que ha sufrido en los últimos cincuenta años. Son pocos, sin embargo, los nuevos miembros de esta familia, puesto que la demanda también es considerablemente menor.

La construcción es similar a la de la *viola da gamba* tradicional, aunque no existe una familia completa, sino un único instrumento —normalmente el equivalente a la viola tenor o baja—, con una construcción similar a la del violín, es decir, sin caja de resonancia, y con un sistema electrónico de conexión similar a los de la familia del violín eléctrico. Posee entre 6 y 7 cuerdas.

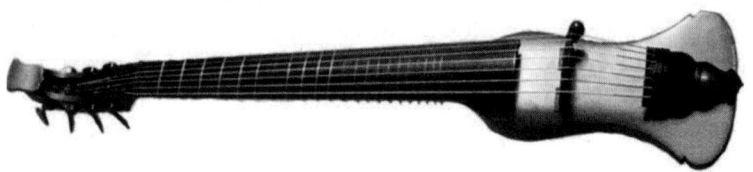

Viola da gamba eléctrica.
Ejemplo 1.202

A diferencia de la *viola da gamba* original, utiliza un mayor número de trastes, lo que le acerca a los instrumentos de cuerda pulsada eléctricos —bajo especialmente. Esto puede variar entre distintos constructores, e incluso ejecutantes, puesto que no existe estandarización alguna. No hay que olvidar, sin embargo, que la *viola da gamba* eléctrica es todavía hoy muy desconocida entre la mayor parte de compositores —e incluso intérpretes—, razón por la que apenas se emplea.

Del mismo modo que en el instrumento tradicional, utiliza frecuentemente la *scordatura*. La afinación de cuerdas más empleada es la siguiente:

Ejemplo 1.203

La longitud de cada cuerda abarca aproximadamente dos octavas, por lo que su ámbito total se halla cercano a las seis octavas —entre la nota más grave y la más aguda. Ahora bien, el número de cuerdas no permite ejecutar con la misma eficacia del resto de *violas da gamba*, por lo que es habitual el uso del arpegiado con posición de cejilla. No posee cuerdas de resonancia.

Se usa normalmente en agrupaciones de *violas da gamba*, donde ocupa el lugar de la viola intermedia —tenor o baja—, por encima del violón y el continuo.

INSTRUMENTOS DE CUERDA PULSADA

1.- CUESTIONES GENERALES

1.1.- Escribir para instrumentos de cuerda pulsada, tipología

Existe un número indeterminado de instrumentos de cuerda pulsada, más aún teniendo en cuenta que en prácticamente todas las culturas se encuentra un artilugio con una caja de resonancia y unas cuerdas que al pulsarlas producen sonidos, por lo que la variedad y formas existente es infinita. A esto hay que añadir los de historia más reciente, algunos de ellos con combinaciones mixtas tradicionales, eléctricos, etc. Esto hace difícil su clasificación, puesto que no obedecen a un criterio único. Es por esta razón por lo que hemos optado por la ordenación que creemos más idónea, de acuerdo a su disposición, lo que nos arroja dos grupos principales:

A.- Instrumentos de gran cuerpo, apoyados en el suelo.

B.- Instrumentos de cuerpo con mango, sostenidos por el intérprete.

Como se ha mencionado, la variedad es enorme, por lo que aquí nos remitiremos únicamente a los más frecuentes en la música de concierto, añadiendo los que poco a poco se han ido incorporado a la normalidad orquestal o camerística actual. Algunos de ellos pertenecen al grupo de instrumentos de la música popular, por lo que su uso en la música seria es a menudo motivo de discusión entre compositores y musicólogos, si bien en la actualidad las técnicas se entremezclan, influenciándose mutuamente, por lo que no se puede trazar una clara línea divisoria entre ambos.

1.2.- Distribución y disposición en la partitura orquestal y camerística

La disposición de estos instrumentos es la más variada del grupo de cuerda —a excepción del arpa, que ocupa un lugar fijo en la orquesta—, lo que todavía es más indeterminado en la música de cámara, donde su colocación se halla de acuerdo a la combinación que el compositor considera ideal. El lugar habitual que ocupa en el formato orquestal es el que se halla cercano al de los instrumentos de teclado —a excepción del concierto solista, en el que se les sitúa delante, al lado del director—, si bien esta no tiene porque ser su posición definitiva.

Pero el mayor dilema es el de su dinámica, que salvo en el arpa, difícilmente puede competir con el resto de la orquesta —aunque también acusa a menudo este mismo problema. Esto hace que en determinados casos se emplee una amplificación que permite igualar su volumen dinámico al resto del grupo, si bien el debate sobre su validez es permanente entre músicos. Teniendo en cuenta los auditorios actuales, de dimensiones a menudo importantes, además de los sistemas de amplificación modernos, que poseen una calidad notable, se trata de una discusión en claro retroceso. Otra cosa es el concierto solista, donde ya es habitual amplificarlo —especialmente en la guitarra—, sobre todo teniendo en cuenta que la proporción de la familia de cuerda frotada ha crecido notablemente en la mayoría de orquestas, lo que hace difícil su equilibrio.

De este modo, la disposición en la partitura en la que se sitúan estos instrumentos varía según se trate de ámbito orquestal o música de cámara. En la partitura para orquesta se ubica entre la percusión y los instrumentos de teclado. En la de cámara puede cambiar según el deseo del compositor y lo que a éste le resulte más idóneo, aunque normalmente mantiene las siguientes pautas: cuando se trata del único instrumento polifónico del grupo se sitúa en la parte inferior de la partitura; cuando se halla junto al piano u otro instrumento de teclado, se coloca por encima de aquellos. En cualquier caso, es la posición en la partitura orquestal la que nos debe que servir de guía.

1.3.- Articulaciones y modos de ejecución

La tipología diferencial mencionada anteriormente obliga a distinguir los dos grupos principales, puesto que su disposición es determinante. Esto no ocurre, sin embargo, en todas las articulaciones, puesto que en las principales se mantiene un criterio similar, donde no cambian sus características, de igual modo que en la familia de cuerda frotada. Las distintas técnicas que se emplean entre ambos grupos —gran cuerpo, y cuerpo con mango—, es lo que hace que no podamos sintetizar en un modelo único y común . Esto es porque nada tiene que ver cuando se articula con la yema de los dedos (arpa), con la uña (guitarras), o con un plectro (mandolina). Es por esta razón por lo que dejamos para el apartado específico todo lo que concierne al desarrollo de los criterios interpretativos individuales.

2.- INSTRUMENTOS DE GRAN CUERPO

2.1.- Arpa

Inglés: Harp   Italiano: Arpa   Francés: Harpe   Alemán: Harfe

El arpa es uno de los pocos instrumentos orquestales que mantiene su herencia ancestral, si bien apenas queda nada de la vieja arpa mitológica, de gran parecido a la lira. La actual mantiene cierto semblante a sus antecesores, especialmente en lo que refiere al principio de su construcción, pero los materiales y tamaño poco tienen que ver con los representados en multitud de jeroglíficos y dibujos de la antigüedad. Aparte de esto, su evolución ha llevado consigo no solo la mejora del instrumento original, sino la de otros relacionados —especialmente los de tecla—, que basan su estructura en un armazón parecido al del arpa —clave y piano principalmente. Aún así, no la encontramos en la orquesta, tal y como hoy la conocemos, hasta el Romanticismo pleno, a mediados del siglo XIX, en un período en el que parece incluso excesivo su uso, más aún en una formación tan enorme y poderosa como la de esta época, lo que contrasta notablemente con su limitado volumen dinámico. Aunque existen antecedentes de obras escritas para arpa anteriores al siglo XIX, no posee el prestigio equivalente al de otros instrumentos habituales en la música de cámara y orquestal, fundamentalmente debido a su técnica y construcción, todavía poco desarrollada.

Ahora bien, el arpa no es un invento del siglo XIX, sino que como el resto de instrumentos orquestales, se conforma y evoluciona a partir de las necesidades tímbricas de los compositores de cada época. Si bien es cierto que el período de influencia comienza a finales del siglo XVIII, con la invención del *Arpa de pedal de acción simple*, existen antecedentes de distinta conformación, desde el *Arpa doble cromática* al *Arpa de dos ordenes*, además de multitud de variantes que se desarrollan a partir del instrumento fundamental. El *Arpa de pedal de acción simple* es el claro antecesor del arpa moderna, y para él escribirían compositores como C. P. E. Bach y W. A. Mozart, entre otros, aunque su repertorio es limitado. Poseía un mecanismo que, con una pieza en forma de gancho, permitía modificar la afinación de las cuerdas un semitono hacia arriba, y tenía entre 5 y 7 pedales. En los primeros instrumentos el mecanismo de afinación era válido solamente para las cuerdas intermedias, lo que se ampliaría posteriormente a las agudas y graves[84]. Su número era variable, aunque menor que en el arpa doble posterior, y su afinación insegura, porque el mecanismo de los afinadores se situaba directamente en la madera, algo que cambiaría notablemente con el arpa moderna, que utiliza un armazón de metal que asegura una afinación mejor.

Así pues, el arpa actual es estéticamente muy bella, y también mucho más perfecta, con una construcción más sólida que la del instrumento antiguo, e incluso mejor y más estable que la del período Barroco. La que encontramos hoy en la música para orquesta deriva de la llamada *Arpa de pedal de doble movimiento*, inventada en Francia hacia 1811. Aunque a lo largo de casi dos siglos ha experimentado cambios y mejoras notables, conserva lo esencial de sus predecesores. No obstante, es esta falta de

---

[84] En la enciclopedia de Diderot y D'Alembert se encuentra un retrato-dibujo del instrumento, así como del sistema de afinación que empleaban.

estabilización evolutiva por lo que sido desplazada de las salas de conciertos y, por consiguiente, del gran repertorio.

No será hasta el movimiento impresionista de finales del XIX y principios del XX cuando asuma su nuevo papel. El repertorio anterior es limitado porque pocos compositores la tienen como referente. Hoy, sin embargo, se halla perfectamente integrada, y aunque dentro de la orquesta mantiene un papel similar al otorgado a lo largo del impresionismo, cada vez se utiliza con mayor fuerza en conjuntos de cámara, gracias a su peculiar timbre. El hecho de que haya sido postergada o poco tenida en cuenta en el pasado —cuya escritura se ha limitado en muchos casos a los famosos y efectivos *glissandi*— se ha debido mayoritariamente al escaso dominio de su mecanismo por parte de los compositores, poco o mal conocido comparativamente al de cualquier otro instrumento orquestal.

En la orquesta actual se emplean normalmente una o dos arpas. Aunque cabe la posibilidad de un número mayor, es inhabitual tener más de dos intérpretes en plantilla. Además del arpa moderna, existe una gran variedad de instrumentos que sólo se utilizan para la interpretación de la música antigua, pero que vale la pena señalar, puesto que muchas piezas anteriores al siglo XIX fueron escritas para ellos. De estos destacan el *Arpa doble*, el *Arpa irlandesa* y el *Arpa de trovador*. El *Arpa de acción simple* ha sido sustituida casi en su totalidad por el arpa doble. Estos instrumentos, sin embargo, son cada día más empleados, puesto que son los idóneos para interpretar la música de períodos anteriores, donde el arpa de pedales de doble movimiento actual resulta excesivamente sonora.

Construcción

Se construye sobre madera y metal, con combinaciones de materiales de distintas procedencias: ébano, caoba y abeto principalmente. También se compone de unas partes claramente delimitadas: el clavijero o consola en forma de S (parte superior) que aloja las clavijas, junto a una pieza metálica que alberga el mecanismo del sistema de afinación; la columna (pieza vertical) que soporta el clavijero uniéndolo con el cuerpo; la tabla de resonancia y el cuerpo sonoro, que es una pieza semi-cónica inclinada que posee en su parte superior la tabla armónica (tabla de resonancia), y en la inferior la pieza semi-cónica (cuerpo), con varias aperturas en la parte posterior que poseen la finalidad de amplificar la emisión de los sonidos.

La base sirve de punto de apoyo, y aquí se hallan los siete pedales divididos en dos grupos: cuatro en el lado derecho (para el pié derecho) con las notas Mi, Fa, Sol y La; y otros tres en el izquierdo (para el pié izquierdo), donde se encuentran las notas Si, Do y Re. Estos pedales cambian la afinación de la totalidad de las cuerdas que poseen la misma denominación.

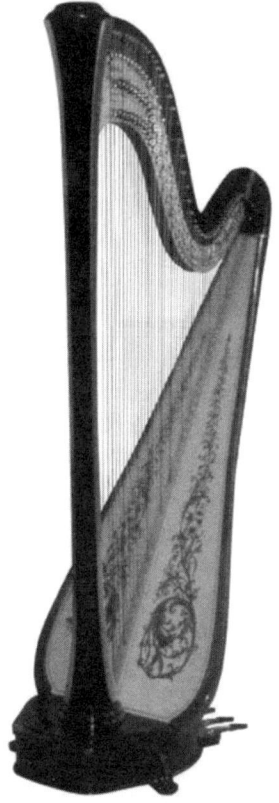

Detalle del instrumento.
Ejemplo 2.1

Los otros instrumentos citados anteriormente —*Arpa doble*, *Arpa Irlandesa* y *Arpa de trovador*— se diferencian de la actual en que no poseen pedales para el cambio de afinación.

Extensión

La tesitura puede variar de un instrumento a otro, ya que el número de cuerdas oscila entre las 43 y 47. La habitual es la siguiente:

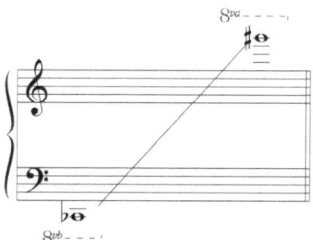

Ejemplo 2.2

Se trata de la extensión cromática completa entre ambos extremos, aunque el arpa no posee todos los sonidos en una única posición de pedales, por lo que no es un cromatismo real al uso como en el resto de instrumentos orquestales, sino el que su mecanismo puede proporcionar: mientras que el piano, por ejemplo, dispone al mismo tiempo de todas las notas cromáticas en dos alturas distintas —teclas blancas y negras—, el arpa tiene un número limitado de cuerdas y, por consiguiente, de notas que puede producir. El piano tiene doce teclas por octava, correspondiente a las doce notas cromáticas; el arpa únicamente siete, por lo que su capacidad de emisión queda siempre restringida a siete notas simultáneas a lo largo de todo su registro. Para variar la afinación de estas cuerdas —cambio de nota— utiliza un mecanismo de pedales, aunque la velocidad para realizar estos cambios dependerá de la capacidad y habilidad del ejecutante, por lo que son limitados. Para un cromatismo completo sin ningún problema sería necesaria el arpa doble —de dos órdenes de cuerdas y con todas las cuerdas cromáticas—, aunque es un instrumento raramente empleado en la actualidad.

Así pues, el arpa utilizada actualmente se halla totalmente estandarizada —dejando aparte otros tipos como el *Arpa doble*, el *Arpa Irlandesa* y el *Arpa de trovador*—, por lo que difícilmente se encuentran instrumentos de mayor ámbito. Sí que existen, sin embargo, otras de extensión menor, basadas en el mismo mecanismo de pedales, desde la de 43 cuerdas, también llamada de *tres cuartos*, y una extensión media de entre 43 y 46 cuerdas, hasta la de concierto, que posee 47.

Ahora bien, como se ha mencionado anteriormente, el mecanismo de cambio de alturas mediante el uso de pedales tiene limitaciones, por lo que aunque posee una extensión amplia, el número de cuerdas es limitado: únicamente 47. De estas, las 12 graves son metálicas, y el resto de tripa o nylon. Las dos más graves: Do y Re son de afinación fija, al igual que la más aguda, Sol; por lo que su altura debe ser indicada al inicio de la obra y mantenida hasta su fin, ya que no es posible cambiarla durante la ejecución. Está claro pues, que con las 47 cuerdas que tiene, difícilmente se pueden realizar todas las notas cromáticas si no es a través de un dispositivo que ayude a ello. Para esto sirve el sistema de pedales, lo que de uno u otro modo hace del arpa uno de los instrumentos orquestales más complejos, razón por la cual su escritura precisa de una atención especial.

A esta dificultad hay que añadir todo lo que concierne a su dinámica, algo que se debe cuidar en extremo, a pesar de que sea relativamente regular a lo largo de todo su recorrido. El volumen máximo que puede alcanzar en cada uno de los registros es aproximadamente el siguiente:

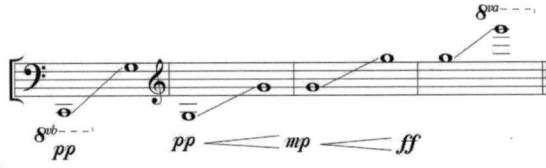

Ejemplo 2.3

Es por tanto en el grave donde posee menor dinámica, mientras que en el registro medio-agudo puede sobresalir con mayor facilidad. Este problema disminuye cuando se halla a solo o acompañada de un volumen dinámico moderado.

P. I. Tchaikovsky: Suite del Cascanueces, núm. 3 "Valse des Fleurs".
Ejemplo 2.4

Mecanismo de pedales

El mecanismo de pedales, a pesar de su complejidad, es relativamente simple en lo que se refiere a su notación y escritura. No obstante, y teniendo en cuenta que el número de cuerdas es considerable, es necesario diferenciar unas de otras. Para ello algunas poseen un color diferente, lo que permite al ejecutante orientarse con mayor comodidad. Este sistema de colores se emplea actualmente en todos los instrumentos de concierto, y se combinan del siguiente modo: rojo, para todas las notas Do, y negro o púrpura, para todas las notas Fa. El resto son de color normal —tripa, nylon o metálico en cada caso—, a excepción de las cuerdas graves con bordones, que son de color cobre, debido a su entorchado. Esto no debe ser anotado, puesto que sólo tiene utilidad para el intérprete.

De mayor importancia es el mecanismo de pedales. Se compone de un total de siete pedales en los que cada uno controla todas las octavas del mismo sonido, es decir, un pedal para todas las cuerdas Do, otro para todas las cuerdas Re, etc., exceptuando las de afinación fija que se hallan en los extremos.

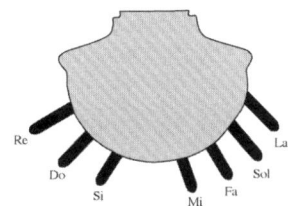

Disposición de los pedales en el arpa.
Ejemplo 2.5

La misión del mecanismo de pedales es la de tensar o destensar las cuerdas de igual denominación, por lo que cada una de ellas puede ir del bemol al sostenido, pasando por la posición natural intermedia. Así pues, las alturas que se obtienen con los pedales totalmente destensados es la de una escala de Dob Mayor. Para producir los cambios, el pedal ejerce un doble movimiento sobre unas pequeñas patillas que se encuentran en la parte superior del instrumento, y que son las que permiten mantener o variar la afinación con absoluta precisión.

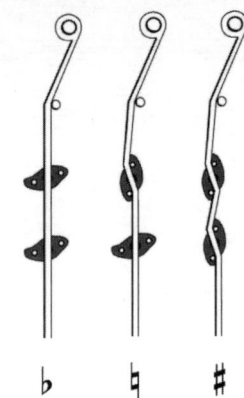

Sistema de tensión de las cuerdas.
Ejemplo 2.6

Para mantener la altura, cada uno de los pedales posee un sistema de ranuras sobre los cuales el intérprete modifica su posición con los pies:

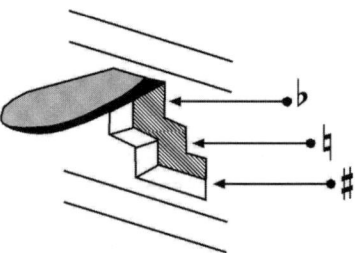

Ranuras de posición de los pedales.
Ejemplo 2.7

Este mecanismo ha mejorado mucho en la actualidad, especialmente en lo que se refiere a evitar el ruido de dichos cambios. También existe la posibilidad de afinar algunas cuerdas de modo no convencional —*scordatura*—, y así conseguir otros sonidos. En estos casos será necesario indicar en la partitura las cuerdas correspondientes y el modo en que deben ser modificadas.

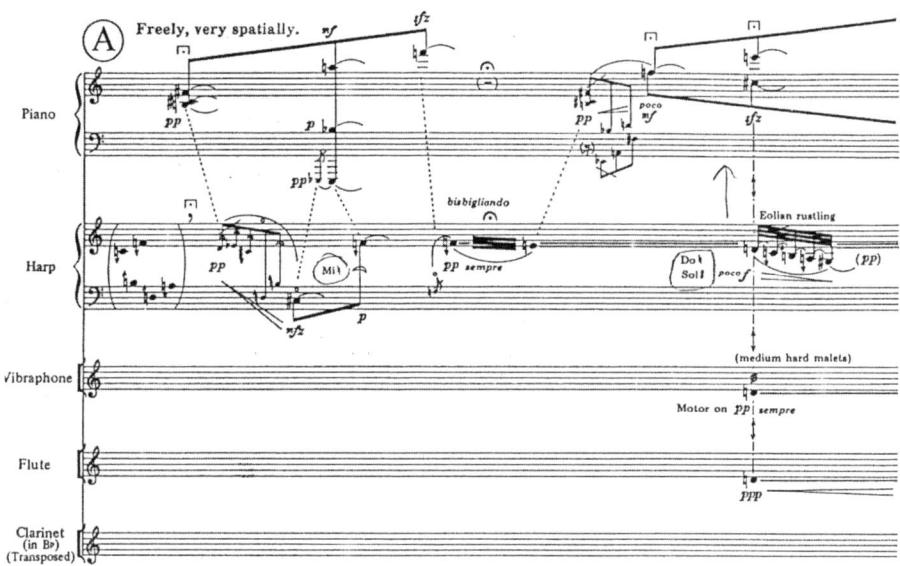

T. Takemitsu: Rain Spell.
Ejemplo 2.8

Expansión y uso de las manos

La extensión del arpa no permite abarcarla simultáneamente con cada una de las dos manos en los dos lados. Aunque la mano izquierda puede alcanzar a la totalidad del registro, debido a la inclinación del instrumento a su favor, la mano derecha se halla más limitada. Esto debe tenerse en cuenta sino se quieren exceder los límites de lo humanamente posible. A continuación señalamos el ámbito ideal para cada una de las extremidades, si bien son meramente orientativas, por lo que su ampliación o reducción que dependerá del físico de cada intérprete.

Mano izquierda   Mano derecha

Ejemplo 2.9

En la técnica de ejecución el arpista utiliza normalmente cuatro dedos —todos, exceptuando el dedo meñique—, pulsando la cuerda con la yema. Sólo emplea las uñas cuando se le indica de modo expreso.

Escribir para arpa

Cambio de pedales

La escritura para arpa debe cuidarse en extremo, y no puede realizarse igual que en el piano o cualquier otro instrumento que utiliza dos pentagramas —tendencia tristemente habitual—, porque presenta una serie de dificultades que aquellos no tienen. Una de estas, la más importante, es el cambio de pedales, puesto que una escritura inadecuada puede hacer la partitura inejecutable. Para su anotación se emplean varios sistemas. El primero y más utilizado, es el de anotar cada uno de los cambios previamente al pasaje donde se hallan las notas alteradas. Se utilizan dos formas principales:

a/   b/

Mi♮ Fa♯ Sol♯ La♭
Si♮ Do♯ Re♯   Mi♮ Fa♯ Sol♯ La♭ Si♮ Do♯ Re♯

Ejemplo 2.10

El primero (a), con escritura de la posición de los pedales: 4 para el pie derecho y 3 para el pie izquierdo; el segundo (b) con la anotación tradicional, en la que no se tiene en cuenta su disposición. No hay que olvidar que para dicho cambio se precisa de un período de tiempo prudencial de silencio, lo que también puede simultanearse entre distintos pedales. Debe cuidarse su empleo, puesto que el instrumentista no puede variarlos con la misma agilidad con la que pulsa las cuerdas con los dedos.

M. Ravel: Alborada del gracioso (se ha omitido al resto de la orquesta).
Ejemplo 2.11

También hay compositores que prefieren no escribir ningún cambio de pedal —práctica habitual en la escuela romántica alemana—, y dejar que sea el propio intérprete quien los decida. No obstante, aconsejamos que en la medida de lo posible se anoten, puesto que esto ahorra tiempo de estudio y trabajo al ejecutante.

R. Strauss: Salomé. Escena primera, (se ha omitido al resto de la orquesta).
Ejemplo 2.12

En la música tonal no es necesario apuntar las alteraciones de los pedales al inicio de la pieza, ya que su posición se realiza según la tonalidad de la obra. En la música no tonal, sin embargo, debe indicarse, ya sea de la forma tradicional (ejemplo 2.10), o con una notación gráfica estandarizada que se ha extendido a lo largo de la segunda mitad del siglo XX (ejemplo 2.13). Se utiliza únicamente al comienzo de la obra o sección, puesto que sirve para diferenciar una afinación considerablemente distinta de otra, lo que puede ser incómodo para cambios de cuerda puntuales. Se anota del siguiente modo:

Ejemplo 2.13

Cada uno se refiere a las tres posiciones de los pedales: el primero para las notas naturales, el segundo para los sostenidos y el último para todas los bemoles —en la mitad, abajo y arriba respectivamente—, por lo que una posición mixta que combine distintas alteraciones podría ser la siguiente:

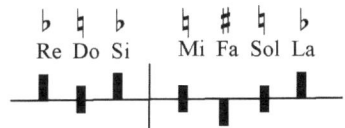

Ejemplo 2.14

Como se ha mencionado anteriormente, esta notación no debe ser utilizada a lo largo de toda la obra, puesto que podría convertirse en un verdadero enredo para el ejecutante.

Con las posibilidades combinatorias de los pedales se pueden realizar también sonidos enarmónicos, de modo que incluso se pueden limitar el número total de alturas, es decir : Si#-Do , Re#-Mib , etc. , exceptuando, claro está, las notas extremas, que son de afinación fija.

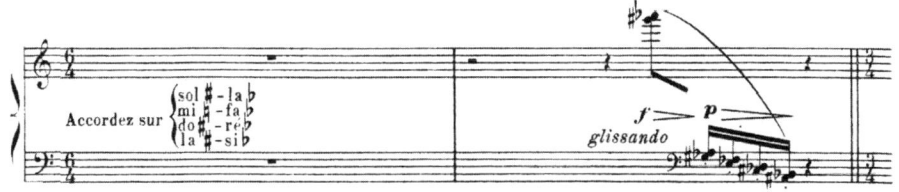

C. Debussy: Pelléas et Mélisande (se ha omitido al resto de la orquesta).
Ejemplo 2.15

Acordes

Las posibilidades de realización de acordes en el arpa es importante, tanto en arpegiado como en placado. Su ejecución no es en absoluto compleja, puesto que al tratarse de un instrumento que posee únicamente siete notas por escala, las distancias de las posiciones entre sí no son muy grandes, aparte de que normalmente se combinan entre las dos manos. Aún así, en ambos casos será conveniente indicarlo en la partitura. Si no se anota se realizarán por defecto en arpegiado. Las dos formas expuestas en el ejemplo siguiente se utilizan indistintamente:

Acordes en arpegiado   Acodes en placado

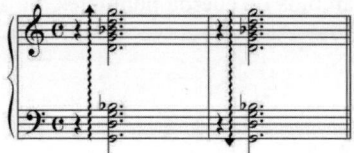 

Ejemplo 2.16

Esta indicación no se emplea en la orquesta, aunque es necesaria si se pretende un efecto determinado. Esto es, sin embargo, imprescindible en la escritura para agrupaciones de cámara.

Téngase en cuenta también que es muy eficaz en los arpegios, lo que le sirve para simular el acorde mantenido. En el siguiente ejemplo Debussy realiza una excelente combinación de las dos arpas:

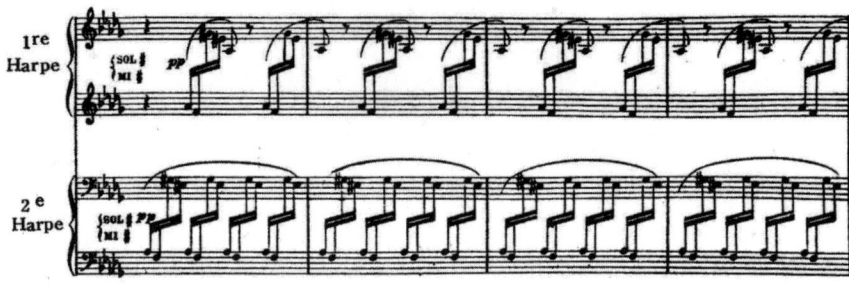

C. Debussy: El Mar, Dialogue du vent et de la mer (se ha omitido al resto de la orquesta).
Ejemplo 2.17

Articulaciones y efectos habituales

Aunque las posibilidades de articulación de la familia de cuerda pulsada son distintas de las de la cuerda frotada, en el arpa son igualmente posibles el *legato*, *sforzato*, *staccato*, *staccato legato*, etc., hasta todas las técnicas de escritura convencional de cualquier otro instrumento , lo que además se anota del mismo modo. En el apartado genérico dedicado a la cuerda pulsada ya se mencionan sus características, por lo que no las repetiremos aquí (pág. 231 y ss.) , dejando para este capítulo únicamente lo que se refiere a sus particularidades.

Sobre la tabla, Près de la table (fr.), **Sulla tabola** (it.)**.** En el arpa es posible tocar cerca del clavijero y de la tabla de resonancia. Aunque el primero es poco utilizado, por ser poco sonoro, sí los es el segundo, donde se produce un sonido cálido y penetrante, sobre todo en los ataques cortos. Se indica con su denominación.

M. Ravel : Alborada del gracioso (se ha omitido al resto de la orquesta).
Ejemplo 2.18

También se puede realizar el efecto contrario, es decir, tocar cerca del clavijero, aunque es menos audible.

Glissando. Donde sin duda el arpa es más conocida por su eficacia, es en los *glissandi*. Se emplean frecuentemente en la orquesta, tanto tradicional como contemporánea. Aquí las afinación de las cuerdas debe anotarse con antelación al pasaje, puesto que el resultado puede ser muy distinto según se utilice una afinación enarmónica o una escala de siete sonidos[85]. Se deben indicar las notas extremas:

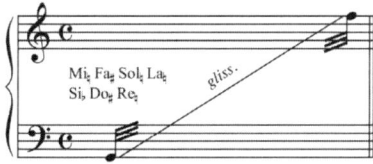

Ejemplo 2.19

Hay autores que los escriben de otro modo alternativo, con el que no es necesario determinar con texto las cuerdas alteradas:

Ejemplo 2.20

En los ejemplos anteriores, el ámbito del *glissando* se halla indicado de acuerdo a las notas extremas. También hay casos en los que se prefiere dejarlo a elección del intérprete, por lo que su dirección se indica únicamente con una línea que da idea de su situación a lo largo de los registros. Del mismo modo se pueden simultanear dos *glissandi* en distintas direcciones, e incluso cruzando las manos derecha e izquierda:

---

[85] Utilizando la totalidad de las cuerdas, pueden realizarse un mínimo de 4 notas con enarmónicos: Do#-Reb, Mi#-Fa, Sol#-Lab, Si#-Do, etc.

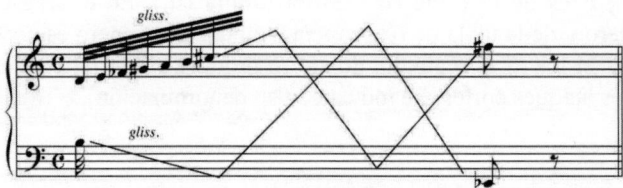

Ejemplo 2.21

Por otra parte, el glissando puede realizarse con más de una nota simultánea, e incluso con todas las que la mano permita, aunque no es eficaz sobrepasar el número de dos líneas en cada mano.

También son posibles los cambios de pedal mientras se ejecuta el *glissando*, pero hay que ser cauteloso, ya que se producirá el inevitable ruido procedente de la vibración de la cuerda entre las varillas de afinación. El problema es mayor cuando se realiza en una dinámica *pp*, puesto que es claramente audible. No ocurre, sin embargo, cuando se utiliza en un contexto orquestal de gran volumen dinámico, donde queda oculto en el grupo.

Hay compositores que prefieren anotar la totalidad de las notas para hacer más evidente el efecto. Su resultado es, no obstante, similar al del indicado con una línea.

K. A. Hartmann: Sinfonía núm.1, segundo movimiento (se ha omitido al resto de la orquesta).
Ejemplo 2.22

Además de los mencionados hasta aquí, también se emplean, aunque con menor frecuencia, los de pedal, si bien no son igualmente eficaces. Se trata de un curioso efecto en el que se juega con el ruido resultante de desplazar una afinación a otra. Es más efectivo conforme la dinámica va de *mf* a *ff*:

A. Ginastera: Concierto para Arpa Op.25.
Ejemplo 2.23

Una variante del *glissando* de pedal es la que se consigue desafinando la cuerda. El procedimiento es semejante al utilizado en los instrumentos de percusión con membrana: con el dedo pulgar —o con una pieza de madera o metal—, se realiza una presión de modo que suba su afinación —hasta un máximo de medio tono. Al mismo tiempo se pulsa la cuerda con la mano izquierda, provocando el subsiguiente sonido, procedente de relajar la presión de la mano derecha y retornar a la tensión normal. Este efecto no se puede efectuar de modo continuado, puesto que precisa de un tiempo mínimo de preparación —aparte de que no siempre es eficaz. Se indica del siguiente modo:

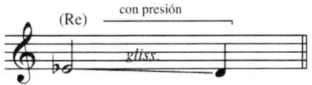

Ejemplo 2.24

También se emplea la denominación inglesa *bender*[86].

Armónicos. Los armónicos en el arpa son muy sonoros, razón por lo que la mayoría de autores los emplean. La dinámica sobre la que se pueden realizar va del *pp* al *mf*, aunque esto es algo que en la mayoría de casos lo decide el intérprete según la partitura, puesto que aquí, más que en ningún otro caso, es relativa. No obstante, y a pesar de su limitado volumen, pueden oírse con claridad, incluso en la orquesta (ejemplo 2.26) ya que su característico sonido los hace fácilmente reconocibles —a excepción de fragmentos de gran envergadura. Su escritura se realiza añadiendo un círculo sobre la nota. El sonido resultante se halla una octava por encima del escrito:

Escritura   Sonido real

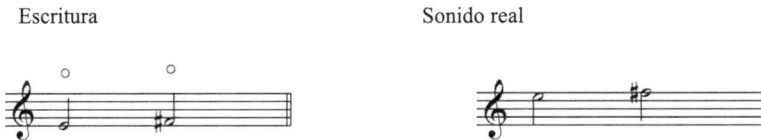

Ejemplo 2.25

En el siguiente ejemplo Ravel se vale del uso de todos los instrumentos en *ppp*, junto a las cuerdas y trompas con sordina, para obtener el timbre resultante de la combinación de todo el grupo, donde el arpa es claramente audible.

---

[86] Nombre con el que aparece en libro de Kurt Stone "*Music Notation in the Twentieth Century*", New York: Norton & Norton, 1980

M. Ravel: Ma mère l'Oye, núm. 3. "Lainderonnette, Impératrice des Pagodes".
Ejemplo 2.26

La técnica utilizada habitualmente para los armónicos es distinta según la mano que los efectúa: la izquierda los realiza apoyada mientras se pulsa la cuerda con el dedo pulgar de la misma mano; la derecha los obtiene sosteniendo la cuerda con la falange del dedo índice al tiempo que se pulsa igualmente con el dedo pulgar. Ahora bien, no solo se pueden producir los armónicos primeros, es decir, los mencionados de octava, sino que también admite los de 5ª y 3ª, o lo que es lo mismo, los tres primeros de la serie natural. Utilizar uno u otro es elección del intérprete, quien normalmente opta por los más sonoros, que habitualmente son los de octava. Si se desea expresamente uno concreto y distinto al principal de octava, habrá que indicarlo escribiendo la nota fundamental y el sonido resultante:

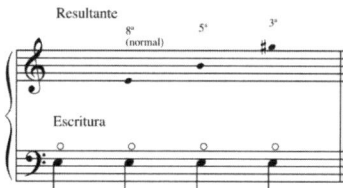

Ejemplo 2.27

También se pueden realizar armónicos dobles o triples con la acción de la palma de una mano y la pulsación de la cuerda con la otra, aunque deben hallarse a una distancia cercana. El ámbito de producción de sonidos armónicos con plena eficacia es, sin embargo, limitado. Eliminando las 12 notas graves que poseen entorchado metálico —sobre las cuales es muy difícil realizarlos—, la extensión idónea es la siguiente:

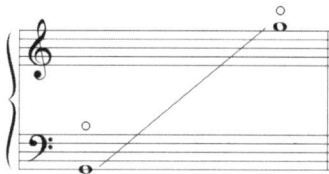

Ejemplo 2.28

Éste límite hace referencia a los armónicos de octava. Para los de quinta o tercera es aún menor. Conforme el sonido es más agudo también es menos perceptible.

Algunos tratadistas reducen todavía más este ámbito. Cecil Forsyth, en su libro de orquestación[87] lo limita a la extensión que va del Si2 al Re5, o sea, prácticamente una octava por debajo de la mencionada anteriormente. También existe la posibilidad de realizar dos notas en armónicos con una sola mano, aunque debe limitarse a una distancia no superior a la octava entre ambas. En estos casos se necesita un prudencial tiempo de preparación.

Trémolos. Los trémolos en el arpa son muy eficaces, especialmente cuando se halla a solo o con un acompañamiento moderado, ya que puede realizar hasta 3 y 4 notas simultáneas. Aquí el intérprete utiliza la combinación de ambas manos, y su escritura es igual a la empleada en otros instrumentos orquestales:

Ejemplo 2.29

[87] FORSYTH, Cecil: *Orchestrarion*, Ed. Dover Publications. New York, 1982.

Otra variante del trémolo es el *bisbigliando*, que se efectúa sobre dos acordes con arpegiado simultáneo. Éste efecto debe ser indicado con su denominación (ejemplo 2.30a), o con indicación gráfica (ejemplo 2.30b).

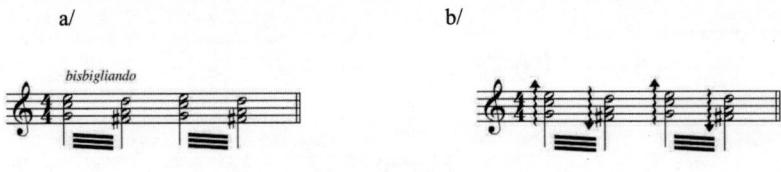

Ejemplo 2.30

Articulaciones y efectos no habituales

La música actual ha añadido al arpa una serie de novedades, tanto de escritura como de ejecución, que se encuentran en muchas de las obras escritas a partir de mediados del siglo XX. Es obvio que un catálogo completo de estas posibilidades escaparía a las pretensiones de este libro, puesto que no pocos compositores han aplicado un sistema de notación individualizado. Aún así, hay una serie de efectos, en algunos casos acompañados de una notación gráfica, que se han estandarizado al paso del tiempo. En este apartado citamos los que a nuestro juicio son los más extendidos en la práctica común.

Apagar los sonidos, Étouffer (fr.). Anteriormente ya se ha mencionado que para apagar los sonidos es necesario indicarlo, ya que de lo contrario el intérprete los dejará resonar —a excepción de los sonidos en *staccato*. Para ello se utiliza normalmente la expresión francesa *étouffer*, o el signo $\oplus$. Éste símbolo puede indicar apagar un único sonido o varios, ya sean simultáneos o de un fragmento completo. En este último caso debe ir acompañado de una línea que delimite su duración: $\oplus$———⌐ .

L. Berio: Circles.
Ejemplo 2.31

En los casos en los que se desea apagar un solo sonido también se emplea el signo +, puesto que el anterior puede resultar engorroso en pasajes en los que se precisa cambiar de abierto a cerrado de manera continua. El mismo símbolo se utiliza para golpear cerca de la tabla de resonancia —*près de la table*—, aunque aquí debe añadirse su denominación. Ambos se usan indistintamente.

Dejar vibrar, Laissez vibrer (fr.). Cuando se desea mantener el sonido se emplea la expresión francesa *laissez vibrer* o su abreviación l.v. Se escribe de distintos modos:

Distintas anotaciones del mismo efecto.
Ejemplo 2.32

Vibrato. Aunque es poco frecuente, en el arpa también se pueden realizar sonidos con vibrato. Este efecto precisa de un tiempo para su preparación. Normalmente se emplea el signo: V⌣⌣⌣⌣⌣⌣⌣⌣⌣, que sirve para determinar la nota en que se debe realizar, así como su duración. La acción de vibrato se realiza manteniendo el pulgar de la mano izquierda sobre la cuerda, presionándola regular o irregularmente, mientras se pulsa con la derecha. La indicación de ondulación posterior se mantiene hasta el final del efecto, determinando su fin, o a lo largo de la resonancia de la nota. Su sonido es, sin embargo limitado, ya que la misma mano que lo realiza lo apaga.

Pulsar con la uña. Anteriormente ya se ha citado la posibilidad de utilizar la uña en determinados fragmentos. Para indicarlo se emplea el signo ⌢, o su denominación.

T. Takemitsu : Bryce.
Ejemplo 2.33

El sonido resultante es más estridente que con la técnica normal, lo que es eficaz para resaltar fragmentos en los que la yema de los dedos es poco efectiva. No obstante, puede dañar la mano del intérprete, puesto que las cuerdas poseen una tensión notable. En estos casos es apropiado el uso del plectro.

Sonidos pizzicato-slap. El concepto de *pizzicato-slap* parte de la familia de cuerda frotada, que lo emplea como un modo de articulación contrastante con respecto al uso del arco. En estos supone utilizar la yema o la uña para realizar el sonido, y en el caso del signo ⊕, tirar con dos dedos dejando que la cuerda golpee en el mango, lo que produce un ruido estridente[88]. Ahora bien, en el arpa pulsar la cuerda es el modo habitual de ejecución, por lo que su significado es distinto, ya que su resultado tampoco será el mismo. Aún así, los sonidos pizzicato-slap se anotan igual que en el resto de la cuerda. El efecto se obtiene del mismo modo: tirando fuertemente de la cuerda con dos dedos, pellizcándola y dejándola resonar. En el arpa se realiza cerca de la tabla de resonancia, ya que al ser rozada con los dedos posee un sonido más percusivo. Algunos compositores prefieren realizar el efecto añadiendo un golpe simultáneo, lo que le aproxima a los instrumentos de cuerda-arco.

T. Takemitsu: Tree line (se ha omitido al resto de instrumentos).
Ejemplo 2.34

Clusters. La palabra cluster[89] se emplea actualmente para denominar a un grupo de sonidos simultáneos que mantienen entre sí distintas relaciones interválicas —normalmente de tono y semitono—, que se realizan de modo placado. En el caso del arpa dependerá de la afinación asignada a los pedales, lo que de uno u otro modo genera un acorde de no más de siete notas. Se escribe de distintos modos:

a) *Cluster* convencional, indicando las notas en su altura real.

b) Con notación gráfica, indicando registro y altura aproximada.

Ejemplo 2.35

---

[88] Este efecto fue introducido por Béla Bartók en sus cuartetos de cuerda, pasando poco a poco a formar parte de la escritura habitual para la mayoría de los instrumentos de cuerda, tanto frotada como pulsada. Es gracias a esto que se le denomina *Pizzicato Bartók*.

[89] Empleada por primera vez por el compositor norteamericano Henry Cowell.

Los *clusters* eólicos se indican con los signos 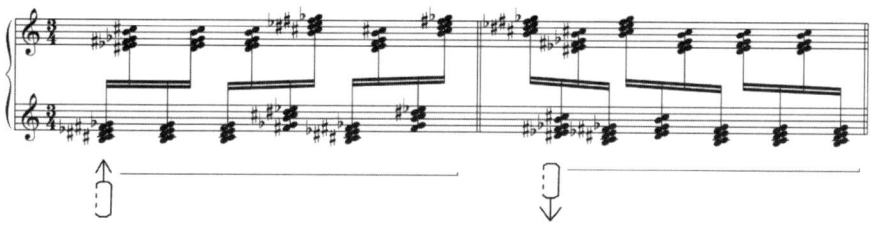, y se realizan con un glissando ascendente y descendente con las dos manos, mientras se frotan las cuerdas con los dedos. También se emplea una línea discontinua para indicar el inicio y fin del efecto. Estos acordes, o *clusters* eólicos, se componen de un total de entre de 3 y 4 notas simultáneas, y normalmente utilizan una afinación enarmónica.

Ejemplo 2.36

En algunos casos también se utiliza el puño o la palma de la mano, lo que no se indica a menos de que se desee explícitamente. Si no se anota el intérprete lo realiza según las necesidades dinámicas e interpretativas.

Golpes en la tabla. Aparte de pulsar las cuerdas, también se emplea el efecto de golpear la caja de resonancia con distintos medios. Es muy sonoro, puesto que la tabla del arpa es de tamaño considerable. Para su anotación se utiliza una cabeza distinta a la normal.

Las posibilidades de golpear la tabla son infinitas, por lo que aquí sólo citamos las más utilizadas, que son las siguientes:

a/ Golpear con la yema de los dedos (también se utiliza la denominación inglesa *fingertips*).
b/ Golpear con las uñas.
c/ Golpear con los nudillos.
d/ Golpear con el dedo pulgar (también denominado *Slap*).

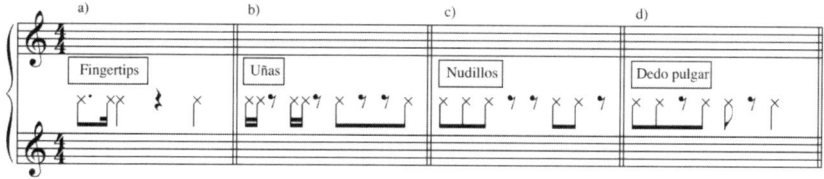

Ejemplo 2.37

Glissando en una sola cuerda. –Este tipo de glissando sólo se puede realizar con comodidad y eficacia en las cuerdas metálicas graves que poseen entorchado —bordones. En el resto no resulta igual, ya que su textura resbaladiza no permite aflorar el sonido fácilmente, razón por lo que apenas se utiliza. Se indica con su denominación o con el signo. No se trata, por tanto, del mismo efecto que el tradicional con recorrido en forma de escala. Se efectúa con las uñas o cualquier otro objeto —plectro, varilla metálica, etc.—, y a lo largo de la cuerda, deslizándolo en sentido ascendente o descendente. Esta dirección puede ser indicada en la partitura, aunque no cambia su timbre.

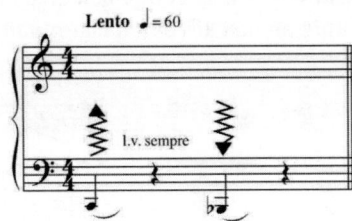

Ejemplo 2.38

Efecto de ruido. Se indica normalmente con el signo ♯ . Se realiza situando el pedal de una o varias cuerdas —que deben ser indicadas—, y en una posición intermedia, de modo que al vibrar golpee las patillas de afinación produciendo el consiguiente ruido.

Uso de plectro, baquetas u otros utensilios. En el arpa también se puede utilizar el plectro, pero con cautela, ya que el ejecutante no posee una técnica específica al respecto, y únicamente se puede producir un solo sonido —salvo en acordes arpegiados o *glissandi*. Se emplea en una sola mano, aunque también lo pueden aprovechar las dos, y se anota con su denominación o pictograma. Cuando es necesario se apunta su prolongación, lo que sirve para indicar el principio y fin del efecto: ●——⌐. El retorno a la manera normal de ejecutar debe indicarse con el texto *ordinario* o su abreviación *ord*.

También se emplean baquetas de percusión, lo que debe indicarse con texto o pictograma, además de anotar el tipo de baqueta que se demanda —dura, semi-dura, blanda: ⬚ ⬚ ⬚ . Con estas se puede golpear tanto las cuerdas (a), como el cuerpo o tabla de resonancia (b). En el caso de las baquetas duras o semi-duras hay moderar su uso para evitar dañar al instrumento.

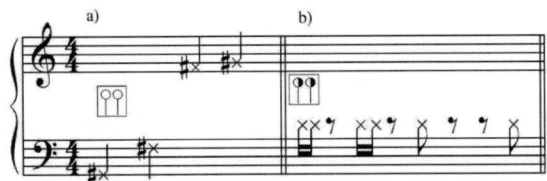

Ejemplo 2.39

También se utilizan otros utensilios, como monedas, barras metálicas, etc. Su empleo es esporádico y aconsejamos que sea moderado.

Otros instrumentos antiguos o derivados

En la orquesta actual solamente se emplea el arpa clásica de concierto descrita hasta aquí. Ahora bien, existen otros instrumentos que también participan en la música de cámara o, como se ha mencionado anteriormente, para la interpretación de obras del pasado. Los más utilizados son el *Arpa irlandesa*, el *Arpa de trovador* y el *Arpa doble*.

El *Arpa doble* era empleada en el siglo XVII, y posee 2 hileras de cuerdas con 4 octavas cada una: de Re2 a Re6 en la parte derecha y de Do2 a Do6 en la izquierda, con un total de 58 dispuestas cromáticamente. Su disposición depende del país de origen, aunque se mantienen dos criterios principales: el del arpa española, que posee las cuerdas cruzadas, y el del arpa italiana —*Arpa doppia*—, más difundida y utilizada en Europa, con dos hileras (órdenes) de cuerdas paralelas. La primera es un poco diferente del arpa común, puesto que las cuerdas se disponen cruzadas a lo largo del bastidor y divididas en dos grupos, de modo similar al teclado del piano: en la parte izquierda las notas cromáticas —teclas negras— y en la derecha las diatónicas —teclas blancas—, lo que cambia según el constructor, si bien es éste sistema el más empleado. Así se consigue ejecutar con comodidad con ambas manos, puesto que únicamente desplazándolas hacia la parte inferior (caja de resonancia) o superior (clavijero), se puede pulsar cualquiera de las cuerdas. La segunda, el *Arpa doppia*, posee notas cromáticas y diatónicas en ambos lados. Ambas cayeron en desuso a lo largo de siglo XIX, por lo que las actuales se construyen sobre réplicas de las antiguas.

Arpa española   Arpa doppia

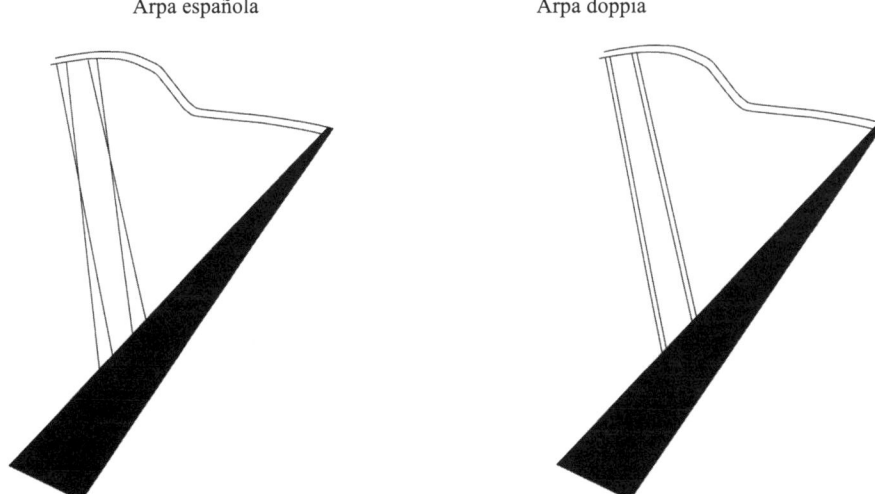

Ejemplo 2.40

El *Arpa irlandesa* que conocemos hoy conserva las mismas características del instrumento original, aunque los materiales que se emplean en su construcción le confieren una afinación más segura. Tiene un total de 31 cuerdas, con una extensión algo mayor de 4 octavas (ejemplo 2.41a). El *Arpa de trovador*, al igual que la irlandesa, conserva lo esencial de su antecesora, y como aquélla, a modernizado su construcción, lo que también le permite una mejor y más estable afinación. Posee 33 cuerdas (ejemplo 2.41b).

a) Arpa irlandesa

b) Arpa de trovador

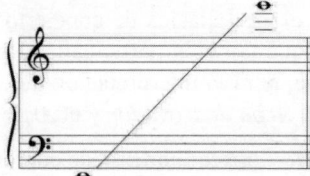
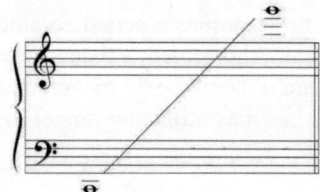

Ejemplo 2.41

En estos dos instrumentos, *Arpa irlandesa* y *Arpa de trovador*, en cada cuerda se pueden obtener 2 alturas: la normal, y otra que se halla a una distancia de semitono superior, para lo cual se emplea una palanca por cuerda que permite cambiar la afinación individualmente —similar al sistema del *Arpa de acción simple*. Esta palanca se halla situada en la parte superior, cercana al clavijero. Aún así, el intérprete no puede realizar los cambios en el transcurso de un fragmento, a menos de que se le deje un tiempo de preparación suficiente. Es preferible, no obstante, efectuarlo entre distintos movimientos, aprovechando el tiempo de pausa.

El arpa en la orquesta

Como se ha mencionado anteriormente, aunque el *Arpa de acción simple* aparece en el siglo XVIII, y con ella las primeras obras orquestales donde participa, no se puede decir que exista una normalización. Tampoco hay que descartar que se empleara en agrupaciones previas, aunque en muchos casos no era anotada; de igual modo que tampoco se escribían los instrumentos que intervenían en buena parte de las piezas anteriores al siglo XVII, y más aún los de uso esporádico. Así, el número de obras que se conservan también es limitado. Aparte de compositores como C. P. E. Bach, y W. A. Mozart, escribirían para ella J. L. Dussek, J. B. Krumpholtz, L. Spohr[90], E. Eichner, J. G. Albrechtsberger, entre otros. Todos realizan piezas para el arpa sola o con acompañante, pero siempre fuera del marco orquestal, a excepción de los conciertos solistas, que habitualmente comparten su papel con otro instrumento (violín, oboe, etc.). No es hasta la aparición del arpa de doble movimiento cuando se empieza a incluir en obras de mayor envergadura, especialmente en la ópera. Los primeros en utilizarla son G. Meyerbeer, que en *Robert le diable* añade una parte de arpa, y G. Donizzeti, que hace lo propio en su *Lucia di Lammermoor*. Esto ocurre durante la primera mitad del siglo XIX, momento en el que inicia su nueva andadura. El primer compositor en incluirla en la orquesta es H. Berlioz, que la emplea en su *Sinfonía Fantástica* y *Harold en Italia Op. 16*. A partir de aquí la mayoría de compositores la adoptarán, aunque con un trato que no supera al del autor francés.

---

[90] Se da la casualidad que estos tres últimos estaban casados con arpistas profesionales.

H. Berlioz: Harold en Italia, Op. 16, primer movimiento —arpa y viola[91]—
(se ha omitido el resto de la orquesta).
Ejemplo 2.42

El uso del arpa mantiene, desde las primeras obras, una constante evolutiva que se desarrolla a lo largo de todo el Romanticismo, con grandes arpegiados y movimientos en forma de glissando[92]. De hecho, es este último efecto el que más se prodiga entre los compositores. Esto se debe a que resulta ideal para fragmentos de carácter cadencial en los que se precisa de un gran crecimiento orquestal, ya que la acumulación de la resonancia de las cuerdas favorece la ampliación del espectro armónico del conjunto. Pasa así a tener un papel de timbre singular que sirve de apoyo al grupo, pero que no destaca en exceso, con una función cercana a la que desempeña la percusión, la celesta u otros instrumentos de uso esporádico. Tanto es así, que participa poco en formaciones orquestales de tamaño medio, aunque es habitual en las grandes, donde a veces se halla en grupos de dos a cuatro instrumentos (ejemplo 2.43). Esto se encuentra especialmente en la música francesa. Su peculiar timbre deviene ideal para el desarrollo tímbrico en compositores como Debussy, Ravel, Stravinsky, así como para la mayor parte de autores europeos vinculados con el entorno francés de finales del siglo XIX y principios del XX. Su sonido no tiene igual, y aúna el color de toda la cuerda pulsada de instrumentos como la guitarra, la mandolina, etc., en un contorno dinámicamente más eficaz, con posibilidades de realización también mayores, equiparables al resto de la orquesta.

Ahora bien, la dinámica del arpa es limitada si se la compara con el resto del grupo, especialmente con los instrumentos de viento, y sus características tímbricas también son únicas, y es por esta razón por lo que mantiene un uso asociado a su gestualidad, con un papel a cargo del relleno armónico y textural.

---

[91] Berlioz indica en la partitura que el arpa debe situarse cerca de la viola solista.

[92] En su *Méthode complète* para Arpa (1844), Théodore Labarre acuña por primera vez el término *glissé*, para denominar el paso de uno o varios dedos a lo largo de las cuerdas.

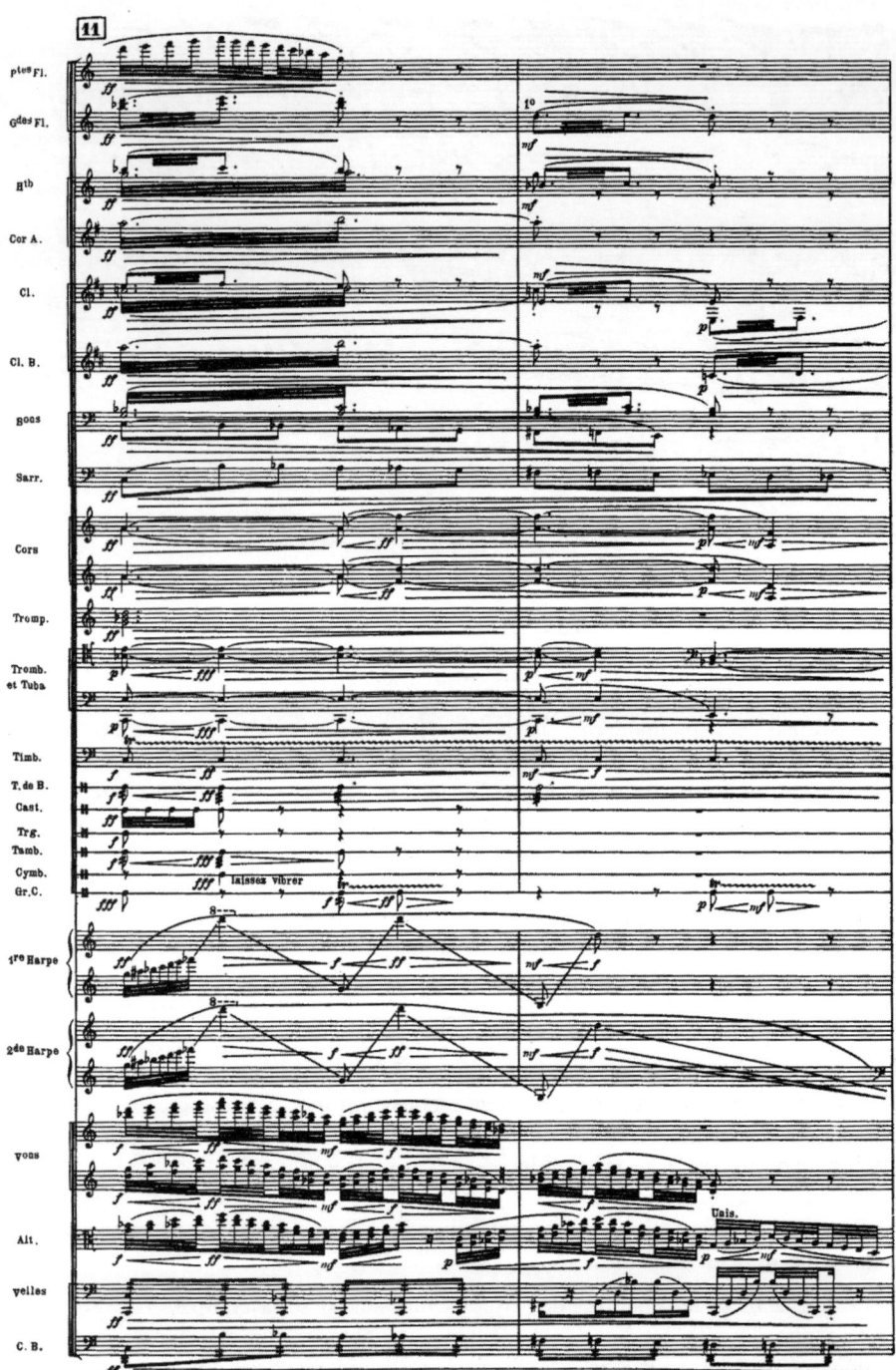

M. Ravel: Rapsodia Española, cuarto movimiento: Feria.
Ejemplo 2.43

Evidentemente, no se trata de que el arpa no tenga más recursos, sino de que éste es un modelo principal que sólo ella puede alcanzar. Tanto es así, que se mantiene en la música posterior y llega hasta la actualidad, donde se sigue caracterizando por su rol de instrumento de armonía resonante, innato en su técnica y construcción (ejemplo 2.43). Pero la cuestión es si puede desarrollar o no otras funciones dentro de la orquesta, aparte de las mencionadas. Esto tiene que ver directamente con su capacidad dinámica, que en el seno del grupo es limitada, razón que explica porqué se emplean con mayor frecuencia un determinado tipo de efectos tímbricos.

K. Saariaho: L'Amour de Loin, Deuxième tableau.
Ejemplo 2.44

Esto hace que algunos usos, como el melódico, acordal, o efectos que poseen una dinámica limitada —cerca de la tabla, armónicos, etc.—, se restrinjan a fragmentos de envergadura orquestal reducida, donde participa con un carácter solista o camerístico que enfatiza su sonido íntimo y delicado. Usos como la *scordatura*, que son propios de la música de cámara, también se utilizan en el ámbito orquestal, aunque poseen un efecto limitado. No hay pues límite para su empleo, sólo el que concierne a su capacidad dinámica, por lo que los inconvenientes se encuentran en su balance. Son muchas las piezas donde el arpa es prácticamente inaudible, y aunque esto no quiere decir que deba tener siempre una presencia acústica determinante, su parte y volumen deben hallarse acordes al papel demandado.

J. Druckmann: Aureole (se ha omitido al resto de la orquesta).
Ejemplo 2.45

El arpa como instrumento solista

El papel del arpa como solista, especialmente cuando se encuentra inserto en el grupo orquestal, es siempre delicado, ya que su limitado volumen dinámico también ejerce un contrapeso en el conjunto que no siempre es fácil de resolver. No son muchos los conciertos que posee, especialmente si lo comparamos con el resto de instrumentos orquestales, donde en no pocos casos su parte se halla compartida en un juego concertante que va, desde su integración en el conjunto, a fragmentos camerísticos que permiten mostrar sus características tímbricas y expresivas. Así se encuentra en las primeras obras solistas (ejemplo 2.46), con sus habituales arpegiados y movimientos conjuntos.

W. A. Mozart: Concierto en Do Mayor para flauta, arpa y orquesta KV299, segundo movimiento
(se ha omitido el resto de la orquesta).
Ejemplo 2.46

Pero es precisamente aquí donde el arpa aparece en un plano suficientemente diferenciado como para que su sonido y timbre puedan percibirse con claridad. Aún con todo, esto requiere igualmente de contrastes diferenciados, así como de una orquestación acorde a las prestaciones que se le demandan. A diferencia de la guitarra, no se amplifica cuando actúa como solista[93], por lo que se debe cuidar todo lo que concierne a su volumen dinámico cuando actúa inserta en el conjunto. Cuando se halla a solo el problema desaparece totalmente, puesto que es capaz de llenar un gran auditorio sin problemas. Esto se debe a que sus limitaciones tienen que ver más con lo que concierne a su timbre que no a su volumen.

A. Ginastera: Concierto para Arpa Op.25. Tercer movimiento.
Ejemplo 2.47

En el instrumento a solo es donde su capacidad tímbrica se desarrolla con mayor eficacia. El juego intimista al que se presta se da la mano de su capacidad expresiva y el virtuosismo de su ejecución, lo que puede llegar a ser muy llamativo.

---

[93] El uso de la guitara en el ámbito orquestal va acompañada a menudo de amplificación, aunque esto no quiere decir que se utilice de manera sistemática, lo que depende de la sala y el conjunto elegido.

T. Labarre: Ricordanza di Paganini, Variation.
Ejemplo 2.48

Este uso no se ciñe únicamente al empleo de efectos tradicionales o avanzados, sino que va más allá, con la interacción del intérprete con las distintas partes del instrumento, e incluso con su propia voz. No hay pues límite en su técnica, que aunque mantiene los mismos inconvenientes del uso de los pedales, también es cierto que algunos ejecutantes lo han llevado a extremos insospechados hace tan sólo unas décadas.

G. Aperghis: Fidélité, pour harpiste seule regardée par un homme.
Ejemplo 2.49

El arpa en la música de cámara

Donde el arpa ejerce mejor su rol de instrumento armónico, combinado con el de solista es, sin duda, en la música de cámara, puesto que en este entorno su sonido no posee problema alguno de difusión. Su papel se mantiene, sin embargo, en la misma línea del resto de formaciones, es decir, enfatizando las partes en arpegiado y los movimientos melódicos en *glissando*, con la intersección de juegos combinados de efectos o articulaciones diversas. Conserva así el papel que le caracteriza, lo que sirve para obtener un resultado global de características singulares.

A. Bax: Quinteto para arpa y cuarteto de cuerda.
Ejemplo 2.50

Esto se mantiene hasta la actualidad, donde las particularidades tímbricas y gestuales que se encuentran en sus comienzos se conservan de forma similar, con la única salvedad del lenguaje y una mayor complejidad de realización, característica común de la mayoría de instrumentos de cuerda a partir de la segunda mitad del siglo XX. No obstante, algunos intérpretes notables han hecho que el arpa creciera en posibilidades de realización a través de la ampliación de articulaciones y el hallazgo de nuevos sonidos relacionados con el ruido que se produce al ejecutar de modo no convencional. Se observa pues, cómo en la década de los años 80 del siglo XX aparece una ingente producción de obras para oboe y arpa, la mayoría debidas a la intervención del oboísta Heinz Holliger y su esposa, la arpista Ursula Holliger, que encargan piezas a no pocos autores, generando un repertorio nuevo considerable. De uno u otro modo esto emula a sus inicios, donde coincidencias aparte, muchos de los compositores del instrumento compartían pareja con intérpretes de arpa.

A. Jolivet: Controversia.
Ejemplo 2.51

También ha sido utilizada frecuentemente junto a la electrónica, donde posee un repertorio notable. Aquí el arpa tiene características de resonancia y ruido que, mediante la amplificación y su variación acústica, añaden a lo mencionado para la orquesta y solista, una interacción tímbrica particular.

J. Harvey: Bhakti, Núm. 8.
Ejemplo 2.52

Aunque hoy se sigue empleando poco en la música de cámara, no es menos cierto que su integración en estas formaciones está fuera de toda duda, con un repertorio que día a día resalta aún más sus características técnicas y tímbricas.

3.- INSTRUMENTOS CON CUERPO Y MANGO

3.1 .- Cuestiones generales

Bajo el nombre de guitarras se encuentra en la actualidad una gran variedad de instrumentos que poseen denominaciones particulares, muchas veces relacionadas con su procedencia y con el hecho de que se emplean de modo similar a la guitarra clásica. Así pues, designarlos a todos bajo la variedad de guitarras no es totalmente correcto, ya que esto supone una reducción drástica de la rica diversidad de formas que, aunque en su mayoría mantienen en común cuerpo, mango, y un número indeterminado de cuerdas, poseen entre sí grandes diferencias, especialmente en lo que concierne a las técnicas de ejecución. A esto hay que añadir los de nueva construcción, muchos de los cuales disponen de sistemas electrónicos de reproducción. A continuación se realiza una descripción de los más destacados, es decir, los que participan de manera habitual en la música orquestal o de cámara sinfónicas, dejando de lado los que lo hacen de manera esporádica o no hay precedentes de su uso en las agrupaciones de concierto. Para su clasificación utilizamos una división en familias de acuerdo al modo en que se ejecuta:

A.- Los que pinzan las cuerdas directamente con los dedos: guitarra clásica, bajo eléctrico.

B.- Los que emplean utensilios para pinzar las cuerdas (púa, plectro, etc.): guitarra acústica, mandolina, bandurria, laúd, guitarra eléctrica, etc.

En muchos casos sus propiedades son comunes, y la diferencia entre sí radica en su forma y timbre, aparte de que poseen un número variable de cuerdas. Tampoco hay que olvidar que muchos ejecutantes son capaces de tocar en buena parte de ellos, especialmente los que se relacionan con la misma técnica —dedo o plectro—, aunque otra cosa es la especialización que se precisa para poder desarrollar con eficacia todas sus características tímbricas y acústicas.

3.2.- La familia de las guitarras. Construcción

Como se ha mencionado anteriormente, toda la familia de guitarras posee en común una construcción que parte de un cuerpo y un mango —o mástil— como elementos principales. Lo que cambia es su forma y disposición. La mayor parte provienen de los primeros instrumentos de cuerda pulsada: el *laúd* y la posterior *tiorba*, que ya tenían una forma semejante y eran utilizados en la música del siglo XVI[94]. Como el resto, su origen primero es cortesano, puesto que se empleaban en entornos íntimos, lugar en el que obtenían una difusión adecuada.

---

[94] Aunque la procedencia de los instrumentos de cuerda pulsada predecesores del laúd es anterior, remontándose a la antigüedad, los primeros laúdes introducidos en Europa datan del siglo VIII, época de la dominación árabe, y provienen del denominado *Ud*, que significa literalmente, madera. No es, sin embargo, hasta el siglo XIII cuando se instaura en las cortes europeas, y de ello dan fe las ilustraciones de las *Cantigas de Santa María* de Alfonso X el Sabio.

Así pues, el parecido de los instrumentos actuales con sus ancestros no se aleja más de lo que se refiere a la calidad de los materiales con que se construye, y por consiguiente, de la estabilidad de la afinación y regularidad del sonido. Muchos de estos todavía se emplean para interpretar la música antigua (*laúd*, *tiorba*, etc.), mientras que otros han evolucionado notablemente. Esto hace que la gama existente sea infinita, tanta como constructores, lo que nos obliga a sintetizar en aquellos que todavía hoy se siguen utilizando, y muy especialmente, en los que participan en el entorno orquestal, aunque no hay que olvidar que ninguno ocupa un lugar fijo en esta agrupación, por lo que su intervención es puntual. A excepción de cuando tienen una parte solista, su papel tiende a la anécdota y el exotismo, con el objeto de obtener un timbre y carácter especiales.

Como se ha mencionado anteriormente, todos parten de una estructura similar, que a pesar de las diferencias de su forma mantienen en común:

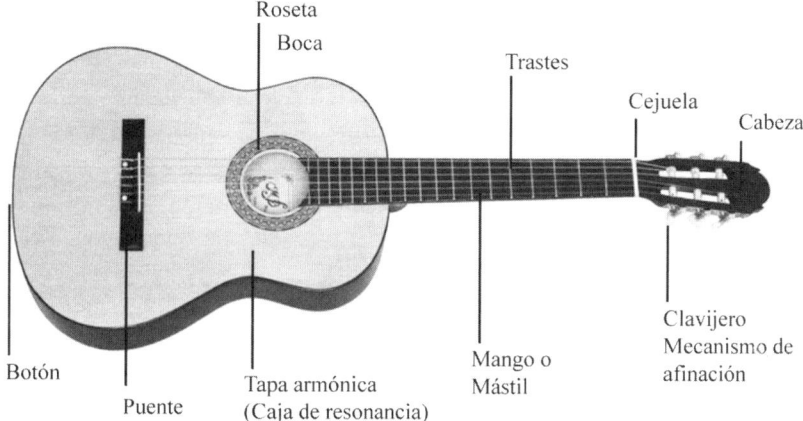

Partes de los instrumentos de cuerda pulsada.
Ejemplo 2.53

Las diferencias más notables se hallan en el diseño de su cuerpo, que se desarrolla a partir de una gama variada de formas con características acústicas distintas, ya sean originadas por su forma o por el volumen de su caja de resonancia.

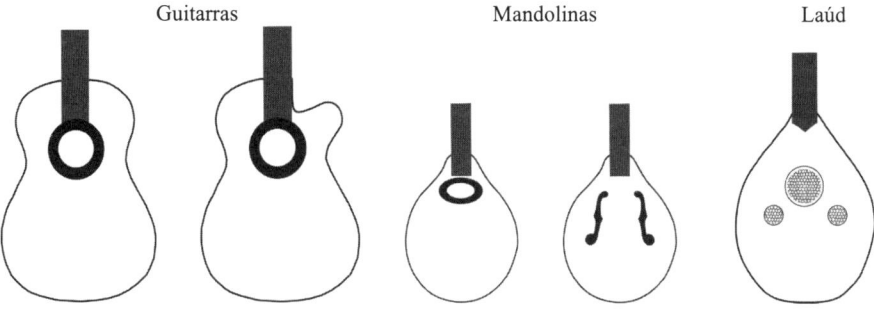

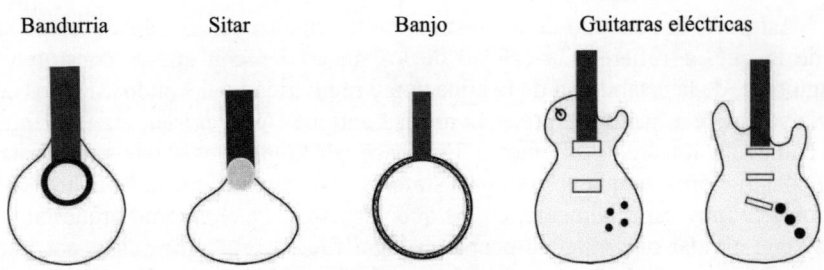

Formas de los cuerpos de los instrumentos de la familia.
Ejemplo 2.54

El mango es común a todos ellos, aunque poseen un grosor y amplitud diferentes según el tipo, con un número de trastes también variable, lo que tiene que ver con su tamaño y afinación. El sistema de clavijas también es semejante, puesto que su función es la de tensar las cuerdas para obtener la altura deseada. Aunque algunos instrumentos emplean sistemas similares a los del grupo de cuerda frotada —especialmente los dedicados a la música antigua—, la mayor parte utilizan un mecanismo de afinación y tensión de las cuerdas mixto de madera, marfil y metal, que asegura una entonación adecuada.

La tensión de las cuerdas es normalmente menor que en la familia de cuerda frotada, ya que de lo contrario no sería posible ejecutar con comodidad. Las que se utilizan en la actualidad son de nylon y metálicas (bronce, plata, aluminio, u otras aleaciones), y también de tripa para los instrumentos antiguos (laúd, tiorba, vihuela, etc.). Las más graves —a menudo denominadas bordones—, emplean un entorchado que permite aflorar mejor los sonidos, al tiempo que los amplifica haciéndolos más audibles.

3.3.- Distribución, disposición y escritura

La familia de cuerda pulsada se emplea limitadamente en la orquesta, y cuando lo hace se halla distribuída en la partitura en el lugar que ocupan los instrumentos no habituales, es decir, por debajo de los de percusión, y piano, y por encima del arpa o de la cuerda frotada. Su disposición de arriba a abajo se realiza del agudo al grave respectivamente, y siempre en grupo.

Timp.
Perc. 1
Perc. 2
Piano
Mandolina
Guitarra
Arpa
Violines I
Violines II
Violas
Violonchelos
Contrabajos

Distribución en la partitura.
Ejemplo 2.55

La disposición de escenario en el ámbito orquestal depende de su importancia en dicho contexto: en el concierto solista ocupa el lugar habitual, frente a la orquesta y al lado del director. Cuando su parte se halla integrada en el conjunto se coloca junto al arpa o el piano, en la parte izquierda del escenario —observado siempre de frente—, detrás del grupo de cuerdas. Aunque se puede situar en el lado contrario, no se emplea, porque ahí se hallan instrumentos voluminosos que le restarían capacidad de difusión. En el caso de que la orquesta utilice un grupo de percusión pequeño, también es posible emplazarlo sobre una tarima al lado de aquellos, detrás de la cuerda y el viento, aunque una vez más éste no es el lugar más adecuado, puesto que la distancia con respecto al público es muy elevada, lo que obligaría a amplificarlos. En suma, no hay una posición definitiva, aunque la preferida es la que hemos mencionado en primer lugar.

En el caso de la música de cámara, aunque se rige igualmente por la distribución orquestal, existe mayor libertad: si se trata del único instrumento polifónico del grupo, es habitual que se sitúe en la parte baja de la partitura, mientras que cuando se halla junto al piano o el arpa, se coloca por encima de estos. En lo que concierne a su disposición en el escenario, no hay nada definitivo, lo que por otra parte viene frecuentemente determinado por el compositor.

En lo que concierne a la escritura, los instrumentos de cuerda pulsada con mango poseen dos modelos diferenciados: la tablatura y la notación estándar. Para la primera se anotan las digitaciones en un número de líneas acorde al número de cuerdas (6 en la guitarra, 4 en el ukelele, etc.), sobre las que se sitúa el valor de los ritmos. También se anota en cada posición el dedo con el que la mano izquierda debe pisarlas, lo que a su vez determina la cuerda que se pulsa con la mano derecha. La tablatura utilizada en la actualidad proviene de la desarrollada por buena parte de los compositores españoles a lo largo del siglo XVI —Antonio de Cabezón, Luis de Milán, etc.—, que ya empleaban una vihuela cercana a la guitarra de 6 cuerdas.

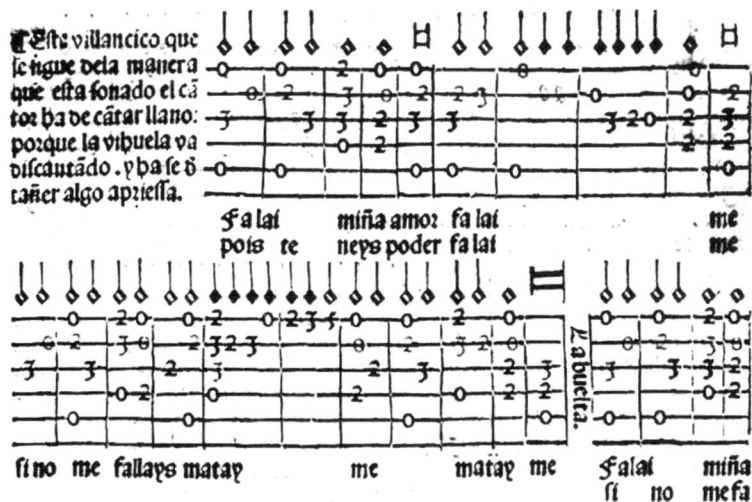

Luis de Milán: El maestro, villancico.
Ejemplo 2.56

Este modo de escribir no es, sin embargo, el utilizado en la música de concierto, aunque se mantiene en la música popular y moderna. Hoy se prefiere una notación unificada con el resto de instrumentos, donde las únicas diferencias radican en el uso de pentagramas y octavas de realización. Se escribe normalmente en sonido real, y en el caso de la guitarra e instrumentos graves, también se emplea la transposición de octava, manteniendo entre sí los mismos criterios de lectura.

Se escriben en clave de Sol, Do en tercera, Do en segunda y Fa en cuarta. Cuando la claridad se puede ver afectada por la densidad o el número de voces simultáneas, también se utilizan dos pentagramas. En este caso se opta por un doble pentagrama en clave de Sol —con transposición a la octava inferior (ejemplo 2.58). Aunque con menor frecuencia, también se utiliza un doble pentagrama en sonido real, con clave de Sol y Fa —sin ninguna transposición de octava—, de modo similar al piano.

T. Takemitsu: In the Woods, núm. 1 Wainscot Pond.
Ejemplo 2.57

3.4.- Posiciones y digitación

La agrupación de cuerda pulsada tiene tamaños y formas que pueden llegar a ser muy distintos entre sí, y su técnica a menudo también. Las posiciones y digitaciones, sin embargo, se mantienen de modo similar, lo que se adapta al volumen de cada instrumento. Como en la cuerda frotada, hacen referencia a la distribución de las alturas de acuerdo a la disposición de la mano izquierda a lo largo del batidor, lo que viene apoyado por la división de los trastes, que marcan la situación de las notas. La mano derecha actúa directamente en las cuerdas y lo hace de varios modos: pulsando con el dedo o plectro, rasgando, etc. Así, la escritura de las posiciones de la mano izquierda no varía en toda la familia, mientras que la mano derecha cambia según la técnica de cada instrumento en particular —pulsando con dedo o plectro.

En la mano izquierda el dedo pulgar no se anota, puesto que sirve para coger al instrumento con la posición de horquilla que se realiza entre éste, la palma de la mano, y los dedos que pulsan las cuerdas. Esto es así en toda la familia. No se emplean posiciones de *capotasto* como en la cuerda frotada, porque no son posibles o son muy incómodas dada la posición que debería adoptar el ejecutante. Para las digitaciones de la mano derecha también se utiliza una numeración. Se escribe de acuerdo al siguiente gráfico:

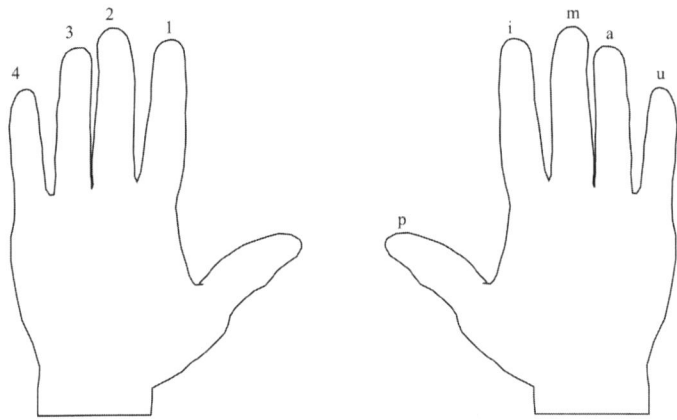

Digitaciones empleadas en los instrumentos de cuerda pulsada.
Ejemplo 2.58

Para las posiciones abiertas o cuerdas al aire se emplea el número 0. El dedo meñique de la mano derecha apenas se utiliza, y cuando lo hace, emplea una nomenclatura que puede variar entre distintos autores (anotada con **u** en el ejemplo). Como en los instrumentos de cuerda frotada, sus posiciones parten del comienzo del mango y se desplazan cromática o diatónicamente a lo largo de su recorrido. La capacidad física del intérprete determinará el ámbito sobre el que se puede ejecutar con seguridad y claridad. Aún así, es aconsejable no sobrepasar la distancia de tercera mayor en una misma cuerda, por lo que será esta misma la que sirva de guía a la hora de combinarlas, con el añadido de que en las posiciones múltiples será más difícil ejecutar —en muchos casos dependerá del tempo—, pudiendo hacer impracticable determinados cambios. Se deben cuidar especialmente las de horquilla, ya que necesitan un tiempo mínimo de preparación para realizarlas con seguridad. Conforme se va hacia el agudo son más pequeñas, lo que permite combinaciones con intervalos mayores, aunque aparece otro problema: la distancia entre cada traste también es más limitada, dificultando el movimiento de la mano.

A diferencia de la cuerda frotada, es habitual anotar la cuerda y el traste al comienzo de cada sección o parte, especialmente en los instrumentos más grandes. No se apunta en cada una de las notas, pero sí en las principales, que servirán de guía. Esto no es obligatorio, pero a la hora de leer y ejecutar la partitura puede ayudar sobremanera al intérprete. Para ello es necesario conocer perfectamente la posición de las alturas en el mango, así como la ubicación de los trastes —véase el apartado correspondiente a cada instrumento.

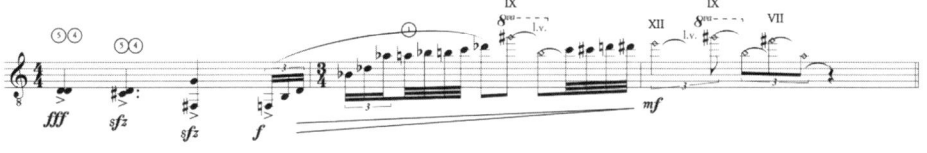

Escritura con anotación de digitaciones y trastes.
Ejemplo 2.59

Como en el resto de instrumentos de cuerda, los saltos que no son producto de la combinación continuada de las cuerdas pueden ser peligrosos, aunque el intérprete tenga la posición de los trastes como guía.

3.5.- Armónicos

El uso de armónicos en los instrumentos de cuerda pulsada varía según su tipo. Los naturales se pueden utilizar en toda la familia y son habituales en la guitarra clásica, donde se pulsan con las uñas de la mano derecha. Se emplean esporádicamente en los instrumentos de plectro, si bien son igualmente posibles. Para su escritura se anota el número de traste, además de una cabeza en forma de rombo en la posición o nodo en que se sitúa la yema de los dedos, diferenciándolo así de la nota normal. En muchos casos no es necesario anotar las digitaciones ni el traste, puesto que al tratarse de armónicos naturales no existe otra posición[95].

F. Tárrega: Preludio núm. 6, Chopin, Op. 28.
Ejemplo 2.60

Dejamos para el apartado individual de cada instrumento la descripción de sus posiciones, así como la ampliación de las técnicas convencionales, puesto que son particulares.

Los armónicos artificiales son poco comunes, y de estos no se emplean más que los de octava. Para realizarlos es necesario situar la mano izquierda en la posición de la nota fundamental, mientras que con la mano derecha se coloca la yema de uno de los dedos —normalmente el índice— a la distancia de octava, pulsando la cuerda con uno de los otros dedos —o plectro— de la misma mano. La dinámica que se obtiene en esta posición es muy limitada, razón por la que los de quinta y cuarta apenas son audibles y no se emplean. Son efectivos a lo largo de la primera octava, creciendo en dificultad conforme se va hacia el agudo, por lo que no es aconsejable sobrepasarla.

---

[95] Debemos aclarar aquí que la disposición de los armónicos es simétrica: se encuentran los mismos sonidos hacia el agudo (mango) que hacia el grave (caja de resonancia), partiendo del centro exacto de la cuerda. Normalmente se evitan las posiciones de los que se hallan sobre el agujero de resonancia (boca), porque interfieren con la mano derecha, aparte de que debido a la falta de trastes es más difícil orientarse.

B. Britten: Nocturnal.
Ejemplo 2.61

3.6.- Articulaciones principales

Las articulaciones en los instrumentos de cuerda pulsada poseen diferencias substanciales con respecto a los de cuerda frotada, ya que estos últimos utilizan el arco para encadenar las secuencias melódicas y los ataques, que pueden ser realizados de forma suave o abrupta, mientras que la familia de la guitarra emplea la pulsación de las cuerdas con uñas o plectro.

El uso de las uñas permite una articulación más flexible, puesto que actúa directamente sobre la cuerda, lo que proporciona una gama de matices superior, razón por la cual en la música de concierto los instrumentos más empleados son los que utilizan dicha técnica. Los que se valen de plectro poseen mayores dificultades en lo referente a matices dinámicos y tímbricos —aunque no debería tenerlas un intérprete profesional. A esto se añade el hecho de que normalmente utilizan cuerdas metálicas que les permiten un rango dinámico mayor, pero al mismo tiempo también les impide la sutilidad tímbrica de la posición de la uña[96].

A cambio poseen mayor resonancia, proveniente de la suma de la vibración de las cuerdas —más elevada gracias a su menor tensión—; la caja de resonancia, de tamaño a menudo superior a sus equivalentes de la familia de cuerda frotada; y el uso de los trastes. El intérprete emplea la interacción de las dos manos posicionadas en el mango —mano izquierda—, y encima de la boca —mano derecha—, para realizar el vibrato, controlar la resonancia y efectuar las articulaciones habituales, que se mantienen en la misma línea de actuación que en el resto de instrumentos de cuerda.

Legato. El *legato* de los instrumentos de cuerda pulsada es relativo, puesto que para realizar el sonido es necesario pulsar la cuerda con la uña, dedos o plectro, por lo que no se puede obtener una articulación continua de características similares a las de la cuerda frotada. El *legato* sirve aquí para delimitar el fraseo y la combinación de las alturas, lo que junto a su técnica, que consiste en mantener el sonido entre una nota y otra, así como entre distintas cuerdas, permite simular el efecto. En este sentido, su resultado difiere poco del de los instrumentos de teclado, e igual que en aquellos, los sonidos se unen por la resonancia y se apagan de acuerdo al mencionado fraseo.

Su escritura es la habitual: una ligadura entre la primera y última nota. No se emplean combinaciones más allá de la frase, puesto que no pueden realizarse y serían redundantes. Así, a diferencia de la cuerda frotada, el legato sólo indica relación de

---

[96] En la actualidad hay intérpretes que también utilizan las uñas para instrumentos en los que la técnica habitual es la del plectro. Estas excepciones no cambian, sin embargo, la regla general, por lo que no las trataremos aquí.

fraseo entre diferentes alturas, lo que el instrumentista ejecuta directamente con sus uñas, dedos o plectro. Son muchos los casos en los que los autores ni siquiera las anotan.

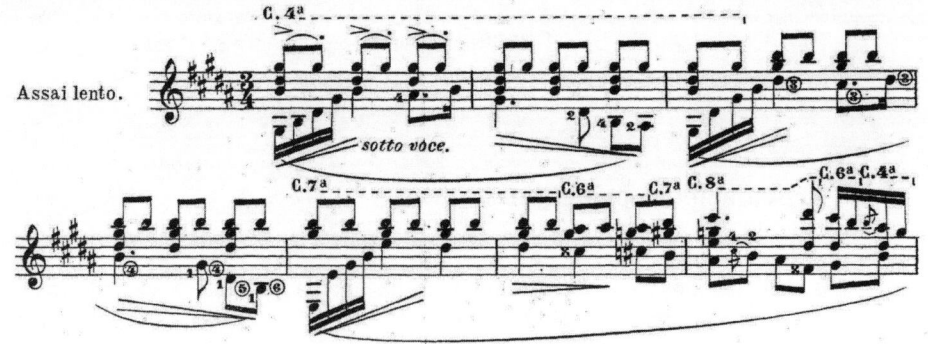

F. Tárrega: Preludio núm. 6 Chopin, Op. 28.
Ejemplo 2.62

Non legato. El *non legato* es la técnica normal, evitando el juego de fraseo empleado en el *legato*. También es la forma habitual de estudio para el ejecutante, con sonidos precisos y separados que sirven para obtener mayor claridad en la articulación, altura y tempo. Es la más utilizada, y a menos de que se demande lo contrario, será la aplicada por defecto —en los instrumentos de plectro, sin embargo, apenas se emplea. No posee signo alguno, ni tampoco debe anotarse.

F. Sor: Gran solo Op. 14.
Ejemplo 2.63

Staccato. Como para el resto de instrumentos, es lo contrario al *legato*. En los de cuerda pulsada, sin embargo, se utiliza con menor frecuencia, puesto que forma parte de la misma técnica de pulsación, lo que no permite diferenciarlo con claridad de otras articulaciones. Así, el *staccato* es aquí un sonido seco que se obtiene mediante una ataque preciso y el posterior apagado de la resonancia, o en su defecto, evitando su prolongación. Se anota con el habitual punto sobre la cabeza de la nota. También se utiliza frecuentemente combinado. Normalmente el intérprete apaga las cuerdas con el siguiente dedo de la mano, o levantando el dedo de la mano izquierda que la pisa. Del mismo modo lo puede dejar puesto cuando desea obtener un sonido sordo.

M. Castelnuovo-Tedesco: Sonatina canónica, núm. 3, Fandango en Rondeau (2 guitarras).
Ejemplo 2.64

También existe otro tipo de *staccato*, denominado a veces con la acepción *pizzicato*, que se anota con una cruz por encima de la nota. Este sonido imita el mismo timbre de los instrumentos de cuerda frotada, de ahí su denominación, aunque el resultado se acerca más al sonido *laúd* del clave. Se realiza apagando las cuerdas cerca del puente, evitando la resonancia.[97].

R. Gerhard: Fantasía.
Ejemplo 2.65

Trinos y trémolos. Si en algo destaca la familia de cuerda pulsada es en el uso de trinos y trémolos, que son parte indisociable de su técnica. Así pues, la combinación de cuerdas con la articulación de la mano derecha es regular, con permanentes juegos de repetición en posiciones fijas. No hay ninguna limitación, y se pueden efectuar desde los trinos o trémolos sobre una única cuerda, hasta la combinación arpegiada en cuerdas múltiples, lo que a diferencia de la familia de cuerda frotada, no precisa que sean contiguas, puesto que se puede acceder sin problemas a cualquiera de ellas. La velocidad de la repetición de alturas, trinos y trémolos también llega a ser notable. Sólo hay que tener en cuenta las relaciones interválicas de acuerdo a las posibilidades de ampliación de la mano izquierda. Es por esta razón por lo que es habitual el uso de cuerdas abiertas —téngase en cuenta que su número a menudo excede al de los dedos de la mano que las pulsan[98]. Frecuente es también el trino-trémolo sobre una misma nota y en la misma cuerda, e incluso en diferentes, realizado con la combinación de los dedos de la mano derecha.

También se pueden realizar trinos con la mano izquierda. Se efectúan en una posición fija, mientras que con otro dedo de la misma mano se articula golpeando rítmicamente la cuerda con la relación interválica correspondiente.

---

[97] Véase el apartado dedicado a los *pizzicati* de los instrumentos de cuerda pulsada de la pág. 240.

[98] Hay que tener en cuenta que las posiciones de la mano izquierda se realizan con 4 dedos, y en la guitarra clásica, para citar sólo un ejemplo, son 6 el número de cuerdas que posee. Diferente es cuando se sitúa la posición de cejilla.

F. Tárrega: Recuerdos de la Alhambra.
Ejemplo 2.66

Como se deduce de lo mencionado, se puede realizar en una única cuerda, y dentro de lo que abarca la mano del intérprete. No se debe mantener durante un tiempo prolongado, ya que puede causar fatiga. Su sonido es, sin embargo, menor que el del trino o trémolo normal, por lo que se debe utilizar con cautela.

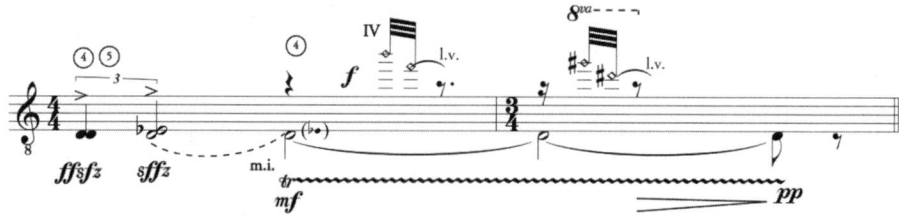

Ejemplo 2.67

Vibrato. En los instrumentos de cuerda pulsada se utiliza habitualmente para realzar la expresividad de los fragmentos en *legato*, así como para destacar melodías. Se realiza pisando las posiciones de las cuerdas con el dedo de la mano izquierda, moviendo rápidamente el brazo de arriba abajo, de modo similar al vibrato de la cuerda frotada. Este movimiento no puede exceder el espacio que delimita un traste de otro, puesto que se produciría un cambio brusco de afinación. Así, el vibrato se limita a una leve oscilación que no llega a un semitono. Normalmente no se indica, porque forma parte de su técnica. Sólo se escribe cuando se trata de un caso especial a destacar, o todo lo contrario, cuando no se desea el efecto. Aquí se utiliza la denominación *vibrato*, *non vibrato*, o su abreviación, *vib.*, *non vib.* También se emplea un tipo de vibrato que es el resultante de mantener el sonido y mover la palma de la mano en posición hueca sobre la boca del instrumento. El sonido que produce es limitado y solo es audible a solo.

En el caso de la guitarra eléctrica, existen instrumentos que poseen una palanca con la que tensar y destensar las cuerdas, lo que produce el consiguiente efecto de vibrato. Se indica de igual modo.

Placado, arpegiado y rasgueado. En los instrumentos de cuerda pulsada existen técnicas que en algunos casos han sido exportadas a otros grupos. Esto es porque su disposición, situados sobre uno de los muslos del intérprete, permite una articulación de acordes muy ágil, algo muy difundido en géneros como el flamenco, la música popular y el jazz. La mayoría parten del modo de realizarlos, que fundamentalmente van desde el placado hasta el rasgueado, pasando por el arpegiado —que es básicamente un rasgueado más lento. Se anota siempre de acuerdo al estilo. En la música popular y el jazz normalmente no se escriben, dando por hecho que se realizarán con rasgueado, cuya velocidad vendrá determinada por la pieza. En el género de concierto lo habitual es, sin embargo, lo contrario: el ejecutante lo emplea placado a menos que se le indique. De este modo, los tres modelos: placado, arpegiado y rasgueado, poseen una anotación diferencial que se debe tener en cuenta.

En los acordes placados (ejemplo 2.68a) se indica con corchete cuando se encuentran en un entorno donde se puede dudar de su empleo. Para el arpegiado existen dos formas de anotarlo: con el signo de arpegiación (ejemplo 2.68b), o escrito (ejemplo 2.68c). En el rasgueado (ejemplo 2.68d) se utiliza el signo de arpegiación, pero con la denominación o su abreviación *rasg.*, anotando o no su dirección —señalada con flechas en el ejemplo.

Ejemplo 2.68

El volumen dinámico de los tres modos tiene relación con su uso, por lo que mientras que el arpegiado y placado se asocian normalmente a una dinámica *piano*, o *mezzo-forte*, el rasgueado lo hace al *forte*. Esto no tiene porqué ser así, y hay multitud de ejemplos que corrigen esta regla, si bien se basa en la lógica eficacia con que se obtiene la textura tímbrico-dinámica de cada articulación.

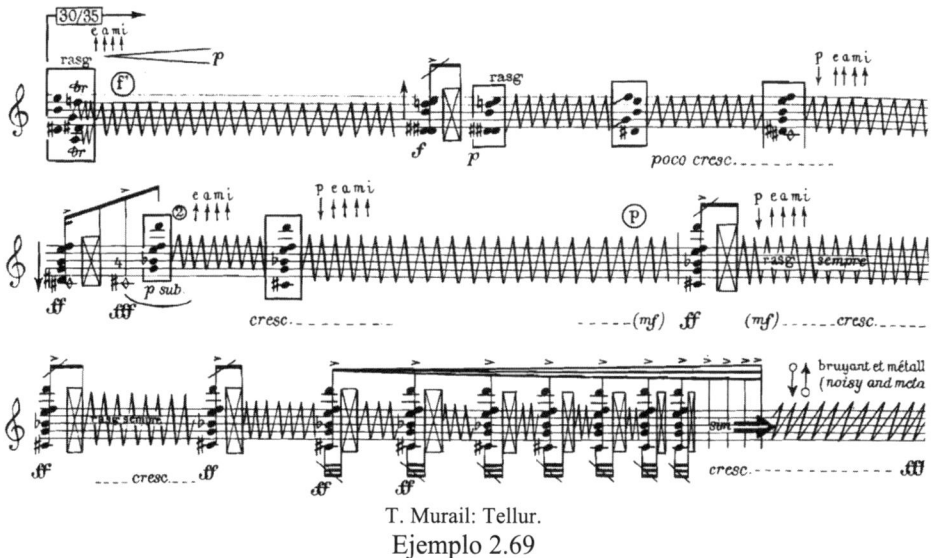

T. Murail: Tellur.
Ejemplo 2.69

Glissando y portamento. El uso del *glissando* y el *portamento*[99] en la familia de instrumentos de cuerda pulsada difiere notablemente del de la cuerda frotada. Esto se debe a que al dividir con trastes el mango, también aparecen limitaciones para su ejecución, puesto que al pasar de una altura a otra se escucha inevitablemente el paso por aquellos. Aún así, ambos efectos se emplean habitualmente para realizar el fraseo, tanto melódico como acordal, aunque su efectividad es limitada. Se indica con una línea que une las notas extremas.

M. Llobet: Mazurka.
Ejemplo 2.70

Se emplea habitualmente en la música a solo. Cuando se encuentra en conjunto es poco audible, debido a que el paso por los trastes apaga el sonido rápidamente, ya que sólo se vale de la resonancia de las cuerdas para realizarlo. Esto varía entre distintas cuerdas, siendo en las graves donde mayor dinámica se obtiene. También se puede realizar en trémolo, pero aún así, el paso de un traste a otro delimita claramente el cambio de altura, lo que no obstante queda disimulado por la articulación.

Existe además un tipo de *glissando* que se realiza situando un artilugio en la cuerda, y deslizándolo a lo largo del mango. Este efecto, proveniente de la música popular, posee un bello sonido. En muchos casos se emplea un vaso o un objeto de características similares, ya sea de vidrio, metal o madera. Aparece con mayor frecuencia en la *guitarra eléctrica*, y las *guitarras de pedal* —*pedal steel guitar*—, puesto que en estos casos, y gracias a la amplificación, se puede mover fácilmente y su sonido es perfectamente audible. En los instrumentos acústicos el problema se halla en su dinámica, que es limitada. Se indica como el *glissando* normal, anotando la nota de partida y la de llegada, además del tipo de objeto[100]. En este caso se sitúa la guitarra plana sobre los muslos del intérprete.

3.7.- Tocar en el mango y en el puente

La disposición de la mano derecha en las distintas zonas del recorrido de las cuerdas se emplea de modo similar a la familia de cuerda frotada. El cambio de posición produce también un cambio de timbre que va, desde el metálico que se ejerce en el puente, hasta el suave sobre el mango. Para su anotación se utiliza una nomenclatura similar a la de la cuerda frotada: *sul ponte* (*s.p*) y *sul tasto* (*s.t.*).

---

[99] En la familia de la guitarra no existe, de hecho, una clara diferencia entre *glissando* y *portamento*, puesto que ambos se realizan prácticamente igual, o lo que es lo mismo, el *glissando* se comporta aquí como un *portamento* y viceversa.

[100] Téngase en cuenta que en este caso es necesario preparar la guitarra y coger el objeto con la mano, por lo que se necesita un tiempo mínimo de preparación.

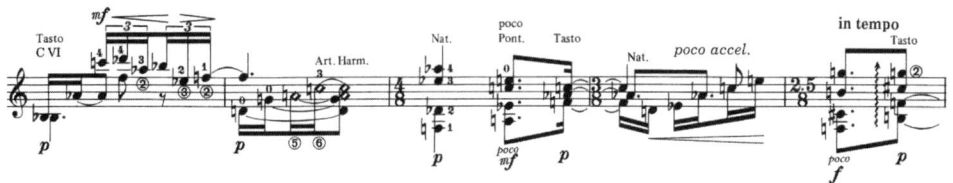

T. Takemitsu: Al in Twilight, núm. 1.
Ejemplo 2.71

La posición sobre el puente (*sul ponte*) produce, como se ha mencionado anteriormente, un sonido metálico que en la mayoría de casos se anota con su denominación. Así se encuentra en algunas obras del pasado, como en la *Gran Jota* de F. Tárrega de 1872. Su función es la de subrayar determinados fragmentos, cuya dinámica es normalmente *forte*. La posición sobre el mango (*sul tasto*), también llamada *flautando*, o *sonido arpa*, se utiliza para realizar partes en eco, o para crear contrastes tímbrico-dinámicos asociados a menor volumen.

A menudo ambos se utilizan combinados con el modo normal para enfatizar o delimitar repeticiones, lo que ofrece un singular cambio tímbrico que en el instrumento a solo puede resultar de gran belleza.

3.8.- Scordatura

Los cambios de afinación son en esta familia más habituales que en la cuerda frotada. Esto se debe a que habitualmente obedecen a una disposición acordal que permite obtener un modelo armónico concreto, algo que han empleado un gran número de compositores, especialmente en épocas recientes. Aún así, el uso de la *scordatura*, cuando es en un número superior a 3 cuerdas, también puede complicar la ejecución, puesto que las posiciones fijas en las que el intérprete desarrolla su técnica se ven alteradas de modo considerable. Es por esta razón por lo que aconsejamos un uso moderado, ya que estas nuevas posibilidades también pueden acarrear inconvenientes inesperados.

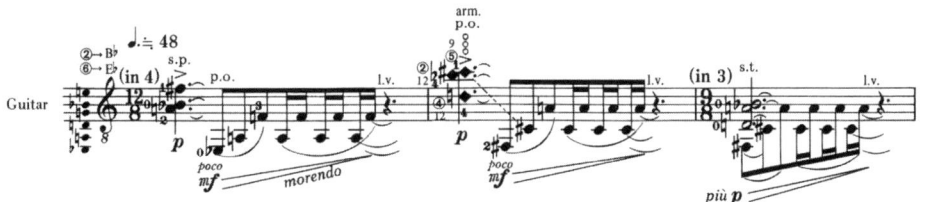

T. Takemitsu: Equinox.
Ejemplo 2.72

Los cambios de afinación de las cuerdas se deben regir por modificaciones mínimas que no superen la relación de tercera menor —hacia arriba o hacia abajo— de la altura normal del instrumento. Debe tenerse en cuenta, además, que esto también comporta un cambio en las posiciones de los acordes[101].

3.9.- Uso de cejilla

El uso de la cejilla se halla muy extendido entre los instrumentos de cuerda pulsada, especialmente en los que participan en la música popular. Éste artilugio supone, en la práctica, una *scordatura* de todas las cuerdas por igual. El mecanismo consiste en un pasador movible que posee una palanca o sistema de anclaje que permite atrapar el mango en cualquier posición.

Posición de la cejilla en el mango.
Ejemplo 2.73

Con este artilugio la afinación del instrumento sube de acuerdo a la posición en que sitúa, lo que puede facilitar la interpretación de una tonalidad compleja. Apenas se emplea, sin embargo, en la música de concierto.

3.10.- Modos de articulación avanzados.

Además de las articulaciones habituales de la familia de cuerda pulsada, existen otros modos de tocar que se han ido consolidando al paso del tiempo, y que en la actualidad ya forman parte de su técnica. Algunos se encuentran en obras de principios del siglo XX —golpes en la caja de resonancia, percusión etc.—, mientras que los más nuevos se van incorporado paulatinamente.

Tal y como sucede en el resto de instrumentos de cuerda, existen infinidad de modos de ejecución, por lo que anotarlos todos nos ocuparía un manual entero. Es por esta razón por la que hemos optado por presentar aquí únicamente los más destacados, haciendo especial hincapié en los que al paso del tiempo han devenido un nuevo estándar.

---

[101] En algunos casos los intérpretes optan por utilizar una escritura en tablatura, puesto que así no cambia la anotación de las posiciones, solamente las alturas. Este modo es inviable, sin embargo, para los que poseen oído absoluto, que pueden ver todavía más complicada la ejecución. También hay quien transporta directamente.

Golpear en la caja de resonancia. Utilizar la caja de resonancia, golpeándola, es un modo habitual de tocar en la música del flamenco, que combina la pulsación normal de las cuerdas con la percusión de manos, dedos y uñas en la caja. No debe extrañarnos pues, que desde sus comienzos, los variedades que se desarrollan alrededor de estos modelos creativos hagan uso de dichos efectos. Esto ha influido en no pocos compositores, lo que le ha convertido en distintivo de la música española de carácter popular. Son numerosos los casos en los que con esta misma significación se ha trasladado al género de concierto.

Se anota con una cabeza en forma de cruz, añadiendo su denominación. A menudo se combina con el golpe en el cuerpo con las cuerdas cerradas, evitando su resonancia—situando la palma de la mano izquierda sobre aquéllas—, lo que posee un gran efecto, al tiempo que es muy sonoro.

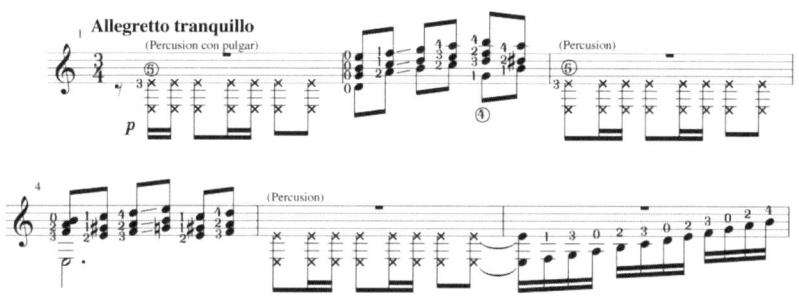

J. Turina: Fandanguillo[102].
Ejemplo 2.74

También se utilizan combinaciones rítmicas diversas que aprovechan la palma de la mano, dedos y uñas, para realizar un juego rítmico combinado de sonido y percusión. En el ejemplo siguiente se deben batir las dos cuerdas superiores con el pulgar, mientras se tocan las otras normalmente, golpeando la caja de resonancia con la uña.

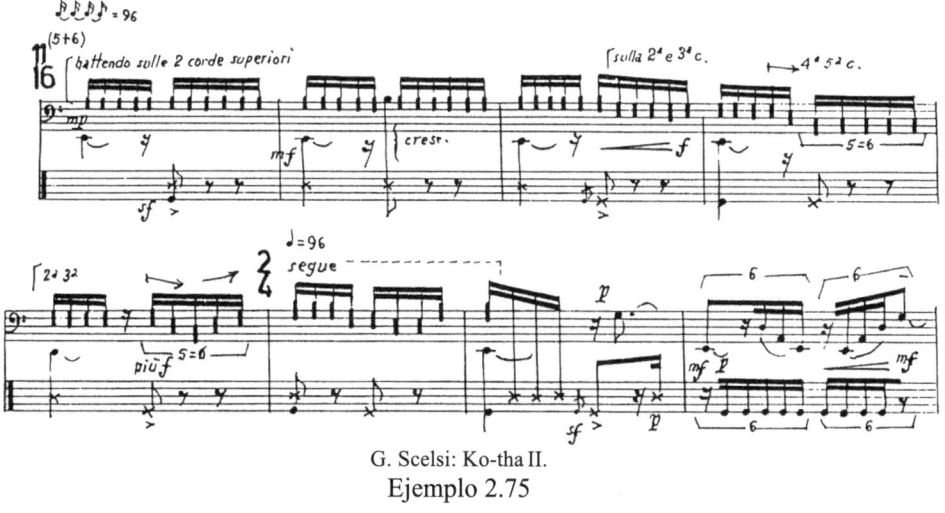

G. Scelsi: Ko-tha II.
Ejemplo 2.75

---

[102] Aquí el autor demanda golpear las cuerdas en el puente mientras resuenan las notas en cruz.

Tambora. El efecto *tambora* es de uso relativamente reciente en la música de concierto, y se realiza golpeando el puente o las cuerdas con la palma de la mano, obteniendo su posterior resonancia. Se emplea normalmente para la realización de acordes. No se aplica en combinaciones melódicas, puesto que sería más audible el sonido del ataque que la propia melodía.

Se produce al golpear el puente con la palma de la mano derecha, mientras se mantiene la posición de los dedos de la mano izquierda en las alturas determinadas, lo que origina la resonancia resultante de la vibración de las cuerdas. El sonido es de gran belleza, aunque posee un volumen limitado y no es óptimo para agrupaciones de cámara u orquesta, a excepción de las partes a solo. Según el volumen de la caja el efecto será mayor o menor, e incluso inapreciable en instrumentos pequeños, donde no aconsejamos su uso. Se anota con su denominación. Este modo se incluye a menudo en el grupo de *pizzicati* de la familia de cuerda pulsada.

L. Berio: Secuencia núm. XI.
Ejemplo 2.76

Pizzicati avanzados. Aunque ya hemos descrito con anterioridad los *pizzicati* utilizados habitualmente en la música tradicional, en la actualidad posee, sin embargo, distintas y nuevas acepciones que poco a poco han ido ampliando su importancia.

Esta técnica, procedente de la de los instrumentos de arco, se emplea en la cuerda pulsada como sinónimo de sonido apagado. Otro tipo de *pizzicato*, el de mano izquierda, —también utilizado en la cuerda frotada, e indicado en este caso con una cruz sobre la nota— se realiza golpeando con la yema de los dedos de la mano izquierda en la cuerda, lo que produce un sonido corto y apagado, denominado *Hammering on*.

Emilio Pujol describe cuatro formas de realizar el pizzicato. El *pizzicato* apagado (*pizzicato étouffé*) y el *pizzicato* normal difieren sólo en el número de cuerdas que se cubren con la palma de la mano; el *pizzicato* abierto (*pizzicato ouvert*) sitúa la mano en el puente, pero sin tocar las cuerdas —efecto tambora—; el último tipo, el *pizzicato* estridente (*pizzicato strident*), sirve para imitar los sonidos duros de los instrumentos de viento, y se realiza situando la palma de la mano entre el puente y el agujero de resonancia mientras se pulsa la cuerda con el dedo pulgar, dejando resonar las cuerdas, lo que produce un sonido fuerte y nasal.

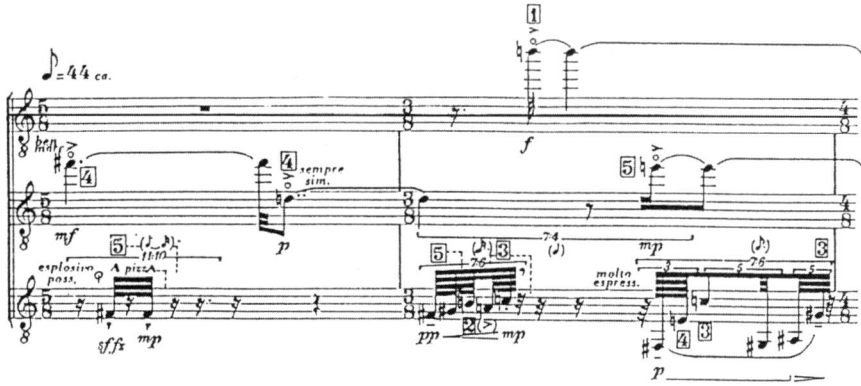

B. Ferneyhough: Kurze Schatten II.
Ejemplo 2.77

Otro tipo de pizzicato es el utilizado en los instrumentos de cuerda frotada, denominado Bartók, aludiendo al compositor húngaro, que en sus cuartetos de cuerda lo anota con el signo ⊙ ♀. En este caso la cuerda golpea el mango produciendo un sonido duro de connotaciones *forte* o *fortissimo* (ejemplo 2.78). Para ello es necesario pellizcarla con dos dedos de la mano derecha. Cuando se demanda en una dinámica menor se emplea el golpe de pulgar, aunque no posee la misma dinámica ni sonido, puesto que la cuerda no rebota en el mango.

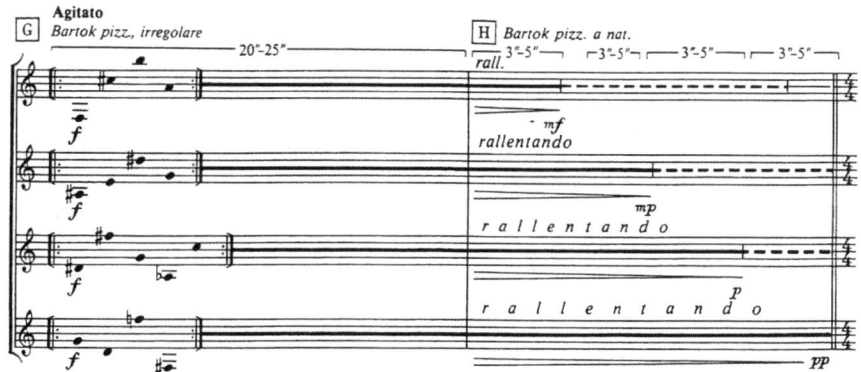

L. Brower: Cuban Landscape with rain.
Ejemplo 2.78

Similar a este último es el *tapping*. Consiste en batir con cualquiera de los dedos de las dos manos en las cuerdas. En muchos casos el instrumento se sitúa horizontalmente sobre los muslos del intérprete, puesto que así se puede acceder con comodidad a cualquier zona. Al golpear, el sonido que se obtiene es el resultante de la afinación del traste correspondiente, donde los dedos actúan como macillos de percusión. Ahora bien, no suena igual en toda la familia, y dependiendo del tamaño, puede ser inaudible. Donde tiene mayor efecto es en los instrumentos electrónicos, ya que el sistema de amplificación lo destaca. En los acústicos se utiliza con la acción de la mano izquierda combinada con la derecha, aunque su volumen dinámico es limitado, a menudo válido únicamente para las partes a solo.

Uso de baquetas y artilugios diversos. Como en el arpa, el empleo de diferentes utensilios para realizar el sonido es día a día más frecuente. Del manejo de vasos u otros objetos para el *glissando* o *portamento* ya hemos hablado en el apartado específico (pág. 236), por lo que no lo vamos a repetir aquí. También es conocido el uso del plectro, que para algunos instrumentos de la familia de cuerda pulsada es común. No hay que olvidar, sin embargo, que únicamente se puede ejecutar un solo sonido simultáneo, por lo que los acordes deben realizarse forzosamente en arpegiado. A cambio se obtiene un volumen dinámico mucho mayor, de ahí que se encuentre en los instrumentos de cuerdas metálicas y eléctricos. En el resto se utiliza esporádicamente para conseguir un timbre más conciso.

El empleo de baquetas, artilugios, varas de metal, de madera, etc., es igualmente posible, y el único límite es el de la imaginación. No obstante, vale la pena tener en cuenta que cuando el intérprete toma estos utensilios, no forman parte de su técnica, lo que reduce notablemente sus posibilidades de desarrollo. Aparte está todo lo que concierne al posible deterioro de los instrumentos. En estos casos aconsejamos moderación y sentido común. Golpear con una baqueta en la caja de resonancia posee un sonido bello, pero hay que realizarlo con cuidado y dentro de una dinámica moderada —además de utilizar una baqueta blanda adecuada. Tocar en las cuerdas con una baqueta, palo, lápiz, etc., proporciona un timbre curioso que puede tener un buen resultado en el instrumento a solo. Por el contrario, en el ámbito camerístico u orquestal no son utilizados porque son prácticamente inaudibles.

H. Lachenmann: Kontrakadenz (se ha omitido al resto de la orquesta).
Ejemplo 2.79

Para su aplicación basta con indicar el artilugio que se precisa, ya sea con su denominación o con un pictograma, que serán comunes a los utilizados en la percusión —sólo en el caso de baquetas u otros utensilios pertenecientes a aquélla.

Bi-tonos. Cuando se emplea la técnica denominada *hammering-on*, citada en el capítulo dedicado a los *pizzicati* avanzados, es decir, en cuanto se golpea la cuerda sobre el traste con los dedos de la mano izquierda, aparecen dos notas: una es la resultante de la distancia del traste pulsado con respecto al puente, y la otra la contraria, la que va de aquél a la cejuela. Este doble sonido —*bi-tono*— ha sido designado frecuentemente en la literatura de los instrumentos de cuerda pulsada como *pizzicato* de mano izquierda.

La relación entre ambos sonidos no es de una escala cromática traste a traste, si no el resultado de la vibración de la cuerda. Con el objeto de obtener una escala cromática de temperamento igual, los constructores se rigen por ciertos porcentajes de longitud de las cuerdas, así como de su vibración, determinando con ello el lugar donde situarlos. Para encontrar la distancia del primer traste desde la cejuela, se divide la distancia total de la cuerda —65 cm. en la guitarra clásica— por 1.059. Para el segundo, la nueva longitud se divide por la misma proporción, y así en adelante.

En el bi-tono agudo se acorta el intervalo según se va del grave al agudo cromáticamente, y de modo proporcional:

Escala cromática y bi-tonos resultantes en la guitarra[103].
Ejemplo 2.80

Las notas extremas pueden no ser audibles en las cuerdas agudas, especialmente en instrumentos de pequeño tamaño. Incluso en la primera cuerda de la guitarra clásica no se escucha el armónico más agudo. Se utilizan en fragmentos a solo, y es en los instrumentos eléctricos donde resulta más efectivo.

Multifónicos. Los sonidos multifónicos se producen a partir de las interferencias de la posición de la mano izquierda a lo largo del mango, o por la manipulación de la mano derecha en las cuerdas o cuerpo. Su procedencia tiene que ver con el desarrollo que se ha realizado de estos a lo largo de la segunda mitad del siglo XX en la familia de viento-madera, lo que de uno u otro modo ha influenciado al resto del grupo orquestal. No hay una tabla concreta, porque la mayoría no se pueden obtener en todos los instrumentos, lo que depende de la caja de resonancia, el tipo de cuerdas, intérprete, etc. Todo esto impide su sistematización[104].

---

[103] Los sonidos que se escuchan son el cromático —con cabeza negra— y el agudo (o grave), indicado con cuadrado.

[104] John Schneider, en su libro *The Contemporary Guitar* realiza una descripción de los que son posibles en la guitarra clásica de concierto (pág. 137).

Donde existe una cierta similitud de emisión, es en lo que concierne a la disposición de la mano izquierda en las posiciones de armónicos naturales intermedias a las ya habituales —véase el apartado correspondiente a cada miembro de la familia. Se trata, en realidad, de los armónicos más alejados, y por tanto, los menos sonoros. Aquí se escucha el zumbido de los sonidos más próximos de la serie, lo que les acerca a un sonido-ruido que sólo con dispositivos electrónicos es posible determinar con exactitud. El problema es que pueden variar con un mínimo movimiento del dedo, lo que los hace muy inseguros. Tampoco pueden efectuarse en todas las dinámicas, y sólo son audibles en las partes a solo. Realizar una lista de los posibles es prácticamente imposible, porque varían de uno instrumento a otro, e incluso dentro del mismo grupo.

Microtonos. El uso de la microtonalidad en los instrumentos de cuerda pulsada no está tan extendido como en los de cuerda frotada. Esto se debe a su construcción, que combina la afinación de los trastes de acuerdo a una escala cromática. Aquí la microtonalidad se emplea como un modo de desafinar el sonido. A partir de la segunda mitad del siglo XX también se utiliza para obtener un timbre y sonido particulares, mediante el uso de escalas con temperamentos o afinaciones diferentes a los instrumentos tradicionales, para lo cual se requiere una disposición especial de los trastes.

M. Ohana: Tiento.
Ejemplo 2.81

Se han realizado distintas propuestas en este campo, que van desde el cuarto al octavo de tono. La mayor parte han tenido a la cuerda frotada como fuente de inspiración, puesto que en aquélla no existe más impedimento que el de la técnica. En los instrumentos de cuerda pulsada actuales existen dos opciones para obtener estas alturas: realizar una afinación distinta a la habitual, incorporando la microtonalidad; o utilizar un instrumento que posea una disposición especial de los trastes. El primer caso es relativamente simple: se trata solo de aplicar la *scordatura*, aunque esto también supone la afinación en cuartos de tono del resto de los sonidos de la misma cuerda. El segundo requiere de un instrumento construido especialmente para la ocasión, lo que se halla supeditado a la demanda interpretativa, razón por la cual no puede abordarse si no se tiene la seguridad de su existencia. Así, escribir una pieza en cuartos de tonos sin tener en cuenta lo mencionado puede ser peligroso, lo que incluso puede impedir su ejecución.

La notación de los cuartos de tono es idéntica a la empleada para los instrumentos de cuerda frotada (pág. 73).

Clusters. En los instrumentos de cuerda pulsada no es habitual el uso del *cluster*[105], porque de uno u otro modo su afinación implica un juego acordal de resonancias

---

[105] Término adoptado por E. Cowell en su *New Musical Resources* (New York: Alfred A. Knopf, 1919), para denominar a un grupo de sonidos cromáticos o diatónicos placados en el piano.

armónicas difíciles de eludir. No obstante, en la música del flamenco su uso es habitual: se efectúa apagando con la palma de la mano izquierda las cuerdas, en una posición cercana al agujero de resonancia, al tiempo que se realiza el rasgueado con la mano derecha. El sonido resultante es percusivo y de afinación indefinida.

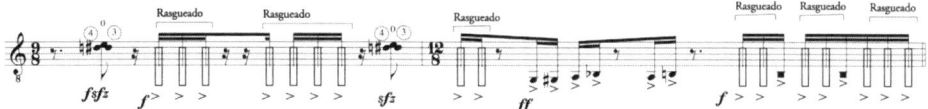

Ejemplo 2.82[106]

Otras combinaciones de grupos de tres notas cromáticas (ejemplo 2.82) pueden ser consideradas también como *clusters*, aunque el hecho de contener una de las cuerdas abiertas hace que su entonación pueda asimilarse fácilmente a un conjunto armónico. No es posible realizar más de tres notas contiguas, porque la distancia de las posiciones de la mano izquierda no lo permite. Con el fin de conseguir un mayor efecto, a veces se combinan varios instrumentos con afinaciones distintas y entrelazadas. También se puede realizar en uno solo, con un juego de resonancias que poco a poco se modifican, si bien se trata más de una pseudo-modalidad que no de un *cluster*.

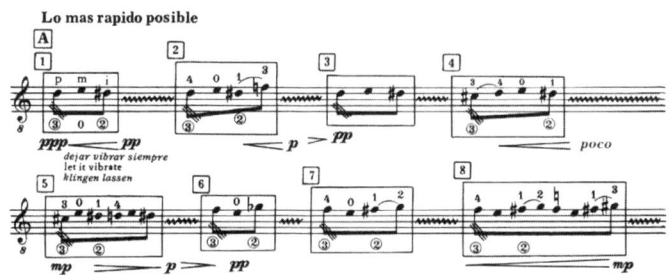

L. Brower: La espiral eterna.

Ejemplo 2.83

Uso de arco. Como ya es sabido, los instrumentos de cuerda pulsada no pueden producir un sonido sostenido, a menos de que empleen algún tipo de artilugio o arco. El que lo acerca más a la técnica de la cuerda frotada es éste último, aunque sólo se puede utilizar en las dos cuerdas extremas o en instrumentos de cuerda única[107]. Únicamente el viejo *Arpeggione* —también conocido como *Guitarra con arco* o *Guitarra de amor*—, podía realizarlo. Se trataba de un instrumento inventado por el luthier J. G. Staufer, que poseía un total de 6 cuerdas y un mango de forma curvada, parecido al de la *viola da gamba*. No sobrevivió, y de él se conserva una única pieza: la *Sonata en la menor* para arpeggione de F. Schubert.

El uso del arco es pues una extensión de la técnica, y como tal ha sido empleado, porque aparte del mencionado problema de que sólo pueden frotarse las cuerdas extremas, la tensión de estas hace que a su paso la vibración sea muy alta, lo que

---

[106] En el ejemplo se indica con rectángulo la posición de cluster, y con cabeza cuadrada el golpe sobre la tabla.

[107] En el caso de lo de doble cuerda —denominada orden— únicamente se puede frotar la más extrema.

permite un limitado volumen dinámico. Evidentemente, también se pueden fregar todas las cuerdas a la vez, aunque es difícil mantener la presión adecuadamente para que suene el acorde completo sin interrupción del movimiento. Debemos recordar aquí que este uso no forma parte de la práctica del ejecutante, razón por la que no se le puede demandar gran complejidad.

Son pocas las piezas en las que se emplea, y se anota con la denominación normal de *arco*, indicando la altura y la cuerda.

Sordina. Aunque poco frecuente, se usa preferentemente en los instrumentos con cuerdas metálicas, y su función es, como en la cuerda frotada, lograr menor dinámica y un timbre más apagado. Se encuentra normalmente en agrupaciones de cuerda pulsada —mandolinas y bandurrias especialmente.

Se construyen en goma o cuero, y se colocan mediante presión en la ranura del puente. Para su uso es obligado consultar con el intérprete, porque normalmente no la poseen —en muchos casos la confeccionan ellos mismos.

Instrumento preparado. Aunque poco frecuente, también se emplea la preparación. Se utiliza normalmente en los instrumentos con una caja de resonancia grande, y también en los eléctricos, sin bien esto no supone límite alguno. No obstante, es en la guitarra clásica donde se encuentran más ejemplos. La primera preparación conocida data de finales del siglo XIX: la *Gran Jota* de F. Tárrega, donde el autor demanda cabalgar la quinta y sexta cuerda en el noveno traste, pulsándola con los dedos en una posición indicada como *tamburo*. El sonido resultante se halla cercano al de un golpe de tambor con bordones, de ahí su denominación.

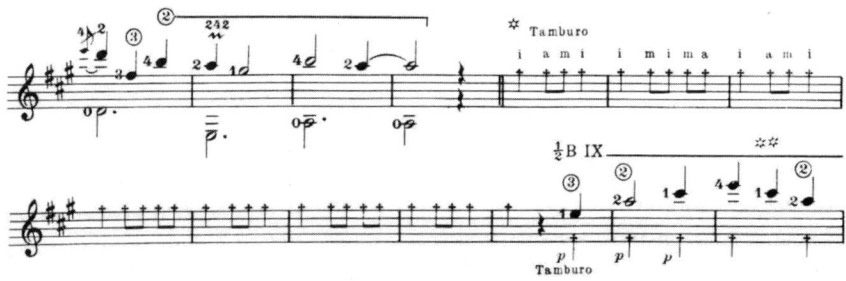

F. Tárrega: Gran Jota.
Ejemplo 2.84

El cruce de cuerdas es el método más popular entre los instrumentistas, y por consiguiente, el más utilizado. Dependiendo del tipo de cuerda su sonido es agudo o grave: con las de tripa se obtiene un tono más agudo, y con las de nylon un tono más grave y metálico. Se puede realizar en distintas partes del batidor, si bien la posición que lo sitúa cerca de la mitad del recorrido de la cuerda es la que permite el mejor efecto. Cuanto más cerca se halla de la cejuela, mayor es el tiempo de preparación que se precisa. Para indicarlo se emplea normalmente un cabeza de nota distinta: ✗, ▼ ó ■. A menudo también se indica con un signo —✖ en el ejemplo 2.85.

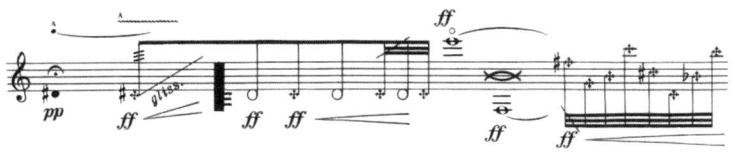

C. Halffter: Codex I.
Ejemplo 2.85

Otro tipo de preparación es la que utiliza un objeto ubicado entre las cuerdas: papel, clip de metal, pinza de madera, lápiz, etc., de los cuales no hay límite alguno. Tal y como se ha mencionado anteriormente, será conveniente utilizar una cabeza de nota distinta para clarificar su uso. Estos artilugios deben colocarse antes del comienzo de la interpretación, puesto que mientras se ejecuta es difícil fijarlos, aparte de que también sería impreciso.

Otros usos. Cantar mientras se toca, emplear medios electrónicos, o cualquier otro uso derivado, forman parte en la actualidad tanto de la música popular como de la de concierto. La mayoría son ampliaciones que no afectan a su técnica, o bien la complementan. Aquí debemos recordar lo mencionado para el resto de instrumentos, y es el hecho de que cuando el intérprete debe ejecutar con procedimientos que no pertenecen a su práctica habitual, es de nuevo un aprendiz, a menos de que se haya especializado en ellas —lo que es poco frecuente. Esto hace que debamos ser prudentes a la hora de utilizarlos, de lo contrario la pieza puede llegar a ser irrealizable. Aún así, en lo que se refiere a posibilidades de ejecución no hay límite alguno.

3.11.- Combinación de articulaciones y efectos

Aunque hasta aquí se han mencionado los tipos de articulación y efectos posibles de modo independiente, buena parte pueden realizarse simultáneamente. A continuación mostramos el cuadro de sus combinaciones principales.

	Normal	Trinos	Trémolos	Pizzicato	Placado	Arpegiado	Rasgueado
Legato	●	○	○	✕	○	●	✕
Non legato	●	●	●	●	●	●	●
Staccato	●	○	○	●	●	●	●
Sobre el Ponticello	●	●	●	✕	●	●	●
Sobre el mango (Tasto)	●	●	●	○	○	●	○
Glissando/ Portamento	●	●	●	●	●	○	●

● Posible   ○ Posible pero difícil   ✕ Imposible o muy difícil

Ejemplo 2.86

4.- DESCRIPCIÓN: INSTRUMENTOS CON CUERPO Y MANGO

4.-1 Guitarra clásica

Inglés: Classic Guitar   Italiano: Chitarra classica

Francés: Guitare classique   Alemán: Klassische Gitarre

El instrumento más difundido del grupo de cuerpo y mango es la guitarra clásica. Las primeras provienen del antiguo laúd, aunque su denominación ha sido empleada a lo largo de la historia para designar a la mayor parte de instrumentos de cuerda pulsada que poseen trastes, por lo que en algunos casos existe una cierta confusión a la hora de precisar cual de ellos es uno u otro. Por otra parte, antecedentes con un total de seis cuerdas y con trastes aparecen ya en el siglo XVIII, y los primeros métodos, a finales del mismo siglo[108]. El de Dionisio Aguado, editado en Madrid en 1825, es el que vendrá a respaldar definitivamente a la guitarra que conocemos hoy, que se irá modificando paulatinamente, especialmente en lo que concierne al tamaño de la caja de resonancia. Estas variaciones son, sin embargo, menores que en épocas anteriores. Es H. Berlioz quien la incluye por vez primera en un tratado de orquestación (publicado en París en 1843).

La guitarra clásica se compone de un cuerpo con un agujero central y un mango con trastes, sobre el que se colocan un total de seis cuerdas. En su construcción se utiliza una mezcla de distintos tipos de madera: pino, abeto, cedro o ciprés para la caja de resonancia; y palosanto o ébano para el mango. Los trastes son normalmente de alpaca o latón, aunque también los hay de otros materiales, como el marfil. Las cuerdas son de tripa o nylon, y las más gruesas —cuarta, quinta y sexta—, suelen llevar un entorchado metálico, de ahí que a menudo se las denomine bordones. Según el repertorio para el cual van destinadas se emplean con diferentes tensiones. La diferencia entre sí, es que las que poseen mayor tensión poseen un tacto más sensible y brillante, y las menos tensas, todo lo contrario.

Se toca sentado, apoyando el instrumento en el muslo, y a menudo se utiliza un artilugio a modo de pequeño taburete, que tiene la función de elevar la pierna del intérprete a la altura adecuada para la ejecución. Normalmente no emplea la cejilla, puesto que su función es la de facilitar la transposición, lo que es más propio de la música popular que de la de concierto.

---

[108] En 1780 aparece *Obra para guitarra de seis órdenes*, de Antonio Ballesteros, en 1799 el *Arte de tocar la guitarra española*, de Fernando Ferandiere, además de *Principios para tocar la guitarra de seis órdenes*, de Federico Moretti. Un método posterior, *La Escuela de Guitarra*, de Dionisio Aguado, sería publicado en Madrid en 1825.

Detalle del instrumento de 6 cuerdas.
Ejemplo 2.87

Aparte de la guitarra de concierto, que posee seis cuerdas, existen otros instrumentos que utilizan un número mayor, a veces con un sistema duplicado de cuerda doble u orden. Estos los trataremos más adelante.

Afinación, extensión y digitaciones específicas

La afinación de la guitarra (ejemplo 2.88a), no se mantiene siempre del mismo modo, por lo que es habitual, por no decir frecuente, utilizar la *scordatura* (ejemplo 2.88b, 2.88c y 2.88d). Esto se debe a que su afinación se halla muy cercana a una tonalidad concreta —Mi menor—, lo que para no pocos compositores puede llegar a ser un problema a la hora de escribir para el instrumento. En la *scordatura* sólo tendrá dificultades el intérprete con oído absoluto, aunque es habitual el oído relativo. Aún así, la primera combinación es la normal[109].

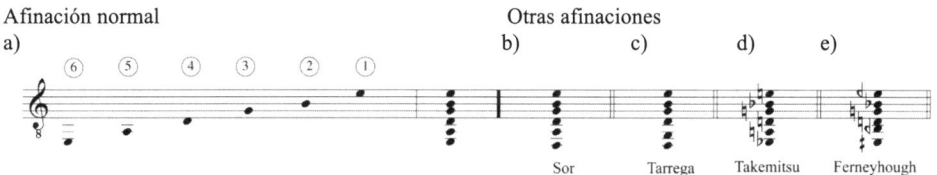

Ejemplo 2.88[110]

Su ámbito se encuentra totalmente estandarizado en la actualidad, y es el siguiente:

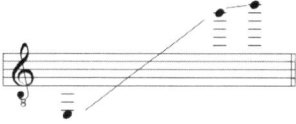

Ejemplo 2.89

---

[109] Lo que concierne a la anotación de las posiciones de la mano izquierda, trastes, mano derecha, etc., no las repetiremos aquí, puesto que ya han sido expuestas en el capítulo genérico (pág. 228 y ss.).

[110] Las afinaciones mencionadas son sólo una muestra de algunas de las empleadas por estos compositores, puesto que también han realizado otras. Deben ser tomadas únicamente como referencia.

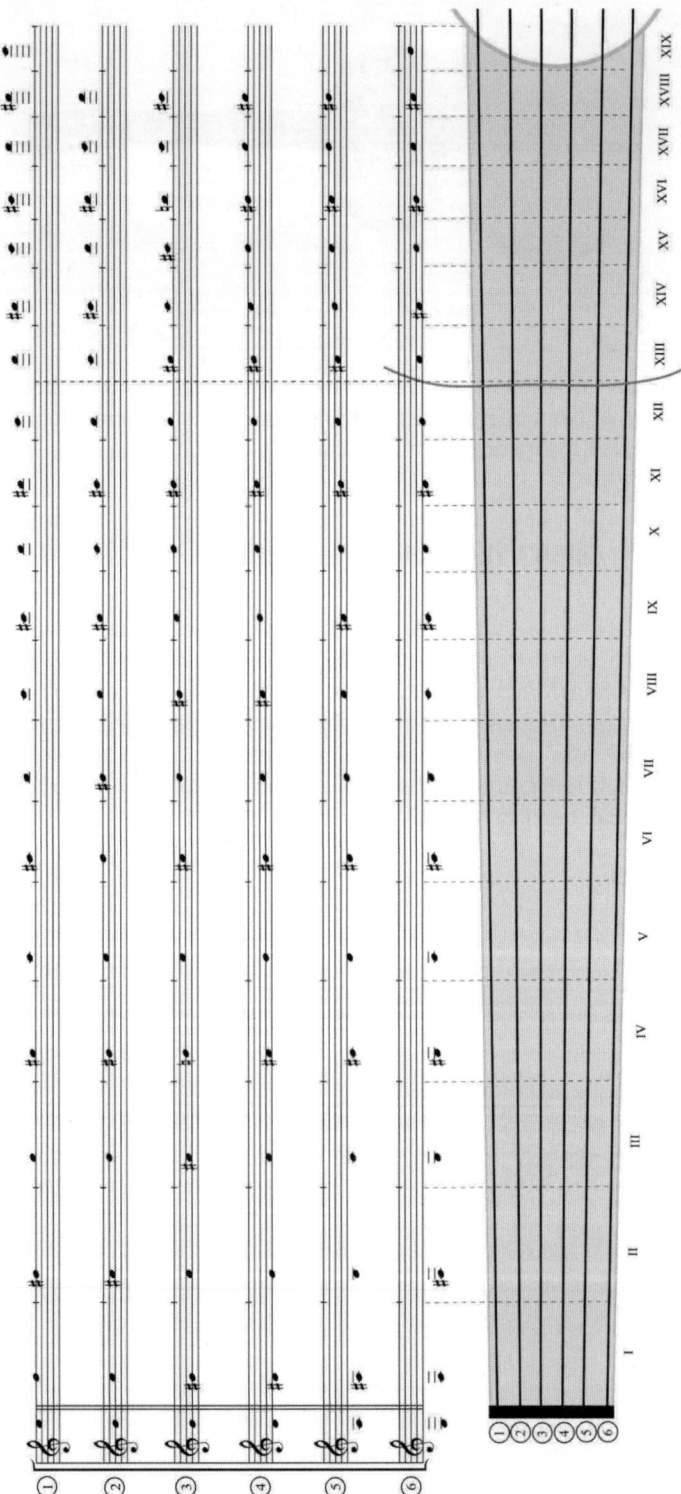

Disposición de las alturas en la guitarra.
Ejemplo 2.90

En el anterior ejemplo (2.90) se observa la disposición de las alturas en el instrumento de concierto. Los sonidos extremos se realizan fuera del mango, por lo que son de afinación insegura. El ejecutante emplea la combinación de ambas manos para la realización de los sonidos. La posición de la izquierda es siempre la más problemática, puesto que la derecha únicamente pinza las cuerdas con la uña, mezclando las distintas técnicas de pulsación y rasgueado[111].

Como es obvio, la mano izquierda no puede situar los dedos en todas las cuerdas, ya que el pulgar se emplea para sostener el mango, con lo que sólo quedan cuatro hábiles. Si tenemos en cuenta que hay seis cuerdas, es obligatorio emplear las cuerdas abiertas, o situar el dedo anular, medio o índice en posición de cejilla. Estas disposiciones no son siempre cómodas, especialmente cuando se requiere un movimiento en continua variación. Las mejores serán las que utilizan la colocación de la mano en relación continua, hasta no más de una tercera en cuerdas discontinuas, o una quinta en cuerdas sucesivas. Como en el violín, las posiciones de orquilla son siempre difíciles, aunque menos problemáticas que en aquél. Esto se puede complicar si se producen cambios rápidos de un acorde a otro, sobre todo si para ello se requiere un cambio simultáneo de posición de varios dedos de la mano izquierda. En alguno de estos casos la *scordatura* puede ser adecuada si se demanda una complejidad de afinación mayor a la habitual, y claro está, siempre que sea posible.

Al contrario de los instrumentos de cuerda frotada, las posiciones de cuerdas múltiples en movimiento paralelo se pueden realizar fácilmente, gracias al uso de uno de los dedos en cejilla. La presión de las cuerdas y la ayuda de los trastes permiten una afinación precisa.

B. Britten: Nocturnal, núm.8, Passacaglia.
Ejemplo 2.91

Armónicos

La realización de armónicos no reviste gran dificultad, si bien a diferencia de los instrumentos de cuerda frotada, donde el arco juega un papel destacado para la producción del sonido, en la guitarra, al utilizar la uña para la pulsación de las cuerdas —además de la media presión del dedo de la mano izquierda en la posición y nodo indicados—, posee mayor dificultad de emisión, puesto que depende de un ataque muy preciso, algo que a veces los hace inseguros, especialmente los más agudos.

---

[111] Tampoco vamos a repetir aquí estas técnicas. El lector las puede encontrar en el apartado genérico de los instrumentos de cuerda pulsada con mango.

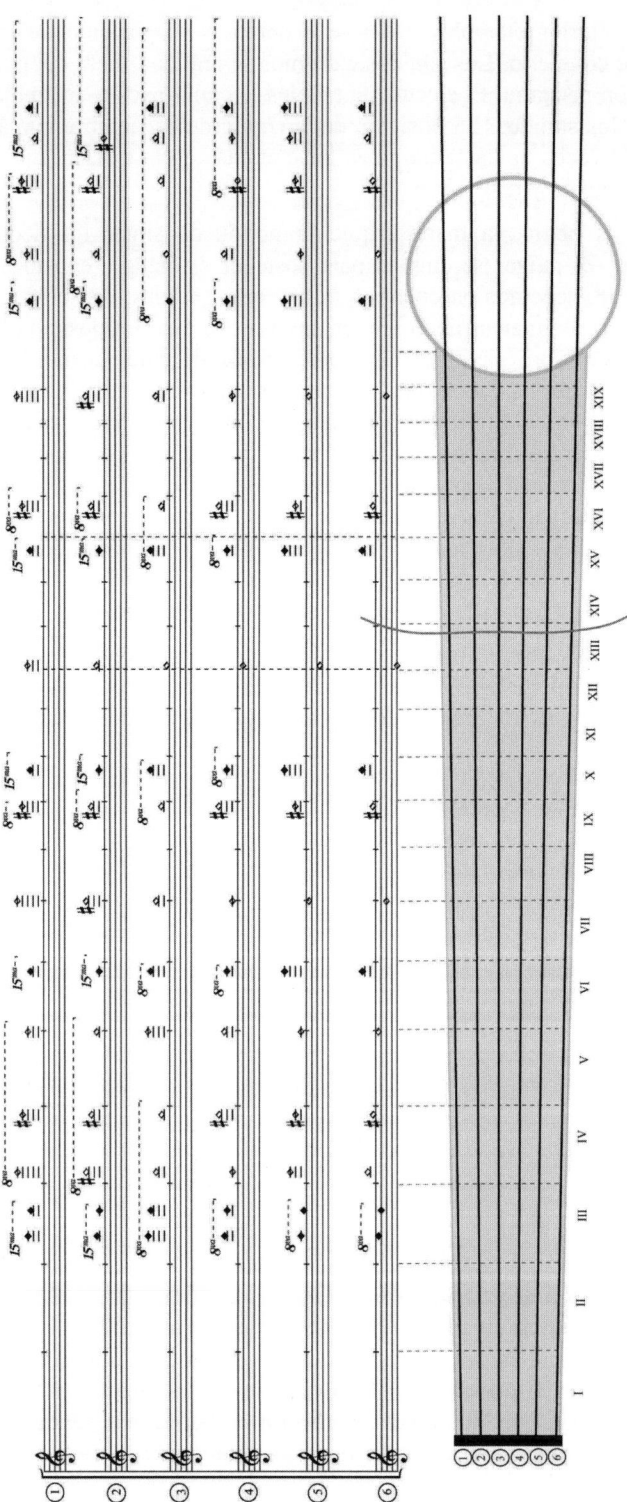

Disposición de los armónicos en la guitarra.
Ejemplo 2.92

Los armónicos naturales son los más empleados. Los más sonoros son los cinco primeros, aunque se puede llegar hasta al séptimo. Conforme se asciende, son de emisión más difícil, y en las primeras cuerdas acaban siendo imperceptibles. Se anotan con una cabeza en forma de rombo, lo que junto a la posición del traste indica el lugar exacto donde se debe situar el dedo de la mano izquierda. Téngase en cuenta que el mismo sonido se puede obtener en distintas posiciones, razón por la cual es imprescindible anotarlo.

En el ejemplo 2.92 se observan las posiciones de los armónicos más sonoros —indicados con rombo normal—, y los más alejados —rombo negro. Estos últimos son muy inseguros, y conforme la cuerda es más aguda, también menos audibles. En la música actual se emplean con frecuencia, incluso con la *scordatura*.

Los armónicos artificiales se emplean poco, porque son menos sonoros. Los más utilizados son los de octava, y raramente se usan los de quinta. Para ello el intérprete sitúa el dedo de la mano izquierda en la posición de la nota fundamental, mientras que con la derecha se coloca el dedo índice rozando la cuerda, pinzada con el dedo meñique o anular de la misma mano. Los armónicos de quinta o cuarta poseen el inconveniente de que, o bien se sitúan en el mango o muy cerca del puente, por lo que su sonido es difícil de obtener, aparte de ser muy inseguros.

Como se puede deducir de lo mencionado, estas posiciones requieren de un tiempo mínimo de preparación para ser eficaces, aunque los intérpretes profesionales están acostumbrados a realizarlos con rapidez, lo que no quiere decir que no sean igualmente difíciles.

H. Lachenmann: ...zwei Gefühle...", Musik mit Leonardo (se han omitido el resto de instrumentos).
Ejemplo 2.93

La guitarra en la orquesta

Como ya se ha mencionado en el apartado general dedicado a los instrumentos de cuerda pulsada, el empleo de la guitarra en el ámbito orquestal es ocasional, en la mayoría de casos relacionado con el objetivo de obtener un color tímbrico propio del ambiente al que se invoca. Tanto es así, que su parte poco difiere de las partes solistas.

Su timbre y características de articulación lo hacen un instrumento único, y como tal se ha empleado a lo largo de la historia de la música: con arpegiados continuos, rasgueados, melodías rápidas, etc. donde el carácter andaluz cobra un protagonismo inusitado, de gran belleza, pero también de inequívoca procedencia. Este uso, que se inicia a principios del siglo XIX, gracias a los grandes guitarristas españoles que difunden en Europa el carácter y folclore hispano, hace que el instrumento cobre un gran prestigio en los círculos aristocráticos y burgueses, a los cuales debe al fin y al cabo parte de su existencia.

J. Rossini: El Barbero de Sevilla, Cavatina.
Ejemplo 2.94

En el ámbito orquestal, su compleja técnica y las limitaciones de su afinación han jugado en su contra, por lo que la mayor parte de la música para el instrumento procede de autores que son a la vez guitarristas. Este aislamiento es lo que más a influido en su reducida proyección en dicho ámbito. A esto se añade su reducido volumen dinámico, que no permite combinarla en igualdad de condiciones con el resto del grupo. El uso del arpa, que posee un juego dinámico mayor, ha jugado en su contra, razón por la cual ha obtenido un lugar preferente, contando con el favor de los compositores.

En la ópera aparece con mayor frecuencia, y lo hace para aludir ambientes que recrean el drama, especialmente en el género clásico-romántico de carácter popular o aristocrático. En estos casos es imprescindible un gran control dinámico del conjunto, ya que de lo contrario puede pasar totalmente desapercibida. Sólo su inclusión sobre la escena refuerza su parte, puesto que de este modo resulta más audible. Tampoco faltan ejemplos en los que el autor permite intercambiar un instrumento por otro —en el 2.95, G. Verdi deja anotado que en caso de no disponer de mandolina ni guitarra su parte la ejecute la segunda arpa.

G. Verdi: Otello, Segundo acto.
Ejemplo 2.95

Modernamente la guitarra mantiene la función y carácter de antaño, con un papel cada vez más integrado en el conjunto y acorde al resto de instrumentos orquestales, si bien sigue siendo complementaria. Su sonido único, y el característico modo de articulación, no permite una sustitución fácil, a pesar de la frecuencia con la que se ha realizado en piezas del repertorio tradicional.

Su uso en la orquesta actual, fuera de la ópera y de los conciertos solistas, sigue siendo problemático, ya sea por su dinámica, demasiado pequeña para los grandes auditorios, o por el hecho de que no forma parte de la plantilla de la orquesta estándar. En la música de la segunda mitad del siglo XX ha sido precisamente la guitarra eléctrica la que ha entrado con mayor fuerza en el conjunto, quizás porque no posee el límite dinámico de la guitarra clásica, o bien porque su sonido ofrece un abanico tímbrico mayor, gracias a la amplificación, generadores de sonido, pedales de efectos, etc. Con ello se reproduce de nuevo la tendencia a incorporar en el ámbito orquestal los instrumentos que pertenecen al contexto musical popular.

B. A. Zimmermann: Die Soldaten, escena 5.
Ejemplo 2.96

La guitarra como instrumento solista y a solo

Donde ha encontrado un lugar más estable es, sin duda, en el concierto solista. Su característico timbre, unido al carácter que impregna su articulación, lo convierten en un instrumento singular. Su repertorio se consolida a lo largo del siglo XX, puesto que también es el momento en el que la guitarra de concierto se estabiliza, obteniendo una dinámica suficiente como para escucharse junto a la orquesta de forma adecuada y sin excesivos problemas de balance. Aún así, el grupo orquestal suele ser reducido, especialmente en lo que concierne a instrumentos de viento. También se requiere un volumen dinámico limitado, sobre todo en los momentos en que participan en conjunto.

A este tipo de condiciones, que son imprescindibles para la buena marcha de un concierto solista, se une la acústica de la sala, ya que su delicado sonido puede pasar totalmente desapercibido si no se posee un espacio adecuado, incluso tratándose del instrumento a solo. Esto ha llevado a que cuando se trata de conciertos con orquesta sea habitual amplificarla, puesto que así desaparecen dichos inconvenientes.

J. Rodrigo: Concierto de Aranjuez, Segundo movimiento.

Ejemplo 2.97

La amplificación puede solucionar algunas cuestiones de balance, pero también puede originar problemas acústicos notables si no se realiza con atención y con un uso equilibrado de la dinámica del grupo. Si su sonido es excesivo, —cosa tristemente habitual cuando se amplifica—, puede llegar a perder su bello timbre, donde la delicadeza de su articulación pasará desapercibida. Claro está, que cuando la guitarra emplea los rasgueados, golpes en la caja, o cualquier otro tipo de articulación más agresiva, es audible incluso con un volumen medio-alto del grupo orquestal, pero tampoco es menos cierto que esto no es, ni mucho menos, lo habitual, además de que un uso continuado de estos efectos puede ser agotador para el intérprete —y también para el oyente.

Así pues, en el concierto, la función principal del grupo orquestal acaba siendo inevitablemente de acompañamiento, mucho más que en cualquier otro instrumento de cuerda o viento, ya que la delicadeza que se requiere para su audición también demanda mayor sutilidad de uso. Sólo en las partes en las que no interviene puede retomar su carácter.

T. Takemitsu: To the edge of dream.
Ejemplo 2.98

El repertorio donde se encuentran las páginas más exigentes para el instrumento es en la música a solo, y es aquí donde los compositores —muchos de ellos también guitarristas— han desarrollado al máximo sus características técnicas y estilísticas. Ya en las primeras composiciones se encuentra un uso complejo, equivalente al resto de instrumentos orquestales.

F. Sor: Introducción y variaciones sobre el tema del aria de un gentil hombre Op. 27.
Ejemplo 2.99

El modo de articulación, así como las características de rasgueado y arpegiado se mantienen inalterables en la música a solo, donde su desarrollo polifónico cobra mayor fuerza. Es precisamente en este repertorio donde se encuentran las diferencias más notables con respecto a los instrumentos de cuerda frotada. Aquí su resonancia acaba siendo claramente audible, lo que permite un destacado juego de combinaciones. Esto es algo que se ha aprovechado desde sus comienzos, y que aún hoy se mantiene inalterable.

M. Lindberg: Mano a mano.
Ejemplo 2.100

La guitarra en la música de cámara

En la música de cámara la guitarra actúa en igualdad de condiciones con respecto al resto de instrumentos, puesto que aquí no posee el inconveniente dinámico diferencial de la orquesta; aparte del hecho de que ésta se desarrolla normalmente en auditorios medios o pequeños, lugar en el que no posee las mismas dificultades de difusión. Su literatura es mayor aquí, con combinaciones acordes a su técnica y características.

A. Diabelli: Sonatine Op. 68, primer movimiento.
Ejemplo 2.101

No obstante, es en las agrupaciones de instrumentos iguales donde se encuentra el mayor número de piezas. Desde los dúos, tríos y cuartetos, hasta grupos más numerosos, los compositores han escrito obras de todo tipo. En algunos casos estas combinaciones permiten crear mezclas en las que la guitarra se convierte en multi-instrumento, gracias a la homogeneidad del conjunto. También es aquí donde se halla la exigencia técnica más notable.

A. Jolivet: Serénade.
Ejemplo 2.102

Por otra parte, tenemos un repertorio reducido de piezas de cámara mixtas anteriores a la segunda mitad del siglo XX, ya sea porque las agrupaciones de instrumentos distintos es habitual entre violín, violonchelo, flauta, oboe y clarinete, en muchos casos junto al piano, o porque la guitarra no encuentra un lugar estable en dichas formaciones. Esta tendencia cambia notablemente a lo largo de la segunda mitad del siglo XX, con un papel que complementa al conjunto. Como en el resto de familias, en las primeras piezas su parte es limitada, con un desarrollo técnico igualmente restringido.

P. Boulez: Le marteau sans Maître.
Ejemplo 2.103

Esta es, sin embargo, una cuestión que va cambiando al paso del tiempo, con una clara tendencia hacia una mayor complejidad técnica, paralela a la que se demanda al resto de instrumentos. El papel de la guitarra pasa así a tener una parte equivalente, con una importancia también mayor, lo que no disminuye las dificultades de su difusión, que siguen siendo las mismas. Aún así, la tendencia a amplificarla es una realidad actualmente asumida por intérpretes y compositores. La notable evolución de la tecnología proporciona y facilita un uso comedido, acorde a sus necesidades expresivas, dinámicas y de articulación dentro del conjunto. Con esto no queremos decir que la amplificación sea una condición *sine qua non*, sino que se ha desvanecido el tabú que encerraba su uso.

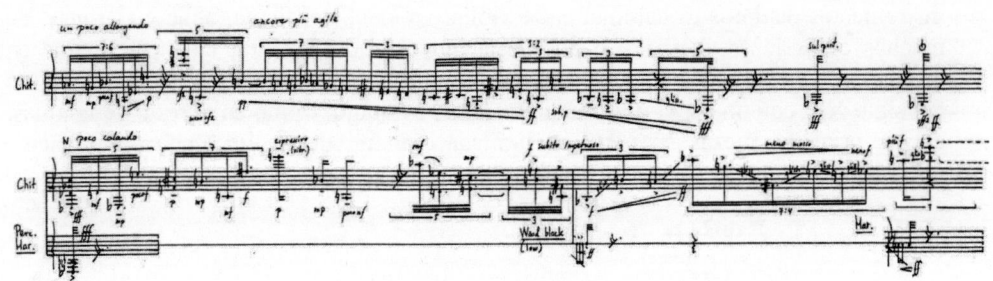

M. Lindberg: Línea d'ombra.
Ejemplo 2.104

Su capacidad de ejecución actual es pues equivalente a la de cualquiera de los otros instrumentos orquestales, por lo que se debe dejar de lado la idea de que posee limitaciones técnicas irresolubles. Nada está más lejos de la realidad. Desde el empleo de la *scordatura*, hasta el uso de todo tipo de efectos, que parten de tocar el instrumento de modo convencional a golpear en la caja de resonancia, además del rasgueado y la pulsación, la guitarra ofrece un campo de acción enorme, con un timbre único.

4.2.- Mandolina

Inglés: Mandolin   *Italiano: Mandolino*   *Francés y alemán: Mandoline*

La mandolina pertenece al género laúd, aunque posee un tamaño más pequeño y el mango y clavijero tienen una inclinación parecida a la de la guitarra y el resto de la familia de cuerda pulsada posterior. Emplea distintas acepciones y su aspecto exterior varía según su lugar de procedencia, por lo que los hay con agujero central, con o sin roseta, y de formas diversas, en muchos casos relacionadas con otros instrumentos de cuerda, ya sea guitarra o violín. Sus inicios se desarrollan a partir de la denominada mandolina milanesa, mientras que el de su primer apogeo data del siglo XVIII, con la mandolina napolitana, antecedente directo de la actual. La gran iconografía existente, con pinturas que lo muestran con apariencias y usos varios, dan cuenta de la importancia que tuvo en este período, durante el cual para su anotación se empleaba un tipo de tablatura cercana a la que actualmente se utiliza para las digitaciones de la guitarra[112]. Era muy apreciado en los ambientes aristocráticos, y su declive es paralelo al de dicha sociedad, tras las guerras napoleónicas de 1815, donde prácticamente desaparece. Para ella escribieron compositores como A. Vivaldi, W. A. Mozart, L. v. Beethoven, N. Paganini, entre otros.

El renacimiento del instrumento se da a finales del siglo XIX, gracias a la ópera, aunque sus intervenciones son limitadas. Tampoco posee un uso semejante al de su época de esplendor —siglos XVII y XVIII, aunque autores como Carlo Munier, Silvio Ranieri y Raffaele Calace, además de otros, le dedicarían un notable número de piezas. Compositores como G. Verdi, G. Mahler, A. Schönberg, A. Webern, y posteriormente H. W. Henze, K. A. Hartmann, lo han utilizado por su peculiaridad tímbrica, única en el conjunto orquestal. Aún así, no se puede hablar de un uso normalizado, ya que habitualmente no se encuentra en la plantilla y hay que acudir a músicos externos especializados[113].

Se construye con una combinación de maderas de ébano, pino, palosanto, etc., y posee una caja de resonancia cóncava —el modelo milanés y napolitano antiguo—, o plana —derivada de la construcción de la guitarra[114]. Como en el resto de instrumentos de cuerda pulsada con mango, emplea trastes. Las cuerdas son normalmente metálicas, pero también se utilizan de nylon o tripa, si bien en estos casos disminuye notablemente su volumen dinámico. Se toca con un plectro sostenido con los dedos de la mano derecha, y en la música popular también se utiliza a menudo una cejilla para cambiar de tonalidad, lo que ayuda a mantener las mismas digitaciones. De la mandolina existe una gran diversidad de modelos, con formas y número de cuerdas variable, que van desde la de 4 órdenes (8 cuerdas) hasta el de 6 órdenes (12 cuerdas), aunque en la actualidad la

---

[112] La escritura con tablatura sería utilizada indistintamente por intérpretes del siglo XVII y XVIII, si bien los compositores lo anotaban con escritura tradicional, es decir, como en el resto de instrumentos. Esta tablatura, todavía hoy empleada, especialmente en el ámbito de la música antigua, no es habitual entre autores e intérpretes profesionales, prefiriéndose la notación estándar. Es por esta razón por la que no la incluímos aquí.

[113] Hay que hacer notar que tampoco los hay de guitarra o cualquier otro instrumento de la familia, y aún menos de los de púa o plectro.

[114] Éste tipo no se utiliza en la música de concierto.

más utilizada es la de 4 órdenes[115]. El uso de la doble cuerda —u orden— es precisamente una de sus principales características, ya que con ellas se pueden realizar los trémolos muy fácilmente, algo que se encuentra frecuentemente en el género popular y que la música de concierto a adoptado como propio.

Detalle del instrumento.
Ejemplo 2.105

Afinación, extensión y digitaciones

Del instrumento hay varios tipos que responden a su tamaño: la mandolina soprano (35 cm.) —la más utilizada—, la alto (42 cm.) —denominada también *mandola*—, y una tercera aún mayor, que se encuentra a la octava grave de la primera (53cm.)[116]. Aunque no se emplean en la música de concierto, también hay otros tres más graves, que se designan con el equivalente a los de cuerda frotada: la *mandolina cello* y la *mandolina bajo* —esta última con dos distribuciones distintas. La familia actual posee un total de 8 cuerdas, en 4 órdenes de parejas de cuerdas afinadas en quintas[117], como en el violín.

---

[115] No es extraño, sin embargo, encontrar en la música antigua instrumentos construídos a partir de réplicas, con infinitas variables que no vamos a tratar aquí, pero que no por ello son menos importantes.

[116] Existen agrupaciones de instrumentos iguales que emplean una variedad de tamaños aún mayor, aunque no son empleadas en la música de concierto, razón por la que no las citamos. La mandolina octava apenas se utiliza.

[117] También hay instrumentos que afinan la tercera y cuarta cuerda a distancia de octava.

Afinación del grupo completo de mandolinas.
Ejemplo 2.106

La extensión puede variar entre distintos instrumentos, puesto que no existe una estandarización, lo que sumado a su empleo en la música popular ha hecho que su construcción siga viva y en permanente evolución.

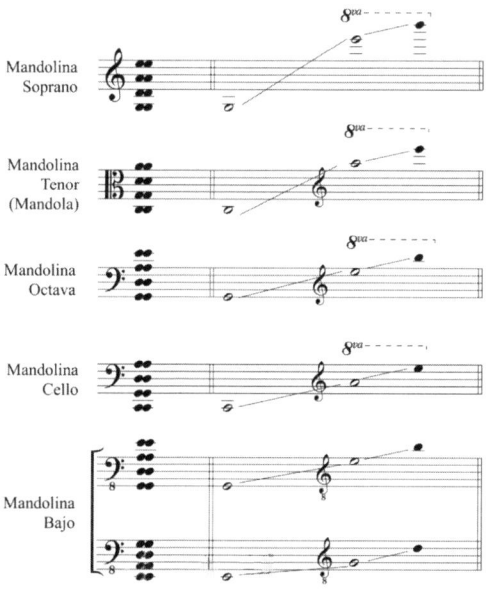

Extensión del grupo completo.
Ejemplo 2.107

La mandolina de concierto posee un total de 24 trastes, lo que arroja un ámbito de más de dos octavas en cada cuerda. En la actualidad se construyen instrumentos que poseen entre 19 y 27, aunque sigue siendo la de 24 la habitual.

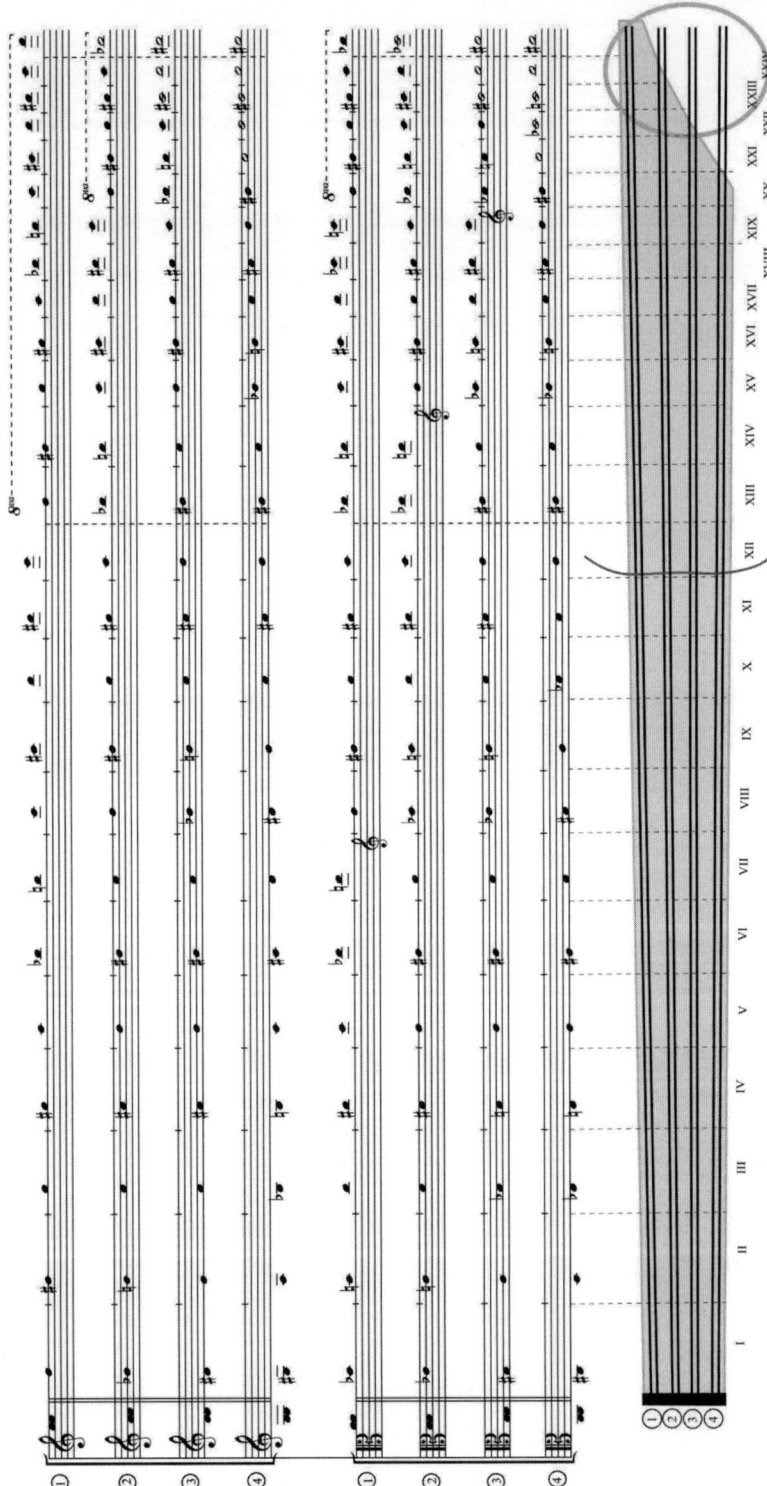

Disposición de las alturas en la mandolina soprano y alto.
Ejemplo 2.108

Con el mencionado número de trastes se obtiene una estandarización cercana al grupo de guitarras. En el ejemplo 2.107, la distancia anotada en blanca es la aconsejable, mientras que la extrema no es cómoda, porque la caja de resonancia impide un acceso fácil, lo que se acentúa en las cuerdas tercera y cuarta. Las notas blancas anotadas en el ejemplo 2.108 se hallan fuera del batidor, aunque esto es algo que depende del instrumento y el constructor.

La mandolina soprano emplea la clave de Sol, la tenor la de Do en tercera, y la mandolina octava la de Fa en cuarta, igual que la *mandolina cello*. Las más graves se escriben una octava por encima del sonido real, como en el contrabajo.

Las posiciones y digitaciones se anotan igual que en la guitarra, con la cuerda y el traste correspondientes. También se utiliza una escritura en números enteros y en forma de quebrado: 1/12, 4/15, etc., aunque poseen la misma significación —primera cuerda, traste 12; cuarta cuerda, traste 15; de los primero y segundo mencionados respectivamente.

Las distancias entre traste y traste son similares a las de la guitarra, por lo que todo lo mencionado para aquélla es extensible a la mandolina. Aún así, al emplearse el placado esporádicamente, las digitaciones no revisten la misma dificultad. La nueva que aparece, sin embargo, es la de pisar la doble cuerda —orden—, que se tiene que realizar con precisión si no se quieren escuchar sonidos no deseados.

También se utiliza frecuentemente la *scordatura* para obtener otras alturas, especialmente en composiciones más recientes. Se puede emplear tanto para obtener una afinación de órdenes distinta, como para afinar individualmente las parejas de cuerdas. Este último caso es, sin embargo, más complejo, puesto que puede implicar hasta un número de 8 notas diferentes. No es posible pisar separadamente y con precisión las cuerdas dobles, con los inconvenientes que ello acarrea. De uno u otro modo esto obliga a realizar combinaciones teniendo en cuenta su disposición.

Armónicos

Aunque son poco habituales, también se emplean. En el ejemplo 2.109 se muestra la tabla de los armónicos naturales de la mandolina soprano. Transportando debidamente se pueden hallar las del resto de instrumentos de la familia. Se pueden realizar en cualquiera de las dobles cuerdas, e incluso en ambas al mismo tiempo. Debe indicarse con una notación en forma de rombo, o con su denominación. También se anota la cuerda y el traste, puesto que algunos se pueden obtener en distintas cuerdas.

De los armónicos artificiales únicamente se utilizan los de octava, y raramente los de quinta, puesto que apenas son audibles. A partir de la posición de la mano izquierda en el mango, se utilizan dos técnicas distintas para pulsar la cuerda: la que el intérprete sitúa el dedo anular y golpea con la púa; y la que sujeta el plectro con los dedos pulgar y medio, colocando el índice en el nodo, mientras se ataca por detrás. Conforme se va hacia el agudo es menos audible. Esto ocurre especialmente en las cuerdas agudas.

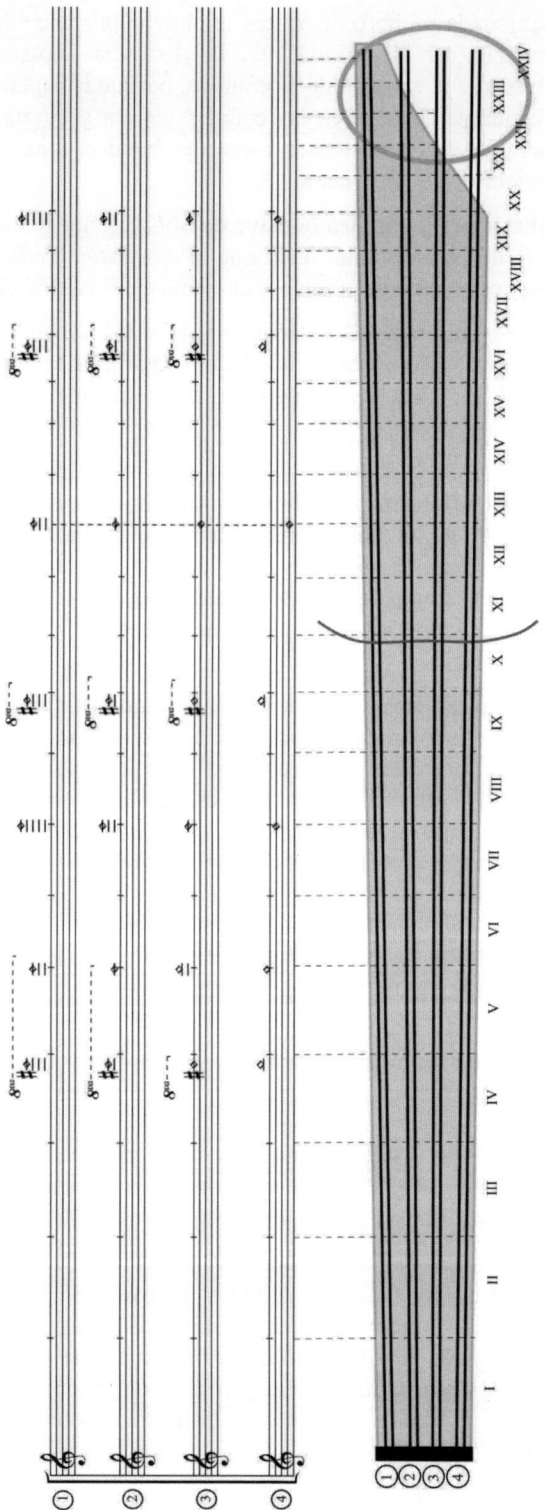

Disposición de los armónicos en la mandolina soprano.
Ejemplo 2.109

Modos de ejecución

Como en el resto de instrumentos de cuerda pulsada, la mano izquierda sitúa la posición de las cuerdas, y la derecha las pulsa, en este caso con un plectro o púa de nylon o cualquier otro material —madera, metal, etc. En la mandolina también se emplean los dedos de la mano directamente, especialmente en el arpegiado, lo que se conoce como técnica de *guitarrilla* o *arpeado*, en alusión a la guitarra. Se realiza del mismo modo que en aquélla, es decir, con el dedo pulgar se pulsan los bajos o bordones —cuarto orden—, y con el resto se realizan los acordes, ya sea en arpegiado o en rasgueado.

Ahora bien, la técnica habitual es la que emplea el plectro o púa. El uso de este artilugio también limita el movimiento, puesto que únicamente se alcanza a pulsar una única cuerda, o una doble cuerda —orden—, si bien se puede rasguear de modo similar a la guitarra. Aquí el placado es más difícil, debido al número de cuerdas, aunque es posible.

G. B. Gervasio: Duetto para dos mandolinas.
Ejemplo 2.110

Para el plectro también se emplea la indicación de atacar hacia abajo ⊓ (púa directa) o hacia arriba ⋁ (púa indirecta). Todo el resto de articulaciones con el plectro se basan en la combinación de las mencionadas: el *trémolo* o *batido* con articulación doble o triple; la *alzapúa* y *contrapúa*, que permiten obtener una velocidad notable por la alternancia de movimiento arriba-abajo; el *desliz*, que consiste en poner una posición de acorde con la mano izquierda, mientras que con la derecha se desliza la púa en todas las cuerdas con un movimiento uniforme, lo que se emplea frecuentemente para el encadenamiento de varios acordes; y el *arrastre*, que se trata de arrastrar el dedo que pisa la cuerda desde la primera hasta la última nota (técnica de *glissando* o *portamento* mencionada en la pág. 236).

Así, en la mandolina se combinan normalmente los fragmentos de arpegiado o melódicos, junto a trémolos sobre las cuerdas dobles (órdenes), lo que es una de sus características más notables. Esta articulación, empleada en todos los instrumentos de cuerda, tanto frotada como pulsada, posee aquí una función distinta, que es la de mantener la totalidad del valor del sonido, por lo que la expresividad no se consigue por medio del vibrato o la resonancia, sino por vía del crescendo o decrescendo de la altura a través de la alternancia de las pulsaciones.

G. Mahler: Das Lied von der Erde, núm. 6.
Ejemplo 2.111

Otro tipo son los denominados *filigranados*, sonidos que se producen directamente con la mano izquierda y golpeando la cuerda con la yema de los dedos, de modo similar al *Hammering on* (véase la pág. 240); y también los combinados entre distintos dedos, pulsando las cuerdas al aire con el meñique de la misma mano, y pisándolas con el índice o medio.

Todos los otros efectos o técnicas mencionados para el resto de instrumentos de cuerda pulsada son extensibles a la mandolina. Debemos tener en cuenta, sin embargo, de que el uso del plectro también los condiciona, al tiempo que, según el tipo, les confiere mayor seguridad, especialmente a los que tienen que ver con el uso de sonidos armónicos o líneas melódicas.

La mandolina en la orquesta, como instrumento solista y en la música de cámara

Junto a la guitarra clásica, la mandolina es el instrumento de cuerda pulsada más utilizado en el ámbito camerístico y orquestal de concierto. Como en la primera, normalmente posee el objetivo de subrayar pasajes con su peculiar timbre y articulaciones, aprovechando el carácter sofisticado de su origen popular y cortesano, por lo que no posee un papel fijo, y mucho menos habitual. El uso que muchos compositores de ópera han hecho de él a lo largo de la historia, desde el propio W. A. Mozart, que lo utiliza en *Don Giovanni KV 527*, G. Verdi en su *Otello* (ejemplo 2.96), así como su inclusión en distintas formaciones orquestales a lo largo del siglo XX, especialmente entre los compositores de la *Segunda Escuela de Viena* —ejemplo 1.94, *Cinco piezas para orquesta Op. 10 núm. 4*, de A. Webern—, hace que sea un instrumento muy bien valorado, si bien esto no cambia el hecho de que todavía hoy se emplee esporádicamente.

En la actualidad, cuando aparece en la orquesta lo hace para subrayar fragmentos que precisan de las características de su timbre, con un papel generalmente moderado, y a menudo bastante simple.

A. Schönberg: Variaciones para orquesta Op. 31, variación 4.
Ejemplo 2.112

Esto cambia en la música de cámara, donde su parte puede llegar a ser equivalente a la del resto del grupo. También es habitual encontrarlo acompañando de la guitarra, que actúa como instrumento de cuerda pulsada grave. Como se ha mencionado anteriormente, en el ámbito orquestal no es habitual utilizar más de una mandolina.

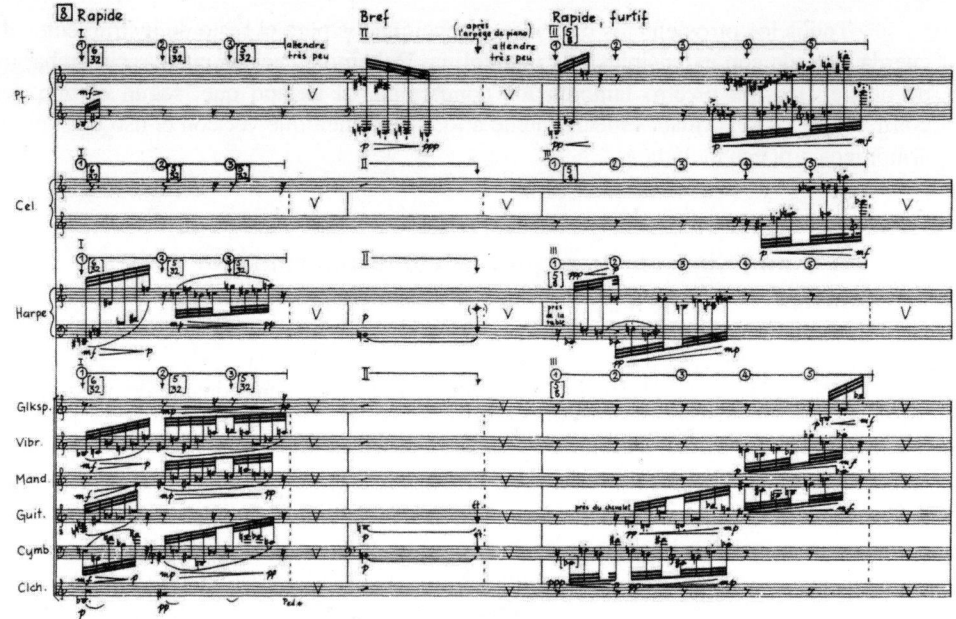

P. Boulez: Eclat.
Ejemplo 2.113

El paso del tiempo ha hecho que los compositores lo empleen cada vez más de acuerdo a su técnica y características, aprovechando su articulación.

G. Crumb: Ancient Voices of Children núm. 4 Ghost Dance.
Ejemplo 2.114

Sus posibilidades tímbricas más allá de las convencionales, es algo a lo que la música orquestal parecía haber renunciado hasta bien entrado el siglo XX, algo que se observa en multitud de ejemplos, dejando que sus limitadas intervenciones fueran más una alusión a su sonido exótico, que no una parte que desarrolla las características técnicas que permite. Esto cambia notablemente a partir de la segunda mitad del siglo XX, proporcionando mayor peso a su peculiaridad y dando entrada a las articulaciones propias de su empleo en la música popular. No obstante, aún hoy mantiene las características de antaño, con un uso moderado que tiene que ver más con el desconocimiento que de él tienen los compositores, que no con su capacidad real de ejecución.

4.3- Otros instrumentos

En el grupo de cuerda pulsada existe un número ilimitado de instrumentos antecesores y derivados que se emplean ocasionalmente, ya sea en la música orquestal o en la de cámara. Al paso del tiempo algunos de ellos han tendido a una mayor estandarización, debido en gran parte a su uso en la música popular, mientras que en otros casos son híbridos de uno u otro instrumento. Es por esta razón por lo que en lo que sigue su exposición posee mayor o menor desarrollo de acuerdo a su importancia en la música de concierto.

Bandurria

Inglés, italiano, francés y alemán: Bandurria

La *bandurria* actual es un instrumento cercano a la mandolina, con características también similares, por lo que en ocasiones llega incluso a sustituirla. Se construye con los mismos materiales, diferenciándose en su cuerpo. Aunque su forma externa es similar, su caja de resonancia es plana. Se encuentra con frecuencia en la música popular. Normalmente se halla en conjuntos de instrumentos iguales, o en agrupaciones de cuerda pulsada, donde ocupa un lugar u otro según su tamaño.

Detalle del instrumento.
Ejemplo 2.115

Como se observa en el ejemplo anterior , la principal divergencia con respecto a la mandolina es que el mango es considerablemente más corto, y el número de cuerdas es de 6 órdenes —6 pares de cuerdas (12 cuerdas). Se ejecuta con un plectro, combinado con los dedos, y con la misma técnica de aquélla. Hay dos tipos principales, la bandurria soprano y la tenor —también denominada *laúd español*—, afinadas a una distancia de octava entre sí. Posee entre 17 y 19 trastes —en la primera cuerda, ya que el resto, debido a la forma del batidor, suelen tener entre13 y 15, .

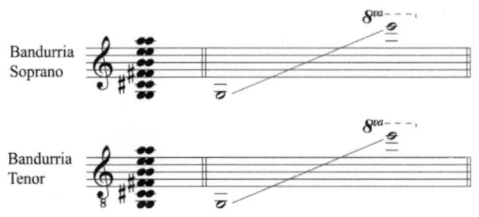

Afinación y extensión de los instrumentos principales.
Ejemplo 2.116

Como se observa en el ejemplo 2.115, el mango del instrumento es algo más corto, lo que difiere según el constructor. Así, la tesitura máxima, es la que se refiere a la cuerda más aguda —ejemplo 2.116—, lo que sirve de referencia para calcular la longitud del resto, que varía entre una segunda y una tercera o cuarta por debajo de la primera.

El mayor número de órdenes hace que para la realización de acordes sea necesario utilizar más cuerdas abiertas o posiciones de cejilla, puesto que el pulgar sólo sirve para aguantar el mango del instrumento, quedando cuatro dedos libres. Todo lo que concierne a su técnica y modos de articulación son idénticos a los de la mandolina.

Guitarra de 12 cuerdas

Inglés: Twelve-string guitar   *Italiano: Chitarra di dodici corde*

Francés: Guitare de douze cordes *Alemán: Zwölfsaitige Gitarre*

La guitarra de 12 cuerdas es una variante de la guitarra normal, pero con características semejantes a la mandolina y la bandurria. Su construcción es también semejante a la de la guitarra clásica, con materiales y maderas comunes. Para su ejecución se emplea un plectro o púa de nylon, aunque también se ejecuta con los dedos. Sus cuerdas son normalmente metálicas.

Detalle del instrumento.
Ejemplo 2.117

La tesitura y características tímbricas son las mismas de la guitarra clásica o acústica[118], si bien es un instrumento empleado normalmente en la música popular, y poco en la de concierto. El uso de doce cuerdas hace que a menudo se prefieran afinaciones más graves porque suponen menor tensión en el mango y cordal, y por consiguiente, más durabilidad. La más común es la que utiliza la afinación Do1 en las cuerdas graves, en lugar del Mi1.

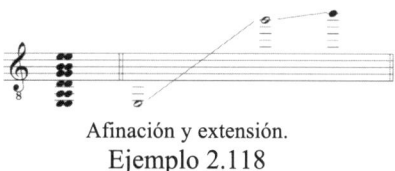

Afinación y extensión.
Ejemplo 2.118

---

[118] La guitarra acústica es una variante de la guitarra clásica. Posee cuerdas metálicas y se toca normalmente con plectro.

Como en la mandolina, las cuerdas dobles –órdenes– se afinan igual, o en octavas, aunque también puede utilizarse la *scordatura* para obtener una combinación más rica, ya sea entre los órdenes, o cuerda a cuerda. Por otra parte, la afinación que se obtiene con éste método se debe mantener a lo largo de toda la obra, puesto que no es posible cambiarla sobre la marcha, y mucho menos con fiabilidad. Del mismo modo, es difícil pisar las cuerdas dobles de modo independiente. A menudo se emplea con desafinaciones mínimas, con el objeto de obtener un timbre más amplio, si bien en realidad se trata de un sonido sensiblemente desafinado.

Banjo

Inglés, italiano, francés y alemán: Banjo

El banjo actual procede de la música popular anglosajona, y tiene su origen en los instrumentos africanos que durante la época de la esclavitud fueron adaptados por los esclavos negros en su deportación a América, a lo largo de los siglos XVIII y XIX. A partir de ahí se hace muy popular, especialmente en las bandas de jazz, donde su característico timbre se acaba convirtiendo en icono.

Detalle del instrumento.
Ejemplo 2.119

Se compone de una caja de resonancia, que consiste en un cilindro de madera o metal sobre el que se coloca un parche de piel o nylon. Éste parche se tensa con un sistema de tornillos de presión semejante a los de la percusión[119]. Sobre él se sitúa el puente, que es movible y actúa de transmisor de las vibraciones de las cuerdas. El cuerpo se une a un largo mango en el que se disponen las cuerdas, unidas entre el botón y la cejuela con tensores. El número de trastes oscila entre los 19 y 23. Emplea cuerdas metálicas de aleaciones diversas, y su número oscila entre 4 y 7, aunque el banjo más empleado en la actualidad es el de 5. También los hay con cuerdas dobles, que van desde las 8 (4 órdenes) a las 10 (5 órdenes). En el principal, el de 5 cuerdas, la quinta posee una afinación especial, con un tensor que se coloca entre el cuarto y quinto traste, por lo que suena por encima de la primera cuerda. En algún caso esta cuerda se sitúa por debajo, aunque se trata de otra más de las variantes que se encuentran en cualquier instrumento en continua evolución.

---

[119] La caja de resonancia del banjo es semejante a un tom-tom estrecho, o caja clara, con un parche igualmente tensado con tornillos de sujeción.

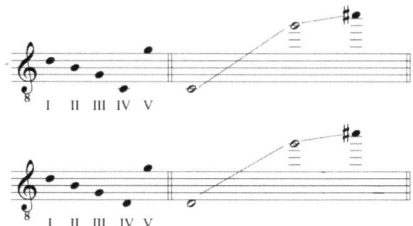

Afinación y extensión de los dos instrumentos principales.
Ejemplo 2.120

Del banjo existe un gran número de afinaciones. Aquí anotamos únicamente las de los más utilizados. La falta de estandarización en tamaño y construcción es lo que ha fomentado esta diversidad. También se emplea otro instrumento mayor, el denominado banjo tenor, en el que desaparece la quinta cuerda.

Afinación y extensión del banjo tenor.
Ejemplo 2.121

Se toca con un plectro o púa de nylon, madera o metal, lo que depende del timbre y dinámica que se pretenda conseguir: con el plectro de nylon o madera el sonido es más opaco, mientras que con el de metal es más estridente, ideal para las intervenciones al aire libre de la música popular, donde a menudo también se utiliza un tipo de uña metálica. Del mismo modo se emplean frecuentemente las técnicas del *tapping*, *hammering on*, etc. ya que poseen un volumen dinámico considerable, cercano a la guitarra eléctrica.

La peculiaridad de su timbre lo convierte en un instrumento singular y único. Su uso en la música sinfónica es relativamente reciente, y se encuentra con mayor frecuencia en la música de cámara. Se emplea poco, y cuando lo hace es para aludir al instrumento popular que es.

Ukelele

Inglés, italiano, francés y alemán: Ukelele

El *ukelele* procede del antiguo *cavaquinho* portugués, adoptado en las islas de Hawai, Tahití y la Isla de Pascua, tras la inmigración portuguesa al Caribe en el último cuarto del siglo XIX. Al paso del tiempo se modifica hasta el instrumento actual, pasando del primer tipo, el *machete*, hasta el *uke*, y finalmente el *ukelele*, denominación con la que se le conoce en la actualidad. Posee una forma similar a la de la guitarra, pero de menor tamaño —entre 53 cm. y 76 cm. Se fabrica principalmente en madera de acacia, combinando distintos materiales, y con un total de 4 cuerdas. También los hay con un número mayor, e incluso existen con órdenes, aunque son menos utilizados. Emplea un número de entre 12 y 14 trastes, con una afinación cercana a la del banjo, es decir, no consecutiva entre la primera y la última cuerda (cuarta), donde esta última se halla en medio de la primera y la segunda. El mango, puente y cejuela son de características similares a las del resto de la familia.

Detalle del instrumento.
Ejemplo 2.122

Se construye en varios tamaños —soprano, concierto, tenor y barítono—, con afinaciones también distintas.

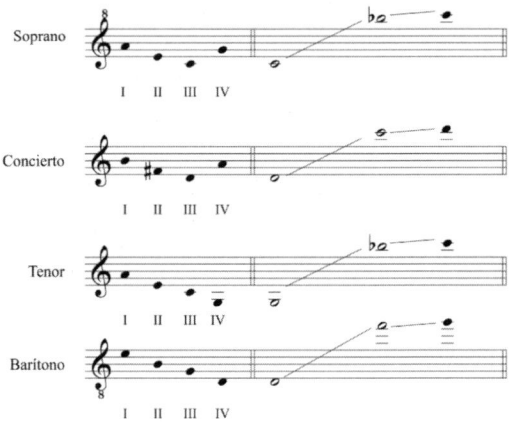

Afinación y extensión de los instrumentos principales.
Ejemplo 2.123

A diferencia del resto de instrumentos del grupo de cuerda pulsada, las cuerdas no están dispuestas según el orden normal de grave a agudo, sino que la cuarta —tradicionalmente la más grave—, se halla afinada una segunda mayor por debajo de la primera, lo que permite una combinación peculiar. Esta cuerda se pulsa normalmente con el pulgar, a modo de bordón, mientras que con el resto de los dedos se toca con las distintas técnicas mencionadas para toda la familia: normal, arpegiado, rasgueado, etc. No emplea plectro.

Otros instrumentos similares o derivados son el *tiple* colombiano, el *timple* de las Islas Canarias, el *cuatro* venezolano, el *tres* cubano y la *bordonúa* de Puerto Rico, además de otros, todos ellos con una construcción parecida y un número de cuerdas variable. Con todas estas acepciones se emplea esporádicamente en la música seria, y cuando así aparece, es siempre en un contexto alusivo a su procedencia, ya sea popular o folclórica, puesto que su peculiar timbre lo hace único.

Laúd

Inglés: Lute   *Italiano: Lauto*   *Francés: Luth*   *Alemán: Laute*

El laúd es el instrumento de cuerda pulsada por excelencia, puesto que de él proviene la mayor parte de la familia. De procedencia árabe, se introduce en la música europea a lo largo del siglo XIII, durante la invasión de los países del sur de Europa. Su forma se mantiene prácticamente inalterable hasta el Renacimiento y Barroco, momento en el que tendrá mayor esplendor (siglos XVI a XVIII). Será precisamente el ascenso de la clase burguesa, así como al declive de la aristocracia, lo que marcará su paulatino abandono en beneficio de otros que, gracias a su mayor capacidad dinámica y timbre, obtendrán poco a poco mayor relevancia.

Se construye con un caja de resonancia en forma de media pera, fabricada con costillas alargadas talladas en madera y pegadas longitudinalmente. Todo esto, unido a un mango en forma de L, conforman el instrumento que conocemos en la actualidad.

Detalle del instrumento.
Ejemplo 2.124

A pesar de su apariencia, su construcción varía en muy poco de la de los instrumentos modernos, y la mayor diferencia se encuentra en la forma de su mango, lo que junto a su longitud lo hacen un instrumento delicado y sutil, razón por la que era tan venerado por la aristocrática del Renacimiento y Barroco. Posee entre 10 y 14 trastes, pero puede variar de un laúd a otro, ya que no existe una estandarización más allá de la de su forma. Estos trastes, aunque actualmente se fabrican en marfil o metal, en la antigüedad se realizaban con una cuerda de tripa anudada alrededor del mástil, y colocada en la altura pertinente, al igual que en la *viola da gamba*. Esto permitía alcanzar distintas afinaciones según la obra y estilo, e incluso dejar de emplearlos si se consideraba necesario. También existen otros instrumentos especiales que poseen cuerdas de resonancia que suenan al pulsar las principales, a menudo también dobles, aunque se trata de variables empleadas esporádicamente. En estos casos, la afinación de dichas cuerdas se halla acorde a las principales, para lo cual se debe tener en cuenta su afinidad armónica si se desea obtener la resonancia adecuada.

Posee un agujero central con una roseta, si bien también los hay con otros dos agujeros adicionales a ambos lados. Algunos instrumentos modernos, que no se ajustan a réplicas de los antiguos, se asemejan a sus derivados posteriores, como la mandolina y la bandurria, donde la principal diferencia se encuentra en la forma de la caja de resonancia, que en algunos casos es plana, así como en el mango, que es recto, aunque existen combinaciones que emplean igualmente la forma de L del laúd antiguo. Aparte de su forma, el sistema de anclaje de las cuerdas, afinación, mango, cejilla y cejuela, siguen las mismas pautas del resto de la familia de cuerda pulsada mencionadas hasta aquí.

Se compone de órdenes de cuerdas —cuerdas dobles—, que van de 4 a 7, y en no pocos casos también se combinan órdenes y cuerdas solas, especialmente las graves (bordones) o agudas. Los más comunes se han estandarizado alrededor del laúd renacentista de 6 órdenes, aunque esto no es definitivo, ya que la mayor parte de instrumentos de concierto que se emplean en la actualidad proceden de réplicas de antiguos, con las variaciones y particularidades que esto supone. Las cuerdas son de tripa, y las más graves poseen un entorchado metálico de características similares a los de la guitarra clásica.

De todo lo mencionado se puede deducir que su afinación es muy variable. La del laúd renacentista es similar a la de la *viola da gamba tenor*, con 6 órdenes de cuerdas, y aunque ha devenido en estándar, no es ni mucho menos la única que se emplea. Actualmente la afinación del diapasón oscila entre los 392 y los 470 Hz., lo que depende del estilo de la música a interpretar. En cualquier caso, el laúd tenor de 6 cuerdas renacentista, el más habitual, utiliza las disposiciones siguientes:

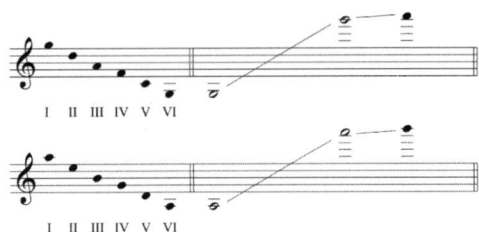

Afinaciones y extensiones del instrumento principal.
Ejemplo 2.125

El acceso a los últimos trastes, los que se encuentran dentro del propio cuerpo, no es fácil, ya que la caja de resonancia lo impide, razón por la que el extremo agudo se puede alcanzar únicamente con las primeras cuerdas, al tiempo que la distancia se reduce de modo equivalente en el resto —entre una segunda y tercera mayor en las más graves—, lo que depende del constructor y del tipo de instrumento.

En el laúd actual se emplea la notación tradicional, aunque es habitual el uso de la tablatura, modo en que de hecho se anotaba la mayor parte de la música escrita para éste a lo largo de los siglos XVI a XVIII .

Se utiliza poco, a excepción de cuando se quiere aludir a su carácter y peculiaridades tímbricas. Su limitado volumen dinámico también ha coartado su recuperación, por lo que raramente se utiliza fuera de la música de cámara, dedicándose práctica y exclusivamente a la reposición del repertorio antiguo.

Sitar

Inglés, italiano, francés y alemán: Sitar

Procedente de la India, Pakistán y Bangladesh, países donde es muy popular y de uso cotidiano, la irrupción del *sitar* en la música occidental de concierto es relativamente reciente. Más allá del instrumento exótico que es, su acogida se debe a varios factores: por una parte, a intérpretes de un alto nivel técnico que lo han difundido por todo el mundo, y por otro lado, al interés que han despertado entre los compositores sus características tímbricas, ya sea en el ámbito popular o en el clásico, aunque es en el primero donde más se ha prodigado.

Su similitud con los instrumentos de cuerda occidentales hay que buscarla más allá de la familia de cuerda pulsada, en una mixtura que mezcla parte de la *viola da gamba* con el laúd, tanto en lo que se refiere a su forma como a su compleja configuración de cuerdas principales, de simpatía y sistema de afinación. Así, al *sitar* se le atribuye una forma del laúd con el principio de su antecesor, la *vina*.

Su construcción es compleja. Los materiales empleados para su fabricación son: madera de teka o similar, tallada en forma cóncava para el gran mango; y cuerno de animal o hueso de camello para los dos puentes. Algunos instrumentos actuales también se realizan con parte de los materiales sintéticos. La caja de resonancia es de calabaza, a la que se le superpone una tabla ornamentada que se une al mango, lugar donde posee un agujero con roseta por el que se propaga el sonido. También tiene una segunda caja de resonancia, la *tumbaa,* que se sitúa en un extremo del mango, justo por debajo de los afinadores de las cuerdas principales. Los trastes son movibles, con el objeto de obtener una afinación acorde a la música que se ejecuta. Las cuerdas son de bronce o metal, y su número oscila entre 6 y 7, las que se pueden pulsar; y entre 11 y 12, las de resonancia. Entre 3 y 4 de estas, llamadas *chikaari*, son metálicas y se utilizan sólo como acompañamiento. Las restantes son para la melodía, donde la primera, denominada *baajtaar*, es la más aprovechada.

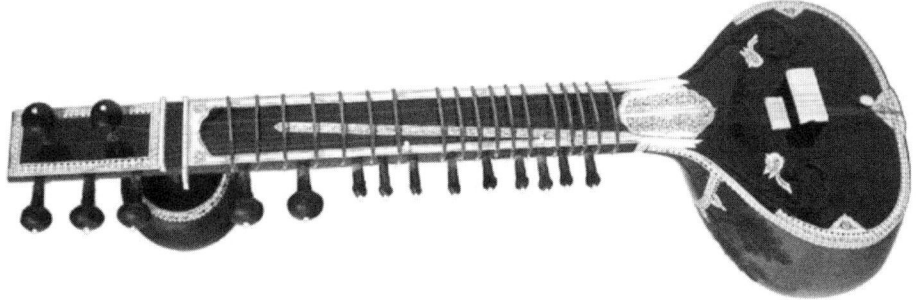

Detalle del instrumento.
Ejemplo 2.126

A diferencia de la guitarra posee dos puentes, denominados *badaa goraa* y *chota goraa* —grande y pequeño respectivamente—, y el timbre resultante es el proveniente de la interacción de la cuerda a lo largo de su recorrido. Cuando ésta suena hace que los extremos toquen el puente, produciendo los sonidos armónicos resultantes, lo que es parte de su peculiar sonido.

La posición para tocar también es distinta a la tradicional de los instrumentos de cuerda pulsada: el ejecutante apoya el *sitar* con el pie izquierdo y la rodilla derecha —siempre sentado con las piernas cruzadas. Las cuerdas se pulsan con un plectro o pinza, denominada *mizraab*. El dedo pulgar se mantiene en la parte alta del mango, justo por encima de la calabaza. También se utilizan los dedos anular, medio e índice para tocar ocasionalmente, aunque esto es una excepción.

La afinación depende de la escuela, tradición, intérprete y música a tocar, lo que puede variar de un ejecutante a otro. De hecho, en la música para el instrumento de la India no se reconoce a ninguna como fija. La primera cuerda metálica se afina en Fa2, y la segunda, que es de cobre o latón, es la cuerda tónica, dispuesta en Do2, denominada *Sa* o *Vaad*. La tercera se sitúa en Sol1, y la cuarta en Do1. Las que siguen son las llamadas *chikari*, mucho más delgadas y también metálicas, en estos casos en Sol2, Do3, y Do4[120]. Dos de las afinaciones más empleadas son la llamada *Kharaj Pancham*, y la *Ganhar Pancham*, que se diferencian entre sí en que la segunda utiliza una cuerda *chikari* adicional.

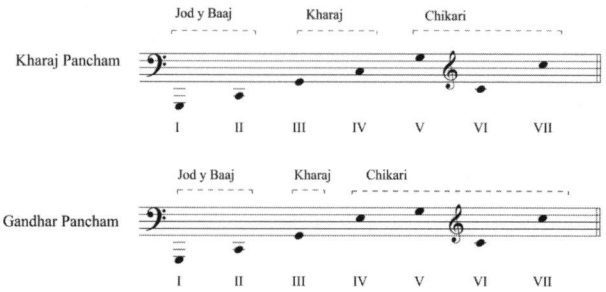

Afinaciones principales.
Ejemplo 2.127

Normalmente, las cuerdas en las que se pulsa se disponen de acuerdo a la tónica de la pieza, que se denomina *Sa* o *Vaad*. La segunda se sitúa a la distancia de quinta perfecta. El resto de cuerdas de resonancia o simpatía lo hacen de acuerdo a las notas del *raga* que se interpreta. Para su afinación se utilizan unos tensores que se encuentran a lo largo del recorrido del mango. En el caso de las principales, que por otra parte son más gruesas, se emplean otros tensores mayores, que se hallan tras el puente y actúan a su vez de cejuela, de modo similar a la familia de instrumentos de cuerda pulsada.

El número de trastes oscila entre los 18 y 22, y a diferencia del resto de instrumentos de cuerda pulsada, las distancias entre sí no son proporcionales a la afinación temperada de la escala cromática occidental, aunque pueden posicionarse para ello. Tampoco están superpuestos al mango, sino que se hallan a una distancia que permite al intérprete realizar el vibrato y la oscilación de las alturas cómodamente, lo que además es una característica destacada de su técnica y timbre. El ámbito que posee cada cuerda se halla cercano a la octava y media.

No existe una tónica delimitada en una altura concreta, si bien a menudo se utiliza la denominación de la escala occidental diatónica de siete sonidos como referencia, aunque con fundamental movible, y por consiguiente, de afinación relativa.

---

[120] Se trata siempre de una afinación relativa.

Cada nota de la escala posee un nombre, así como las variantes que se obtienen de ella. Su orden es el siguiente:

Denominación original	Abreviación	Grado	Notación
Shadja	*Sa*	I	Do
Komala-Rishabha	*Komala-Re*	II	Re
Shuddha-Rishabha	*Re*	II	Re
Komala-Gandhara	*Komala-Ga*	III	Mi
Shuddha-Gandhara	*Ga*	III	Mi
Shuddha-Madhyama	*Ma*	IV	Fa
Tivra-Madhyama	*Tivra-Ma*	IV	Fa
Panchama	*Pa*	V	Sol
Komala-Dhaivata	*Komala-Dha*	VI	La
Shuddha-Dhaivata	*Dha*	VI	La
Komala-Nishada	*Komala-Ni*	VII	Si
Shuddha-Nishada	*Ni*	VII	Si

Escala y afinación principal del sitar.
Ejemplo 2.128

El sitar apenas se utiliza fuera de la música a solo, y en pocos casos lo hace inserto en grupos de cámara. Normalmente se emplea en alusión a la cultura de procedencia, tanto en la música de cámara como en la orquestal, donde aparece esporádicamente.

5.- INSTRUMENTOS ELÉCTRICOS

La incorporación de instrumentos eléctricos, que empiezan su andadura a lo largo del segundo cuarto del siglo XX, tiene su mayor eclosión en la segunda mitad del siglo, gracias a la influencia que la música popular ejerce en su desarrollo, todo ello sin olvidar el enorme auge de los sistemas de amplificación, algo que se extiende a buena parte de la familia acústica. Ahora bien, si el propósito inicial era el de obtener un volumen mayor, ya que su destino primero era el de ser utilizados en grandes eventos donde era necesario un gran rango dinámico, el paso del tiempo ha ido relegando esta función a un segundo plano. Esto no quiere decir que no mantengan este principio original, y de hecho, muchos de los actuales siguen empleándose para el mismo uso: salas de conciertos, estadios, zonas al aire libre, etc. La evolución tecnológica, sin embargo, ha hecho que buena parte hayan adquirido una personalidad propia, en muchos casos alejada del instrumento original de partida, por lo que en la actualidad tenemos que hablar de técnicas específicas para ellos.

Así, se puede decir que existen instrumentos que se amplifican mediante sofisticados sistemas de microfonía, ya sea aérea o colocados directamente en su superficie con un sensor; y otros que tienen la conexión con un amplificador u cualquier otro medio electrónico como punto de partida para realizar el sonido. Los primeros obtienen un timbre similar al del instrumento original, y de hecho, en muchos casos eso es lo que se pretende. También se puede interactuar con ellos a través de sistemas de conversión analógico-digital, así como modificarlos a través de distintas formas —MIDI, sampler, etc. Los segundos se basan directamente en este cometido, es decir, el que conlleva que su sonido se origine únicamente cuando se conecta al amplificador o cualquier medio electrónico de producción sonora.

Sobre uno u otro uso no existe una definición concreta ni delimitada, ya que su permanente evolución hace que lo que estamos escribiendo en este momento deje de ser válido al terminar el párrafo. No es nuestro objetivo, por tanto, ser exhaustivos en un medio que creemos infinito. Ahora bien, también es cierto que los primeros se hallan relacionados directamente con la técnica y medios tradicionales, en los que normalmente es el compositor o técnico de sonido quien delimita o decide los cambios —del mismo modo el intérprete puede tomar decisiones al respecto. En lo que concierne a dicha técnica, no hay novedades sobre lo mencionado hasta aquí, puesto que cambia poco o nada. Sí que es diferente, sin embargo, entre los instrumentos que, de un modo progresivo y constante, han evolucionado desde su invención, sobre todo los que desde sus comienzos en la música popular se han ido incorporando paulatinamente a la de concierto, de modo parecido a lo que en su día hicieron la percusión y la familia de viento-metal, para citar sólo unos pocos ejemplos.

En este apartado citamos únicamente los instrumentos que desde una construcción derivada, pero diferenciada de los acústicos, han ido adquiriendo un lugar propio en el ámbito de la música sinfónica. Todavía existen muchos tabúes sobre su uso, puesto que su origen popular los aleja a menudo de una normalización de la que las nuevas generaciones de compositores e intérpretes son cada vez menos reacios. En cualquier caso, un trabajo como el que aquí pretendemos no puede dejar de lado un grupo que, a nuestro juicio, ya ocupa un lugar indiscutible en el panorama tímbrico y acústico de la música de hoy.

5.1.- Arpa eléctrica

Inglés: Electric Harp   *Italiano: Arpa elettrica*

Francés: Harpe électrique   *Alemán: Elektrisch Harfe*

Los primeros intentos de crear un arpa eléctrica datan de la década de 1950, si bien no será hasta 1970-1980 cuando se construyan los primero instrumentos más o menos normalizados. Esto se debe a la demanda de intérpretes que participan en la música popular, donde se precisa de mayor volumen dinámico y capacidad de proyección, imposible de obtener sin amplificación. El primer constructor en comercializarla sería *Camac*, y posteriormente han sido muchos otros los que han desarrollado modelos con características similares.

El instrumento que ha tenido finalmente mayor aceptación, es el que proviene de una variación del arpa céltica, de menor tamaño que la de concierto, y que se puede situar sobre un pedal o soporte para ejecutar. Al igual que en el arpa acústica original (arpa céltica), no posee pedales de afinación. Su aspecto es el mismo, y el sistema de afinación con tornillos y palancas en el mueble también es similar. Se construye en madera sólida y lacada, obteniendo una textura fina, semejante a la de los pianos de cola y guitarras eléctricas. También hay modelos con pedales, idénticos al arpa de concierto de 47 cuerdas, aunque son menos habituales. En este caso su técnica es la misma, con la salvedad de la amplificación.

Detalle del instrumento.
Ejemplo 2.129

El método de amplificación es semejante al de la guitarra eléctrica, es decir: un sistema de microfonía colocado en las cuerdas, que unido a un previo con un potenciómetro de volumen y una toma de conexión para el amplificador, permite escuchar los sonidos. Algunos modelos también poseen potenciómetros adicionales para ecualizar el timbre resultante —normalmente grave, medio, agudo—, y arpas más recientes añaden otros medios para conectarse a redes más sofisticadas, ya sean de tipo sampler, ordenador, etc., con los que poder producir sonidos y efectos no convencionales.

El número de cuerdas que posee oscila entre las 30 y las 36. Teniendo en cuenta que no tiene pedales, cada escala se compone de únicamente 7 cuerdas, lo que hace que su ámbito total sea de entre 4 y 5 octavas. Las cuerdas son de nylon, como en el arpa tradicional, y en la región grave no utiliza entorchado.

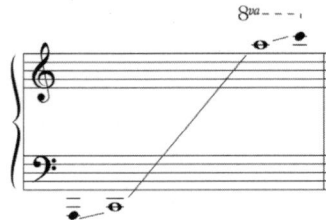

Ejemplo 2.130

Al igual que en el arpa tradicional, emplea un sistema de colores para identificar las cuerdas de las distintas octavas: rojo, para todas las cuerdas Do, y negro o púrpura para todas las cuerdas Fa. Aunque no posee pedales de afinación, utiliza palancas que permiten variarla, si bien no es útil para realizar cambios durante la misma pieza, a menos de que se deje el tiempo de preparación necesario.

Se afina según la tonalidad, aunque puede realizarse de cualquier otro modo: normal, cuartos de tonos, etc., e incluso cada cuerda puede ser independiente sin perjudicar al resto, como ocurre en el arpa clásica, donde el movimiento del pedal influye por igual en todas las cuerdas con la misma denominación. Aquí cada palanca afecta a una sola. En lo que se refiere a técnica, efectos, modo de ejecutar e interpretación, todo lo mencionado para el arpa normal es extensible a la eléctrica.

5.2.- Guitarra eléctrica

Inglés: Electric Guitar   *Italiano: Chitarra elettrica*

Francés: Guitare électrique   *Alemán: Elektrisch Gitarre*

La guitarra eléctrica es el más antiguo de los instrumentos eléctricos, y el que mayor aceptación ha tenido desde su invención. Las primeras nacen en la primera mitad del siglo XX, y su comercialización data de 1932, a partir de una patente de George Beauchamp. Desde entonces la variedad de modelos y formas inventados es enorme, y no tan solo en cuanto al aspecto de su cuerpo, sino incluso en lo que se refiere a la construcción de instrumentos múltiples que llegan a tener hasta 8 mangos, imposibles de tocar por un solo intérprete.

Se construye con un cuerpo de madera maciza en el que se coloca un sistema de amplificación con micrófonos diminutos —también denominados pastillas—, que recogen la vibración de las cuerdas produciendo el consiguiente sonido. El instrumento más habitual es el de seis cuerdas, y posee una afinación similar a la de la guitarra clásica.

Como se ha mencionado anteriormente, y aunque los hay de muchas formas, todos se comportan del mismo modo, donde el cambio de timbre se debe más al tipo de componentes electrónicos que utilizan que no al de su forma externa. De entre todas hay dos que han devenido en iconos al paso del tiempo, desde las cuales parten la mayoría de modelos y formas posteriores. Son las guitarras eléctricas de los constructores *Gibson* y *Fender*.

Guitarra eléctrica *Gibson*

Guitarra eléctrica *Fender*

Ejemplo 2.131

Aparte del cuerpo de madera maciza en el que se coloca la conexión para el sistema de amplificación, poseen también un pre-amplificador que sirve para controlar el volumen, además de potenciómetros de ecualización de graves, medios y agudos. También existen modelos con más controladores. La diferencia fundamental entre estos dos, es que la guitarra *Fender* tiene una palanca que permite desafinar las cuerdas con la presión que ejerce en el puente, que al relajarla retorna de nuevo al sonido original. Las divergencias de forma no son importantes, puesto que el número de trastes es similar —entre 20 y 22. La longitud del mango y las posiciones también son idénticas. Las cuerdas de ambas son metálicas, con entorchado en las más graves.

Afinación y tesitura del instrumento principal.
Ejemplo 2.132

Para realizar los sonidos se emplean todas las técnicas de la mano izquierda mencionadas en el apartado genérico para los instrumentos de cuerda pulsada, con la ventaja de que las que normalmente son menos audibles, como el *tapping*, *hammering on*, etc., pueden utilizarse aquí sin dificultad, gracias a la amplificación. Para tocar con la mano derecha se usa un plectro o púa de plástico o nylon, aunque procedimientos como los mencionados *hammering on* y *tapping* también se realizan con los dedos. No es lo habitual, puesto que las cuerdas metálicas no permiten una articulación equivalente a la de la guitarra clásica.

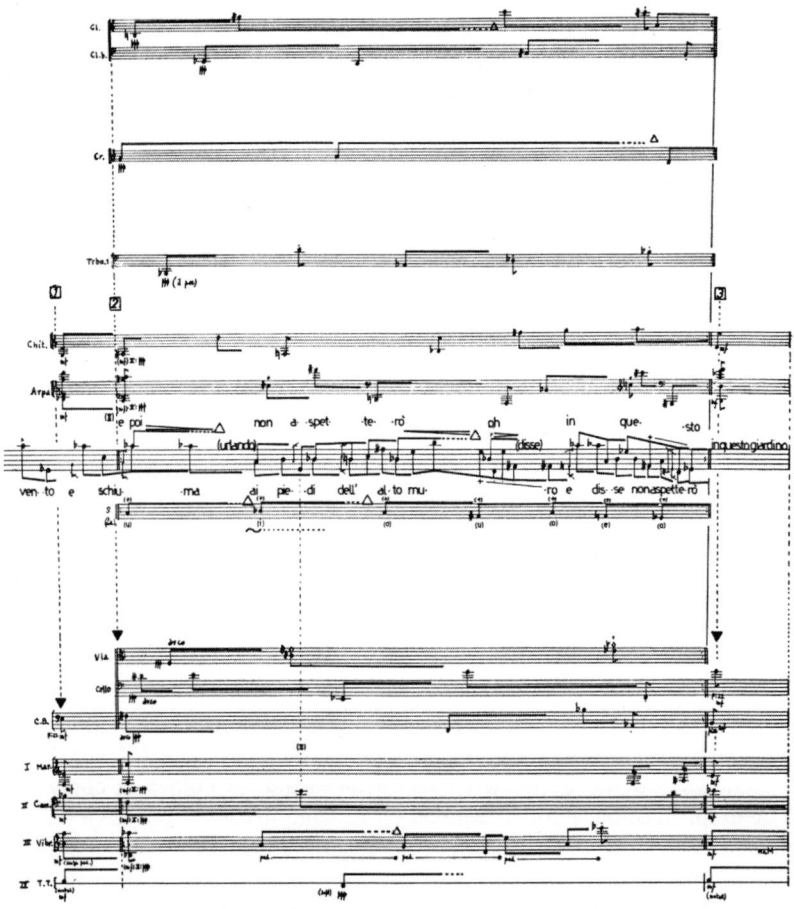

L.Berio: Passaggio, Stazione II[121].
Ejemplo 2.133

---

[121] La guitarra eléctrica suena a la octava inferior a la escrita.

El uso de armónicos es habitual en la guitarra eléctrica, donde son muy sonoros y de fácil audición, debido de nuevo a su sistema de amplificación. Su sonido, así como la anotación del número de traste y cuerda son idénticos a los empleados en la guitarra clásica (ejemplo 2.92).

Éste es el instrumento eléctrico más empleado en el ámbito de la música de concierto, especialmente en las obras escritas a partir de la segunda mitad del siglo XX. Esto ha servido a muchos compositores para situarlo en primer plano, algo siempre difícil de obtener cuando se trata de una guitarra.

Existen también otras variantes de la guitarra eléctrica, como la *Steel guitar,* —guitarra metálica—, que como indica la misma denominación, utiliza un cuerpo metálico hueco, similar al del instrumento clásico; y la *Pedal Steel Guitar* —guitarra de pedal—, que partiendo de una configuración similar se dispone completamente plana. Ésta última posee además un sistema de pedales que sirve para cambiar la afinación de las cuerdas, donde el intérprete puede determinar si afecta a una o a varias. La diferencia con respecto a la guitarra eléctrica normal, es que mientras que con la mano derecha se pulsa con un plectro o púa metálicos, de plástico o nylon, con la izquierda se pisan las cuerdas con una barra o tubo, obteniendo con ello el particular sonido de la música popular norteamericana, estilo en el que por otra parte es muy reconocido. Apenas se emplea en la música de concierto, aunque no por ello es menos accesible. Posee el mismo número de trastes.

Pedal Steel Guitar.
Ejemplo 2.134

5.3.- Bajo eléctrico

Inglés: Electric Bass	*Italiano: Basso elettrico*
Francés: Basse électrique	*Alemán: Elektrisch Kontrabass*

El bajo eléctrico es de procedencia paralela a la guitarra eléctrica. Los primeros datan de la década de 1950, y el primer constructor en comercializarlo es *Fender*, que también distribuía una guitarra con un diseño similar (véase el apartado anterior). Es precisamente ésta forma la que se convierte en icono, siendo adoptada por la mayoría de instrumentos posteriores relacionados con aquél. También los hay con otros aspectos, y en la actualidad se realizan con todo tipo de combinaciones.

Como la guitarra eléctrica, posee un cuerpo de madera sobre el que se coloca un pre-amplificador con potenciómetros de volumen, ecualización de graves, medios y agudos. No hay que olvidar que también existen otros instrumentos con sistemas de amplificación más complejos, cuya finalidad es la de adecuar el sonido al gusto del intérprete. Los hay de varios tipos: los más corrientes son los de 4, 5 y 6 cuerdas, aunque también se encuentran incluso de 8, si bien no son los más habituales.

Bajo eléctrico de 4 cuerdas

Bajo eléctrico de 6 cuerdas

Ejemplo 2.135

Las cuerdas que emplean son metálicas, y con entorchado las más graves, lo que permite una mayor propagación de los armónicos. El sistema de anclaje de estas cuerdas, así como el mango y afinadores, poseen características semejantes a los de la guitarra eléctrica.

El más utilizado es el de cuatro cuerdas, y posee la misma afinación que el contrabajo tradicional. Como en aquél, se anota una octava por encima del sonido escrito. También los hay que emplean una afinación diferente (ejemplo 2.136). El número de trastes oscila entre los 20 de los instrumentos más antiguos, y los 24 de los actuales. Algunos no poseen trastes, lo que les acerca a la técnica tradicional, pero sin arco. Su sonido no varía con respecto al que sí los tiene.

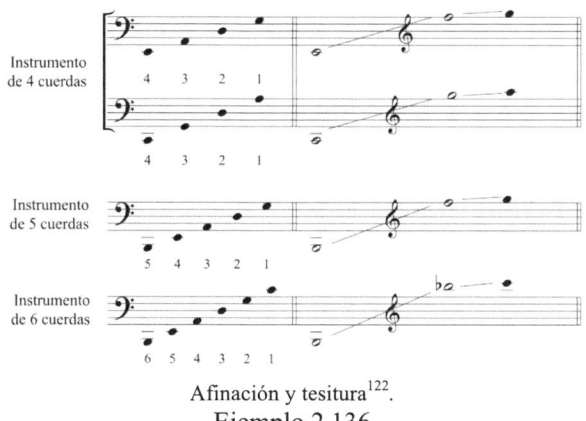

Afinación y tesitura[122].
Ejemplo 2.136

Las cuerdas se pulsan con los dedos de la mano derecha, de modo similar a la técnica de pizzicato de los instrumentos acústicos. También se emplea con un plectro, aunque es opcional y sirve para enfatizar la acentuación, obteniendo un timbre más metálico. Normalmente no se usa el arco, y cuando es así, ocurre como en la guitarra clásica, es decir: se puede frotar la primera o última cuerda, o realizar acordes con todas las cuerdas pisadas o al aire, pero no es posible en las intermedias.

También emplea técnicas específicas, como el *slap*, que es un tipo de *hammering on* con el dedo pulgar. Se realiza batiendo sobre las cuerdas, obteniendo un sonido acentuado y agresivo, muy empleado en la música *funk*. Otra es la denominada *palm-muting*, que consiste en golpear las cuerdas con la palma de la mano derecha, apagando el sonido, lo que genera un timbre estridente y corto. En lo que se refiere a otros procedimientos, así como al uso de armónicos, es extensible lo mencionado para la guitarra eléctrica, aunque su finalidad es la de reforzar el bajo, substituyendo, doblando o apoyando al resto de instrumentos graves.

F. Romitelli: Professor bad Trip: Lesson II.
Ejemplo 2.137

Su uso en la música de concierto es cada día mayor, ya sea asociado a la guitarra eléctrica o a fragmentos de doblaje de la parte del bajo, donde puede ser un buen substituto de los instrumentos graves tradicionales. Aún así, su empleo no es ni mucho menos equivalente al de la música popular.

---

[122] Suena una octava por debajo del sonido escrito.

Bibliografía

Genérico orquestación

ADLER, Samuel: *The Study of Orchestration.* New York: W.W. Norton & Norton, 1982.

ANDERSEN, A. Olaf: *Practical Orchestration.* Boston: C.C. Birchard & Company, 1929.

ANDRES, Ramón: *Diccionario de instrumentos musicales (de Píndaro a J. S. Bach).* Barcelona: Bibliograf, S.A. 1995.

AUBERT, L. y LANDOWSKI, M.: *L'orchestre.* Paris: Presses Uiversitaires de France, 1964.

AYARBE, M y F.: *Curso práctico de instrumentación.* Barcelona: Catalana de Publicacions, 1947.

BAINES, Anthony: *The Oxford Companion to Musical Instruments.* Oxford: Oxford University Press, 1992.

———————: *Historia de los instrumentos musicales.* Madrid: Taurus, 1988.

BENADE, Arthur: *Fundamentals of Musical Acoustics.* New York: Oxford University Press, 1976.

BEKKER, Paul: *The Orchestra.* New York: W.W. Norton & Company, 1963.

BERLIOZ, Héctor: *De l'instrumentation.* Paris: Le Castor Astral, 1994.

———————: *Grande Trattato di Strumentazione e D'Orchestrazione.* Milán: Ricordi, 1988.

BESSARABOFF, Nicholas: *Ancient european musical instruments. Boston: Museum of Fine Arts.* The Harvard University Press, 1941.

BLACK, D. y GEROU, T.: *Essential Dictionary of Orchestration.* Los Angeles: Alfred Publishing Co., Inc. 1998.

BLACK, Dave: *Essential Dictionary of Orchestration.* Los Angeles: Alfred Publishing Co., Inc. 1998.

BLASCO, F. y SANJOSÉ. V.: *Los instrumentos musicales.* Valencia: Universidad de Valencia, 1994.

BLATTER, Alfred: *Instrumentation / Orchestration. 2d. ed.* New York: Macmillan, 1997.

BONASTRE, Francesc: *Música y parámetros de especulación.* Madrid: Alpuerto, 1977.

BUCHNER, Alexander: *Encyclopédie des instruments de musique.* París: Gründ, 1980.

———————: *Les instruments de musique à travers les ages.* Paris: Gründ, 1972.

BOUASSE, Henry: *Instruments a vent* (3 tomos). París: Librairie Scientifique et Technique, Albert Blanchard, 1986.

BURTON, Stephen Douglas: *Orchestration.* New Jersey: Prentice Hall, 1982.

CACAVAS, John: *Music Arranging and Orchestration.* New York: Belwin-Mills, 1975.

CARSE, Adam: *The orchestra in the XVIIIth Century.* Cambridge: W. Heffer & Sons Ltd., 1940.

———————: *The Orchestra from Beethoven to Berlioz.* Cambridge: W. Heffer & Sons Ltd., 1948.

———————: *The History of Orchestration.* New York: Dover, 1964.

CASELLA, A. y MORTARI, V.: *La técnica de la Orquesta Contemporánea.* Buenos Aires: Ricordi, 1950.

CLODOMIR, P.: *Manuel Complet du Chief-Directeur —Harmonie et fanfarre—.* Paris: Alphonse Leduc, 1948.

COERNE, Louis Adolphe: *The Evolution of Modern Orchestration.* Connecticut: Macmillan, 1979.

DEL MAR, Norman: *Anatomy of the Orchestra.* London: Faber & Faber, 1983.

DIEGO, A.M. y MERINO, M.: *Fundamentos físicos de la música*. Valladolid: Insituto de Ciencias de la Educación, 1988.

DIDEROT ET D'ALEMBERT: *L'encyclopédie: Lutherie*. Paris: Inter-livres, 1994.

DONINGTON, Robert: *Baroque Music Style and Performance, a Handbook*. New York: W.W. Norton & Company, 1982.

——————: *La música y sus instrumentos*. Madrid: Alianza, 1986.

DONORA, Luigi: *Semiografia della nuova musica*. Padova: G. Zanibon, 1978.

DOUGLAS BURTON, Stephen: *Orchestration*. New York: Prentice Hall, 1982.

ERICKSON, Robert: *Sound Structure in Music*. Berkeley: University of California Press, 1975.

ESLAVA, Hilarión: *Escuela de composición. Tratado cuarto: de la instrumentación*. Madrid: Imprenta de Santos Larxé y Blumestein, 1967.

FICHER, J. y SICCARDI, S.: *Síntesis de Instrumentación*. Buenos Aires: Ricordi, 1942.

FORSYTH, Cecil: *Orchestration*. New York: Dover, 1982.

GALILEI, Vicenzo: *Diálogo della música antica et moderna (Fiorenza 1581)*. Roma: Reale Accademia d'Italia, 1934.

GEIRINGER, Karl: *Musical instruments, their history in western culture from the stone age to the present day*. New York: Oxford University Press, 1945.

GEVAERT, F.A.: *Nuevo tratado de Instrumentación*. París: Henry Lemoine, 1938.

GLAREAN, Heinrich: *Dodecachordon*. New York: American Institute of Musicology, 1965.

GRIFFITS, Paul: *A Concise History of the Avant-Garde Music*. New York: Oxford University Press, 1978.

——————: *Modern Music and after. Directions since 1945*. Oxford: Oxford University Press, 1995.

HAINE, M.: *Adolphe Sax, sa vie, son oeuvre, ses instruments de musique*. Bruxelles: Ed de l'Université de Bruxelles, 1980.

HELLER, Henryk: *Método de los sonidos armónicos*. Berlin: N. Simrock, 1928.

HENRIQUE, Luis: *Instrumentos Musicais*. Lisboa: Fundación Calouste Gulbenkian, 1988.

HERRERA, Enric: *Técnicas de arreglos para la orquesta moderna*. Barcelona: Antoni Bosch, 1986.

HORWOOD. W.: *Adolphe sax 1814-1894, his life and legacy*. New York: Egon Publishers Ltd., 1980.

JACOB, Gordon: *The elements of Orchestration*. Connecticut: Greenwood press, Publishers, 1976.

——————: *Orchestral Technique*. Oxford: Oxfod University Press, 1992.

JACHINO, Carlo: *Gli Strumenti d'Orchestra*. Milán: Curci, 1978.

KARÓLY, Ottó: *Introducción a la música del siglo XX*. Madrid: Alianza Editorial, 2000.

KARTOMI, Margaret J.: *On Conceps and Classifications of Musical Instruments*. Chicago: The University of Chicago Presss, 1990.

KENNAN, K. y GRANTHAM, D.: *The Technique of Orchestration*. New Jersey: Prentice Hall, 1990

KOECHLIN, Charles: *Traité de l'orchestration (Vo l-4)*. Paris: Max Eschig, 1959.

LEIBOWITZ, R. y MAGUIRE, J.:*Il pensiero Orchestrale*. Bari: Salvati, 1960.

LEUCHTMANN, H.: *Dictonaire polyglotte de la terminologie musicale*. 2 tomos. Kassel: Ed. Bärenreiter, 1980.

LEE, Y-Y., y SHEN, S-Y.: *Chinese Musical Instruments*. Chicago: Chinese Musical Society of North America, 1999.

LOCATELLI de Pergamo, Ana María: *La notación de la música contemporánea*. Buenos Aires: Ricordi, 1973.

MANCINI, Henry: *Sounds and Scores*. Miami: Northridge, Inc.: 1973.

MARSENNE, Marin: *Harmonie universelle contenant la théorie et la practique de la musique (Paris 1636)*. Paris: Editions du Centre National de la Recherche Scientifique, 1986.

MARX, Hans Joachim: *The instrumentation of Handel's early italian works*. Revista Early Music, 1988.

MATHEWS, Paul: *Orchestration. An Anthology of Writings*. New York: Routledge, 2006.

MEYER, Christian: *Musica getutscht: les instruments et la practique musicales en Allemagne au début du XVIe siècle*. Paris: Editions du Centre National de la Recherche Scientifique, 1980.

MONTAGU, Jeremy: *The World of baroque & classical musical instruments*. New York: Overlook Press, 1979.

NYMAN, Michael: *Experimental Music*. New York: Schirmer Books, 1974.

OTT, Leonard: *Orchestration and Orchestral Style of Major Symphonic Works: Analytical Perspectives*. New York: The Edwin Mellen Press, 1997.

PEDRELL, Felipe: *Organografía musical antigua española*. Barcelona: Juan Gili, librero, 1901.

PERONE, James: *Orchestration theory: a bibliography*. Westport: greenwood Press, 1996.

PISTON, Walter: *Orquestación*. Madrid: Real Musical, 1978.

PRAETORIUS, Micheal: *De Organographia*. 2 vols. Oxford: Calrendon Press, 1986.

PREVITALI, Fernando: *Guía para el estudio de la dirección orquestal*. Buenos Aires: Ricordi, 1969.

PRIEBERG, Fred: *Música de la era técnica*. Buenos Aires: Eudeba, 1961.

PROUT, Ebenezer: *The Orchestra, Techniques and Combinations*. New York: Dover Publications, 2003.

RAYNOR, Henry: *The Orchestra*. New York: Charles Scribner's Sons, 1978.

RAUSCHER, Donald J.: *Orchestration, Scores & Scoring*. New York: The Free Press of Glencoe, 1963

READ, Garner: *Style and Orchestration*. New York: Schirmer Books, 1979.

——————: *Contemporary Instrumental Technique*. New York: Schirmer Books, 1976.

——————: *Orchestral Combinations*. Maryland: Scarecrow Press Inc., 2004.

RIMSKY-KORSAKOV, Nicolas: *Principios de orquestación (Tomo I y II)*. Buenos Aires: Ricordi, 1946.

SACHS, Curt: *Historia universal de los instrumentos musicales*. Buenos Aires: Centurion, 1948.

SCHAEFFNER, André: *Origine des instruments de musique*. Paris: Mouton & Co and Maison des Sciences de l'Homme, 1968.

SCHERCHEN, Hermann: *El arte de dirigir la Orquesta*. Barcelona: Labor, 1988.

SCHÖNBERG, Arnold: *Coherence, Counterpoint, Instrumentation, Instruction un Form*. Lincoln: University of Nebraska, 1994.

SAUER, Theresa: *Notations 21*. New York: Mark Batty Publisher, 2009.

SELFRIDGE-FIELD, Eleanor: *Venetian instrumental music from Gabrieli to Vivaldi*. New York: Dover, 1994.

——————: *Instrumentation and genre in italic music, 1600-1670*. Revista Early Music, 1991.

SHEN, Sin-Yan: Chinese Music and Orchestration. Chicago: Chinese Musical Society of North America, 1991.

SHATZKIN, Merton: *Writing for the Orchestra. An Introduction to Orchestration*New Jersey: Prentice Hall, 1993.

SMITH BRINDLE, Reginald: *Contemporary Percussion*. Oxford: Oxford University Press, 1991.

SPITZER, J. y ZASLAW, N.: *The Birth of the Orchestra*. New York: Oxford University Press, 2004.

STONE, Kurt: *Music Notation in the Twentieth Century*. New York: W.W. Norton & Company, 1980.

STRANGE, Allen: Electronic Music. Systems, Techniques and Controls. Iowa: Wm. C. Brown, 1971.

SWAROWSKY, Hans: *Dirección de Orquesta*. Madrid: Real Musical, 1988.

TAYLOR, C.A.: *The Physics of Musical Sound*. London: English University Press, 1965.

TRANCHEFORT, François-René: *Los instrumentos musicales en el mundo*. Madrid: Alianza, 1991.

TRICHET, Pierre: *Traité des Instruments de Musique (vers 1640)*. Genève: Minkoff Reprint, 1978.

ULIERTE, Enrique de: *Tratado moderno de instrumentación para orquesta de Jazz*. Madrid: Canciones del mundo, 1965.

VILLA ROJO, Jesús: *Notación y grafía musical en el siglo XX*. Madrid: Iberautor, 2000.

VIRDUNG, Sebastián: *Musica Getutscht (Basel 1511)*. *Les instruments et la practique musicales en Allemagne au début du XVI siècle*. París: Centre National de la Recherche Scientifique, 1980.

VOIGT, Wolfagang: *Dissonanz und Klanfarbe. Instrumentationsgeschuchtlibne und experimentelle Undersuchungen*. Bonn: Verlag für systematische Musikwissenschaft GMBH, 1985.

VOLBACH, Fritz: *La Orquesta Moderna*. Barcelona: Labor, 1928.

VVAA: *L'Orchestre*. Paris: Autrement, 1992.

VVAA: *Atlas de los instrumentos musicales*. Madrid: Alianza, 1994.

VVAA: *Museu de la Música 1/ Catáleg d'instruments*. Barcelona: Museo de la música, Ajuntament de Barcelona, 1991.

VVAA: *Instruments de musique espagnols du XVIe au XIXe Siècle*. Bruselas. Génerale de Banque et les auteurs, 1985.

VVAA: *The Cambridge Companion to the Orchestra*. Cambridge: Cambridge Univesity Press, 2003.

VVAA: *Orchestration. An Anthology of Writings*. New York: Routledge, 2006.

WAGNER, R.: *Wagner on Conducting*. New York: Dover, 1989.

WHITTALL, Arnold: *Musical Composition in the Twentieth Century*. Oxford: Oxford University Press, 1999.

WHITE, William B.: *Theory and Practique of Piano Construction*. New York: Dover, 1975.

WIDOR, Charles Maria: *Técnica de la Orquesta Moderna*. París: Henry Lemoine, 1913.

WINCKEL, Fritz: *Music, Sound and Sensation. A Modern Exposition*. New York: Dover, 1967.

WINTERNITZ, Emanuel: *Les instruments de musique du monde occidental*. Paris: Arthaud, 1972.

ZACCONNI, Lodovico: *Prattica di musica*. Bologna: Forni, 1967.

Instrumentos de cuerda frotada

BACHMANN, Alberto: *An Encyclopedia of the Violin*. New York:D Capo, 1966.

BERMAN, J., JACKSON, B. y SARCH, K.: *Dictionary of Bow and Pizzicato Terms*. Bloomington, Ind.: Tichenor Publicacions, 1999.

BOYDEN, David D.: *The History of Violin Playing from its Origins to 1761 and Its Relationship to the Violin and Violin Music*. London: Oxford University Press, 1965.

BRADETICH. Jeff: *Double Bass. The Ultimate Challenge*. Idaho: Music for All to Hear, Inc., 2009.

BRYAN, John: *In Search of the Earliest Viols: Interpreting the Evidence from a Painting by Lorenzo Costa*. London: The Viola da Gamba Society of Great Britain, núm. 131, 2005.

CRUM, A. Y JACKSON, S.: *Play the Viol: The Complete Guide to Playing the Treble, Tenor and Bass Viol*. Oxford: Oxford University Press, 1992.

GAI, Vinicio: *La voluta degli strumenti ad arco*. Roma: Edizioni Torre d'Orfeo, 1988.

GALAMIAN, Ivan: *Principles of Violin Playing and Teaching*. New York: Prentice Hall, 1962.

GREEN, Elizabeth A. H.: *Orchestral Bowing and Routines*. Michigan: Ann Arbor Publishers, 1957.

GRIFFITHS, Paul: *The String Quartet, a History*. Great Britain: Thames and Hudson, 1985.

HELLER, Henryk: *Lehre der Flageolettöne*. Volumen I a VI. Berlin: N. Simrock, 1925.

LEIPP, Emile: *The Violin: History, Aesthetics, Manufacture, and Acoustics*. Toronto: Unversity of Toronto Press, 1969.

LINDLEY, Mark: *Lutes, Viols, Temperaments*. Cambridge: Cambridge University Press, 1984.

NELSON, Sheila M.: *The Violin and Viola. History, Structure, Techniques*. New York: Dover Publications, 1972.

MORENO, Enrique: *Expanded Tunings in Contemporary Music: Theoretical Innovations and Practical Applications*. New York: Edwin Mellen Press, 1992.

OSSMAN., Bruce: *Violin Making*. USA: Fox Chapel Publishing, Inc. 2009.

PLANYAVSKY, Alfred: *The Baroque Double Bass Violone*. Maryland: The Scarecrow Press, Inc., 1998.

PORTA, Enzo: *Violino. I suoni armonici: classificazione e nuove tecniche*. Milán: BMG-Ricordi, 2004.

ROBERT, Jean-Pierre: *Les modes de jeu de la contrabasse*. Paris: Editions Musica Guild, 1994.

SANDYS, W. y FORSTER, S. A.: History of the Violin. New York: Dover Publications, 2006.

STRANGE, P. Y STRANGE, A.: *The Contemporary Violin*. Los Angeles: Unversity of California Press, 2001.

TURETSKY, Bert: *The Contemporary Contrabass*. Berkeley, Los Angeles: University of California Press, 1974.ç

YAMPOLSKY, I. M.: *Principles of Violin Fingering*. New York: Oxford University Press, 1967.

WOODFIELD, I., MAYWE, H., HURAY, P., STEVENS, J.: *The Early History of the Viol*. Cambridge: Cambridge University Press, 1988.

ZIMMERMANN, Frederick: *A Contemporary Concept of Bowing Technique for the Double Bass*. Milwaukee: Hal Leonard, 1985

ZUKOVSKY, Paul: *On Violon Harmonics*. Michigan: Revista Perspectives of New Music, núm. 174-181.

Instrumentos de cuerda pulsada

ADLER, Tom: *The Physical Development of the Banjo*. Revista New York Folklore, núm. 28, 1982.

AGUADO, D. *Méthode Complète pour la Guitarre*. Paris: Richault, 1827.

ANDERTON, Craig: *Electronic Projects for Musicians*. California: Guitar Player Productions, 1975

BAILY, Jay: *Historical Origin and Stylistic Developments of the Five-String Banjo*. Revista Journal of American Folklore núm 95, 1972.

BAY, Mel: *Complete Mandolin Method*. United States: Mel Bay, 1987.

BELLOW, Alexander: *The Illustrated History of the Guitar*. New York: Belwin-Mills, 1970.

BONE, Philip J.: *The Guitar and Mandolin*. London: Schott, 1972.

CALVO-MANZANO, M. Rosa: *Tratado analítico de la técnica y estética del arpa*. Madrid: Editorial Alpuerto, 1987.

CATEURA, Baldomero: Escuela de la Mandolina Española. Barcelona, 1896.

CHALOUPKA, Stanley: *Harp Scoring*. Glendale, Ca.: S. Chaloupka, 1979.

GURA, P. : y BOLLMAN, J. F.: *America's Instrument. The Banjo in the Nineteenth Century*. Chapel Hill: The Unversity of North Carolina Press, 1999.

JUNIUS, Manfred M.: *The Sitar. The instrument and its Technique*. New Delhi: Indica Books, 2006.

KASHA, Michael: Complete Guitar Acoustics. Talahausse, Florida: Cypress Grove Press, 1974.

MAJOR, James: *Mandolin Chord Book*. United States: Music Sales Ltd., 2002.

PUJOL, Emilio: *Escuela razonada de la Guitarra*. Buenos Aires: Ricordi, 1956.

QUINE, Hector: *Guitar technique*. London: Oxford University Press, 1990.

SALZEDO, Carlos: *Modern Study for the Harp*. New York: G. Schirmer, 1948.

SCHENEIDER, John: *The Contemporary Guitar*. California: University of California Press, 1985.

SHARPE, A. P.: *The Complete Guide to Instruments of the Banjo Family*. New York: Mills Music Company, 1966.

——————: The Story of the Spanish Guitar. London: Clifford Essex Music, 1968.

SLOANE, Irving: *Classic Guitar Construction*. New York: E.P. Dutton, 1967.

SMITH, Douglas A.: *A History of the Lute from Antiquity to the Renaissance*. New York: Lute Society of America, 2002.

SOR, Fernando: *Methof for the Guitar*. London: Robert Cooks, 1896,

SOTOS, Andrés de: *Arte para aprender con facilidad la guitarra*. Madrid, 1760.

SPRING, Matthew: *The Lute in Britain: A History of the Instrument and its Music*. New York: Oxford University Press, 2001.

SPARKS, Paul: *The Classical Mandolin*. Oxford: Oxford University Press, 1995.

SRAHL, William C.: *Stahl's New Mandolin Method*. Milwaukee: J. Flanner, 1900.

STRANGE, Allen: *Electronic Music. Systems, Techniques and Controls*. Iowa: Wm. C. Brown, 1971.

REV, Lil': *Ukelele Method*. Milwaukee: Hal-Leonard, 2005.

RICHARDS, Tobe A.: *The Mandolin Chord Bible: 2,736 Chords*. United Kingdom: Cabot Books, 2007.

ROCH, Pascual: *A Modern Method for the Guitar: School of Tarrega*. New York: Schirmer Books, 1921.

TURNBULKL, Harvey: *The Guitar: From the Renaissance to the Present Day*. London: Batsford, 1974.

TSUMURA, Akira: *Banjos, The Tsumura Collection*. Tokyo, New York: Kodansha International, 1984.

WHEELER, Tom: *American Guitars*. New York: Harper Collins, 1992.

——————: The Guitar Book: *A Handbook for Electric and Acoustic Guitarists*. London: MacDonald and Janes, 1974

Índice onomástico